ज्ञान गरिमा के
70 वर्ष

भारतीय ज्ञानपीठ

णाणं
पयासयं
वीर नि.सं. 2470
ई. सन् 1944
भारतीय ज्ञानपीठ

संस्कृति और समाज

(आलोचना)

संस्कृति और समाज

सुभाष शर्मा

भारतीय ज्ञानपीठ

लोकोदय ग्रन्थमाला : ग्रन्थांक 1188
ग्रन्थमाला सम्पादक
रवीन्द्र कालिया
सह-सम्पादक
गुलाबचन्द्र जैन

ISBN 978-93-263-5210-9

संस्कृति और समाज
(आलोचना)
सुभाष शर्मा

प्रथम संस्करण : 2013
मूल्य : 190 रुपये

प्रकाशक : **भारतीय ज्ञानपीठ**
18, इन्स्टीट्यूशनल एरिया, लोदी रोड, नयी दिल्ली-110 003

मुद्रक : विकास कम्प्यूटर ऐंड प्रिंटर्स, दिल्ली

आवरण : अजय कुमार शर्मा
आवरण-सज्जा : ज्ञानपीठ कला प्रभाग

SANSKRITI AUR SAMAJ
(Criticism)
by Subhash Sharma

Published by
Bharatiya Jnanpith
18, Institutional Area, Lodi Road
New Delhi-110 003
e-mail : jnanpith@satyam.net.in, sales@jnanpith.net
website : www.jnanpith.net

First Edition : 2013
Price : Rs. 190

प्रस्तावना

संस्कृति उतनी ही मानवकृत एवं सामाजिक गतिविधि है जितना कि मनुष्य संस्कृति द्वारा निर्मित है। 'मनुष्य एक सामाजिक प्राणी है' (अरस्तू), इसलिए वह समाज से अलग रहकर न तो जीवित रह सकता है और न अपना स्वाभाविक विकास कर सकता है। बचपन में हर समाज, परिवार और समुदाय बच्चों में नये मूल्यों और संस्कारों का समावेश करता है जो उस देशकाल के अनुकूल होते हैं। भारत में संस्कृति जीवन की छाया प्रति नहीं होती, बल्कि जीने की शैली होती है। हम जिस ढंग से शब्दों का उच्चारण करते हैं, जो कुछ खाते-पीते हैं, जो कुछ पहनते हैं, जिस प्रकार का घर बनाकर सजा-सँवारकर रहते हैं, जिस तरह की आदतें और शौक पालते हैं, जो रीति-रिवाज और उत्सव-त्योहार मनाते हैं, उन सबका आधार संस्कृति होती है। संस्कृति हमारे तन-मन का परिष्कार करती है। उसकी गति धीमी भले होती है, मगर यह परिवर्तन की सतत प्रक्रिया होती है जो सुपाच्य चीजों, पद्धतियों, परम्पराओं प्रवृत्तियों आदि को ग्रहण कर लेती हैं, मगर अपाच्य कुप्रभावों, पद्धतियों और प्रवृत्तियों को त्याग देती है। फिर संस्कृति के व्यापक अर्थ में विभिन्न कलाएँ भी आती हैं जो हमारी बौद्धिक परम्पराओं की सटीक अभिव्यक्तियाँ होतो हैं।

समाजशास्त्री और साहित्यकार साथ-साथ होने के कारण मेरी इच्छा थी कि मैं संस्कृति के कतिपय जरूरी आयामों पर प्रकाश डालूँ। इसी चिन्तन-मनन के क्रम में मैंने ये पन्द्रह लेख लिखे हैं जिनका सीधा सम्बन्ध राष्ट्रीय अस्मिता, भाषाओं के जीवन-मरण, प्रति-संस्कृति, बहुलतावाद से लेकर उपभोक्तावाद के विभिन्न आयामों तक है। इस पुस्तक के प्रकाशन के लिए मैं भारतीय ज्ञानपीठ के वर्तमान निदेशक श्री रवीन्द्र कालिया के प्रति हृदय से आभारी हूँ। इसके अलावा प्रो. योगेन्द्र सिंह, प्रो. के.एल. शर्मा, प्रो. अविजित पाठक, देवेन्द्र मिश्र, प्रो. बरयाम सिंह, अनन्त कुमार सिंह,

ज्योतिष जोशी, भारत भारद्वाज, अरुण प्रकाश, कमलाकान्त मिश्र, दिग्विजय नाथ त्रिपाठी, प्रेमपाल शर्मा, महिपाल सिंह आदि के निरन्तर प्रोत्साहन के लिए उनके प्रति आभार व्यक्त करता हूँ।

आशा है, सुधी पाठकों को यह पुस्तक रुचिकर लगेगी।

—सुभाष शर्मा

नयी दिल्ली
19 अप्रैल, 2010

अनुक्रम

संस्कृति और समाज

पिछले कुछ दशकों में विभिन्न विदेशी एवं कुछ भारतीय विश्वविद्यालयों में संस्कृति के पूर्णतः स्वतन्त्र अध्ययन के लिए समाजशास्त्र एवं मानवशास्त्र से इतर 'सांस्कृतिक अध्ययन' के नये विभाग या केन्द्र या संस्थान खुल गये हैं जैसे स्वतन्त्र 'महिला अध्ययन' विभाग, स्वतन्त्र 'विकास अध्ययन' विभाग आदि खुल गये हैं। संस्कृति का अँग्रेज़ी शब्द 'कल्चर' 'कल्चरा' से उत्पन्न हुआ है जिसका प्रथम अर्थ होता है 'खेती करना'। इसका दूसरा अर्थ होता है 'सम्मान करना' या 'रक्षा करना'। उन्नीसवीं सदी के यूरोप में संस्कृति का अर्थ आदतों, रीति-रिवाजों, संस्कारों आदि से लगाया जाता था, विशेषकर अभिजनों के सन्दर्भ में भारत में भी प्रायः पढ़े-लिखे और पारम्परिक संस्कारों वाले व्यक्तियों को 'सुसंस्कृत' कहा जाता है और यह अकारण नहीं है कि सांस्कृतिक कार्यों में निपुण व्यक्तियों को 'संस्कृति पुरुष' कहा जाता है ('संस्कृति-स्त्री' संज्ञा कहीं सुनने को नहीं मिलती) जैसे कुछ व्यक्तियों को 'विकास-पुरुष' कहा जाता है। मगर कालान्तर में विशेषकर सांस्कृतिक अध्ययन नामक ज्ञानानुशासन में संस्कृति शब्द का खास अर्थ 'अर्थों और विचारों को उत्पन्न करने की पद्धति' के रूप में लगाया जाता है। यहाँ यह मान्यता होती है कि विभिन्न अर्थ शक्ति-सम्बन्धों (पॉवर रिलेशन्स) द्वारा नियन्त्रित एवं निर्धारित होते हैं। वास्तव में, अभिजन संस्कृति अर्थों को नियन्त्रित करती है क्योंकि यह वाद-विवाद की शर्तों को नियन्त्रित करती है। दूसरी ओर ग्रामीण संस्कृति, आम जनों की संस्कृति को 'गँवारू', 'उजड्ड', 'बड़बोली', 'बेस्वाद', 'व्यर्थ' और 'सतही' आदि कहकर दोयम दर्जे का मान लिया जाता है। जाहिर है, इस प्रकार संस्कृति के कुछ तत्त्वों को ज्यादा तरजीह, प्रत्यक्षता एवं महत्ता मिलती है। कहने का आशय यह है कि किसी खास जगह पर, कम जगह पर, नियन्त्रित जगह पर (जैसे कला दीर्घा में चित्र कला प्रदर्शनी, विशिष्ट मंच पर नाट्य मंचन या शास्त्रीय संगीत) अभिजन संस्कृति को ज्यादा महत्त्व मिलता है जबकि लोकप्रिय संस्कृति या लोक संस्कृति वृहत्तर जन-समूह के दैनिक जीवन से जुड़ी होने के कारण प्रायः खुले मैदान में सम्पन्न होती है,

खुले खेतों में चैता या चैती गीत श्रमिक वर्ग द्वारा गाये जाते हैं, सावन-भादों में झूला झूलती ग्रामीण महिलाएँ कजरी गीत गाती हैं, फगुआ, धुलंडी, होली के अवसर पर अबीर-गुलाल के साथ-साथ लोकगीत भी गाये जाते हैं। विलासिता तथा बाकी दुनिया से एकाकीपन के बीच एक आन्तरिक जुड़ाव होता है। मात्र कुछ लोगों के लिए विलासिता दो तरह की जगहों से सम्भव की जाती है—पहली, 'पपड़ीदार जगह' (क्रस्टी स्पेस) जो जानबूझकर अवरुद्ध की जाती है। दूसरी, 'घबरायी जगह' (जिटरी स्पेस) पर ऊँचे दर्जे की निगरानी की जाती है। फिर लोकप्रिय सिनेमा (बनाम कला सिनेमा) से लेकर दीवार-लेखन/चित्रण आदि जनता के दैनिक जीवन की अभिव्यक्तियाँ होते हैं। जाहिर है, सांस्कृतिक अध्ययन की जड़ें लोकप्रिय सिनेमा में निहित हैं। यहाँ आधारभूत प्रस्थापना यह है कि कोई संस्कृति उन अर्थों के बारे में होती है जिन्हें कोई समुदाय या समाज तैयार करता है। दूसरे शब्दों में, जिन वस्तुओं या शिल्प-उपकरणों को आम लोग कोई खास अर्थ देते हैं दैनिक जीवन में, उन्हें संस्कृति के रूप में स्वीकार करना चाहिए।

यह कहना अप्रासंगिक नहीं है कि संस्कृति का उत्पादन और उपभोग मुख्यतः तीन चीजों से जुड़ा है—

(क) वर्ग (यानी क्या-क्या उत्पादित किया जाता है, और इसे कौन निर्धारित करता है)

(ख) अर्थ-व्यवस्था (यानी कौन इसे पाने में समर्थ है)

(ग) प्रतिनिधित्व (यानी कैसे शिल्प-उपकरणों को बाज़ारों में भेजा जाता है या प्रस्तुत किया जाता है।)

आगे व्यक्ति की 'पहचान' का सवाल भी संस्कृति से जुड़ा है क्योंकि किसी व्यक्ति की पहचान उसके द्वारा निभाये जा रहे किरदारों (भूमिकाओं) पर काफी निर्भर करती है और कुछ हद तक उन चिह्नों पर भी निर्भर करती है जो उस व्यक्ति को पदनामित करते हैं। अर्थात् पहचान व्यक्ति के दैनिक जीवन के अनुभवों से निर्मित होती है और प्रतिनिधित्व उन अनुभवों का एक महत्त्वपूर्ण किस्सा होता है। इन अनुभवों में चिह्नों का उपभोग, चिह्नों के अर्थ निकालना और अर्थ का ज्ञान शामिल होते हैं। उदाहरण के तौर पर यह संस्कृति का ही मुख्य दायित्व होता है कि वह किसी बच्चे का समाजीकरण कैसे करती है— लड़कियों को स्त्रियोचित भूमिकाएँ (गुड़िया, चौका-बेलन, शीशा-कंघी) सामान्य तौर पर सिखायी जाती हैं जबकि लड़कों को पुरुषोचित भूमिकाएँ (क्रिकेट, फुटबॉल, मोटरगाड़ी, जहाज) सिखायी जाती हैं। इस प्रकार, स्त्री-विमर्श विभिन्न लिंगों के बीच शक्ति एवं स्थान-सम्बन्धों का निर्धारण करता है। अस्तु, 'पहचान' अन्ततः प्रतिनिधित्व (अर्थ-सृजन) के परिणाम तथा विमर्श के प्रभाव के रूप में होती है। यानी यह समाज द्वारा निर्मित होती है। इसलिए

किसी समाज की संस्कृति को जानने के लिए जरूरत है सत्ता की संरचनाओं का विश्लेषण करने की जो छवियों, प्रतिनिधित्वों और अर्थों पर प्रभाव डालते हैं क्योंकि शक्ति संरचनाएँ व्यक्तिगत जिन्दगियों और कृत्यों को अन्ततः निर्धारित करती हैं। भारत के सन्दर्भ में यह उल्लेखनीय है कि शासन की सत्ता, धन की सत्ता, धर्म की सत्ता और ज्ञान की सत्ता अपना-अपना कार्य कभी-कभी अलग-अलग सम्पन्न करती हैं और कभी-कभी एक दूसरे से मिलकर सम्पन्न करती हैं।

दैनिक जीवन में हम विभिन्न व्यक्तियों, समूहों, समुदायों आदि से अन्तःक्रिया स्थापित करते हैं। जब हम दूसरों से कुछ सुनते हैं, तो उनके खास शब्दों, प्रतीकों छवियों, मुहावरों आदि का कूट खोलते हैं अर्थात् हमारी और उनकी साझी भाषा और सांस्कृतिक कूट के जरिये उनके अनुभवों को जाना-समझा जाता है। किसी स्थान और कालखंड विशेष में एक जन-समुदाय जो खाता है, जो पहनता है, जैसे मनोरंजन करता है, जैसे उत्सव-त्योहार मनाता है, वह उनकी 'जी गयी संस्कृति' ('लिव्डकल्चर': रेमंड विलियम्स) कहलाती है। जैसे दुनिया रोज बनती है, वैसे संस्कृति भी रोज बनती है— कुछ-न-कुछ बदलती रहती है, यानी कुछ घटती है, कुछ बढ़ती है। उपभोक्तावादी संस्कृति में (विशेषकर महानगरों में, अभिजन समूहों में और वर्तमान काल-खंड में) अवकाश और आनन्द (लेजर ऐंड प्लेजर) को कर्तव्यों/कृत्यों के ऊपर रखा जाता है। कहने का आशय यह है कि उपभोक्तावाद, एक नयी प्रवृत्ति, प्रक्रिया और विचारधारा के रूप में पहचान का एक स्वतन्त्र रूप बन गया है। निःसन्देह, संघ और पहचान-संरचनाओं के पुराने रूप ध्वस्त हो रहे हैं— कहीं-कहीं नये रूपों ने आकार ले लिया है, तो कहीं-कहीं एक प्रकार की रिक्ति या शून्यता पैदा हो गयी है। जीवन-शैली मुख्यतः व्यक्तिगत चयन/विकल्प पर आधारित होती है मगर किसी अल्पविकसित या अविकसित समाज में समूह का दायरा, दायित्व और दबदबा अधिक होने के नाते वहाँ जीवन-शैली सामूहिक चयन/विकल्प पर निर्भर होती है। बड़े शहरों से लेकर कस्बों (और अब विकसित गाँवों तक) नये प्रकार के 'सांस्कृतिक मध्यस्थ' (कल्चरल इंटरमीडियरी) पैदा हो गये हैं जो किसी सांस्कृतिक उत्पाद/घटना और इसके उपभोक्ताओं के बीच मध्यस्थता करते हैं जैसे विज्ञापन और बाज़ारण अभिकरण (एजेन्सियाँ), घटना/कार्यक्रम प्रबन्धक (इवेंट मैनेजर) आदि। वे किसी सांस्कृतिक उत्पाद की खास छवियों को प्रदर्शित करते हैं, खास मूल्यों को रेखाँकित करते हैं और अन्ततः उपभोक्ताओं को बेच देते हैं। एक तरह से वे अर्थव्यवस्था और संस्कृति को जोड़ते हैं— प्रतिनिधित्व के जरिये वे उपभोक्ताओं में खास उत्पादों के प्रति ललक पैदा करते हैं और वे अन्ततः उन्हें खरीदते हैं। मसलन फिल्मों के निर्माण में निर्माता, वित्त प्रदाता, निर्देशक और अभिनेता सीधे जुड़े होते हैं, मगर फिल्म के रिलीज होने के पूर्व प्रचार-प्रसार में विज्ञापन, फिल्म-समीक्षा, प्रीमियर प्रस्तोता और

वितरक (किस सिनेमाघर में फिल्म उपलब्ध कराना) मध्यस्थ की भूमिका निभाते हैं— फिल्म को दर्शकों तक पहुँचाने, देखने के लिए प्रेरित करने और टिकट खरीदकर देखने के लिए। इसमें सबसे पहले फिल्मों के गीत-संगीत को टी.वी. या कैसेट के जरिये दर्शकों/श्रोताओं तक पहुँचाया जाता है। इसी प्रकार भारत के सुदूर आदिवासी गाँवों की नृत्य शैली, लोकगीत, चित्रकला, मूर्ति शिल्प, स्थापत्य, नाट्य रूप आदि को विदेशों में निर्यात किया जाता है क्योंकि पश्चिम में उतनी सांस्कृतिक विविधता, प्राचीनता, विस्तार और गहराई नहीं है। इसीलिए आजकल 'रिमिक्स' संगीत (पुराने गीत-संगीत में नया आयाम जोड़कर मिश्रित रूप/शैली प्रस्तुत करना) धुआँधार गति से चल रहा है। आजकल 'भूमंडलीकरण' का ज़माना है। जहाँ स्थानीय संस्कृति के उत्पादों को विश्व स्तर पर लाभार्थ पेश किया जा रहा है और दूसरी ओर विश्व संस्कृति के कई रूपों (रॉक, जॉज, पॉप संगीत) का प्रचार-प्रसार भारत के गाँवों तक में पत्र-पत्रिकाओं और इलेक्ट्रॉनिक माध्यमों के जरिये हो रहा है— माइकेल जैक्सन की नृत्य-संगीत शैली, जुबिन मेहता की सिम्फनी आर्केस्ट्रा, ब्राजील का साम्बा नृत्य, अफ्रीकी नृत्य शैली आदि के दृश्य श्रव्य कैसेट भारत के बाज़ारों में धड़ल्ले से बिक रहे हैं। सो स्थानीय शिल्प-उपकरण विशुद्ध बाज़ार की माँग के अनुरूप थोक में उत्पादित हो रहे हैं। आजकल इंटरनेट, वेबसाइट, ब्लॉग आदि के जरिये इनका प्रचार-प्रसार और बढ़ रहा है। जन-संचार माध्यम दो तरह के प्रचार-प्रसार (प्रतिनिधित्व) करते हैं—परामर्श के रूप में या उकसाने के रूप में। परामर्श के रूप में जनसंचार माध्यम अपनी राय व्यक्त नहीं करते, बल्कि किसी सांस्कृतिक उत्पाद पर संकेतात्मक परामर्श ही देते हैं। उदाहरणार्थ, 'ठंडा मतलब कोका कोला' कोई फिल्म अभिनेता किसी जनसंचार माध्यम पर कहता है या किसी खास सूटिंग, साड़ी आदि को किसी अभिनेता/खिलाड़ी आदि के जरिये प्रचारित किया जाता है— वहाँ माध्यम सीधे उस उत्पाद को खरीदने के लिए नहीं कहता। मगर कोई प्रचार-प्रसार तब उकसाने वाला होता है जब उसमें सीधे तौर पर दिखाया जाता है कि कोई दुश्मन देश हमारे देश में आतंकवादी गतिविधियाँ विभिन्न तरीकों से बढ़ा रहा है—धन देकर, तकनीकी देकर, हथियार देकर, सीमा पार से घुसपैठ कराकर, आतंकवादी तत्त्वों को प्रशिक्षण देकर आदि।

आजकल उत्तर-आधुनिकता बौद्धिक विमर्श का नया दौर माना जाता है। ज्ञातव्य है कि शुरू में (सत्रहवीं सदी में) यूरोप में 'आधुनिकता' शब्द का प्रयोग ईसाई वर्तमान से मूर्तिपूजक अतीत को हिगराने के लिए किया गया था। सो यूरोप में ज्ञानोदय काल (सत्रहवीं-अठारहवीं सदी) को आधुनिक शब्द से गहरे से जोड़ा जाता है। उस समय विवेक और अनुभववाद को भावनाओं एवं आस्थाओं के ऊपर प्राथमिकता दी गयी वस्तुनिष्ठ विश्लेषण के लिए। अठारहवीं सदी को सीधे-सीधे 'विवेक का युग'

(एज ऑव रीजन) कहा गया। उन्नीसवीं सदी में आधुनिकता औद्योगीकरण से ज्यादा जुड़ गयी और उसे पूँजीवाद तथा उद्योगवाद के करीब माना गया। मगर दूसरी ओर आधुनिकता में कौशल (हुनर) की विशिष्टता भी महत्त्वपूर्ण रही है यानी काम का दायरा घर-परिवार, धर्म, अवकाश, विद्यालय आदि से बिल्कुल अलग हो गया। इस दौरान नौकरशाही का भी विवेकीकरण हुआ जिसे मैक्स वेबर 'विवेकशील-वैधानिक प्राधिकार' (रेशनल-लीगल अथॉरिटी) कहते हैं। फिर विधायिका, कार्यपालिका और न्यायपालिका के अधिकारों का बँटवारा भी हुआ। इसी दौरान शहरीकरण की प्रक्रिया भी तेजी से बढ़ी क्योंकि नये औद्योगिक रोजगार प्राप्त करने के लिए लोगों को गाँवों से चलकर शहरों में बसना पड़ा। इन कारणों से पारम्परिक नातेदारी, संयुक्त परिवार, समुदाय, पड़ोसपन आदि का विघटन तेजी से हुआ। नयी और तीव्र गतिशीलता के कारण गाँव-घर-परिवार की जड़ों से लोग कट भी गये और नये सम्बन्धों की बुनियाद रक्त-सम्बन्ध, विवाह आदि की जगह रुख, विचार, हित, शौक आदि का साझापन हो गया। पारम्परिक विवाह प्राय: दो परिवारों के बीच हुआ करते थे, किन्तु अब प्रेम-विवाह मात्र दो व्यक्तियों के बीच होने लगे। पहले विवाह के बाद (प्राय: कम उम्र में विवाह होता था) ही यौन-सम्बन्ध स्थापित होते थे। मगर आधुनिक जमाने के प्रेम-विवाह की प्रथा में यौन-सम्बन्ध पहले से स्थापित होने लगे हैं तथा कई व्यक्तियों से यौन-सम्बन्ध स्थापित होने के बाद सिर्फ तात्कालिक हितों के मद्देनजर विवाह तय होने लगे हैं जिसमें जाति, धर्म, नस्ल, रंग, क्षेत्र, भाषा आदि की दीवारें टूटने लगीं। मगर अनन्त चाह और किसी प्रकार का बन्धन न स्वीकार करने के कारण प्रेम-विवाह धड़ल्ले से टूटने भी लगे। अर्थात् प्रेम-विवाह में तलाक की प्रवृत्ति तेजी से बढ़ी जिसके कारण एक जीवन में (खासकर अमेरिका और यूरोप में) चार-पाँच विवाह करने और तोड़ने की बात आम हो गयी है। औद्योगीकरण के कारण मशीनों से थोक उत्पादन, मानक उत्पादन, सुरक्षित राष्ट्रीय बाज़ार और विशिष्टता आधारित कार्य-संगठन की नयी प्रवृत्तियाँ विकसित हुईं।

परन्तु उत्तर-आधुनिकता या उत्तर औद्योगिकता, जो करीब 1970 के दशक में शुरू हुई, में मशीनी उत्पादन की जगह सूचना सृजन तथा नियन्त्रण ने ले ली जिसके कारण इसे 'सूचना युग' भी कहा जाता है। डेनियल बेल के अनुसार ('द कमिंग ऑव पोस्ट-इंडस्ट्रियल सोसायटी') उत्तर-औद्योगिक समाज की चार विशेषताएँ हैं—औद्योगिक श्रमिकों में घटोत्तरी, औद्योगिक श्रमिकों के घटने के बावजूद बढ़ते स्वचालित मशीनीकरण के कारण औद्योगिक उत्पादन में वृद्धि, उच्चतर उत्पादकता के कारण धन में वृद्धि तथा अवकाश एवं अन्य सेवाओं (मनोरंजन, छुट्टी के दिन) की जरूरत, और सेवा क्षेत्र में नये रोजगार के अवसर। बेल के अनुसार पूर्व औद्योगिक युग में प्रकृति और जनता के बीच संघर्ष होता था, औद्योगिक युग में जनता तथा कृत्रिम

प्रकृति के बीच संघर्ष होता था, मगर उत्तर-औद्योगिक युग में सूचनाओं को लेकर लोगों के बीच संघर्ष होता है। विभिन्न सेवाओं (बैंक, छुट्टी, स्वास्थ्य आदि) के आधार ग्राहकों की जरूरतें, उनकी भुगतान करने की क्षमता और माँगें होती हैं। अब शोध, स्वास्थ्य और शिक्षा के विशेषज्ञ 'नये बुद्धिजीवी' बन गये हैं। कहने का आशय यह है कि सूचना एवं संचार तकनीकी ने उत्पादन-प्रक्रियाओं को बिल्कुल बदल दिया। अब सूचना स्वयं एक उत्पाद तथा प्रक्रिया बन गयी है। वास्तव में, सूचनाओं का विस्फोट बहुत तेजी से हो रहा है— फिल्मों, रेडियो, टी.वी., पत्र-पत्रिकाओं, इंटरनेट, ब्लॉग, वेबसाइट आदि के जरिये। सूचनाओं का विनिमय अपने आप में एक साध्य बन गया है। सो ज्याँ बाद्रिलॉ ठीक ही 'अति यथार्थ' या 'उच्चतर यथार्थ' (हाइपर-रियलिटी) की बात करते हैं— चिह्नों की एक दुनिया जिसमें ज्यादा अर्थ नहीं होता। आजकल नये संचार जैसे मोबाइल या इंटरनेट की संस्कृति 'बहुल कार्य गतिशीलता' प्रदान करती है। संयोजकता (कनेक्टिविटी) के जरिये 'सतत सम्पर्क' का तर्क सामाजिकता, निगरानी, सम्बन्धों एवं कार्य की नैतिकता को बदल देता है। नयी संचार तकनीकी से सामाजिक अन्त:क्रिया के नये रूप बनते हैं। कहने का आशय यह है कि नये संचार की संस्कृति में जीवनशैली, पहचान, समुदाय और अवकाश के सवाल निहित होते हैं। इसलिए यह संचार से कुछ अधिक होती है।

आज की वैश्विक संस्कृति के बारे में स्टुअर्ट हाल का कहना है कि स्थानीय संस्कृतियों में लोगों के लिए सुदृढ़ भावनात्मक अपील होती है जबकि वैश्विक संस्कृति में बिना भावनात्मक अन्तर्वस्तु के मानव जाति के लिए अपील हो सकती है। दूसरे, जैसा कि माइक फेदरस्टोन कहते हैं, स्थानीय संस्कृति किसी स्थान एवं काल से घनिष्ठ रूप से जुड़ी होती है जबकि वैश्विक संस्कृति 'विसंयोजित' (डिस्कनेक्टेड) एवं 'विक्षेत्रीकृत' (डिटेरिटोरियलाइज्ड) किसी भू-भाग के सामान्य सन्दर्भ के बाहर मौजूद होती है। वास्तव में, स्थानिक सांस्कृतिक उत्पादों का पण्यीकरण वैश्विक संस्कृति करती है। डेविड हेल्ड एवं अन्य ने अपनी पुस्तक 'ग्लोबल ट्रांसफॉरमेशन्स' में कहा है कि सांस्कृतिक भूमंडलीकरण की तीन अनुक्रियाएँ होती हैं— पहले, अति भूमंडलीकर्त्ता (हाइपर ग्लोबलाइजर्स) जो सांस्कृतिक समरूपीकरण को पाश्चात्य माध्यमों एवं उपभोक्तावाद के प्रभाव के परिणाम के रूप में देखते हैं; दूसरे, सन्देहवादी, जो वैश्विक संस्कृति के प्रभाव को सतही मानते हैं; तीसरे, परिवर्तनवादी जो नये वैश्विक सांस्कृतिक संजालों एवं सँकरों (मिश्रितों) के उदय की भविष्यवाणी करते हैं। तीनों अनुक्रियाएँ अंशत: ही सही हैं। आज के भूमंडलीकरण के युग में उपभोग की प्रक्रिया किसी वस्तु या उत्पाद के प्राप्त होने के पहले ही शुरू हो जाती है—

(क) माध्यमों के प्रतिनिधित्वों के जरिये प्रतीकों एवं अर्थों का सचेत, उपचेत

या अवचेत आत्मसात्करण।

(ख) इस आत्मसात्करण के जरिये इच्छा का सृजन।

(ग) विशेष उत्पादों/वस्तुओं के लिए खोज।

(घ) वस्तुओं का क्रय।

(ङ) वस्तुओं का उपभोग।

आजकल उपभोग और बाज़ारण में चार चीजें शामिल होती हैं—उत्पाद (प्रॉडक्ट), स्थापन (प्लेसमेंट), प्रोत्साहन (प्रमोशन) एवं कीमत (प्राइस)। मगर यह भी सही है कि एक ओर अर्थव्यवस्था का सांस्कृतिक आयाम (जहाँ उत्पाद और सेवाएँ 'उपयोगिताएँ' मात्र ही नहीं होतीं, बल्कि उनका प्रतीकात्मक मूल्य भी होता है) होता है, और दूसरी ओर संस्कृति का आर्थिक आयाम (जहाँ सांस्कृतिक शिल्पों, शैलियों, उपकरणों आदि का आर्थिक मूल्य भी होता है और वे बाज़ार के सिद्धान्तों, एकाधिकार, व्यापार की शर्तों, स्पर्धा और श्रमिक-सम्बन्धों से भी नियन्त्रित होते हैं) भी होता है।

इसके अलावा प्रो. आशीष नन्दी अन्तर-एशियाई सभ्यतामूलक संवाद की बात करते हैं जिसमें नये ब्रह्मांडवाद की खोज की जाती है जो पश्चिम के सांस्कृतिक वर्चस्व से लड़ सके। मगर एशिया में भी भाषायी, धार्मिक एवं उप-क्षेत्रीय विषमताएँ या विसंगतियाँ हैं। जैसे दक्षिण एशियाई क्षेत्रीय सहयोग संघ (सार्क) ने अभी तक अपनी साझी मुद्रा, भाषा आदि पर सहमति नहीं बनायी है। इसी प्रकार, दक्षिण-पूर्वी एशियाई राष्ट्रों के संघ (आशियान) ने भी एशिया के अन्य देशों से आर्थिक सांस्कृतिक सहयोग के लिए हाथ नहीं बढ़ाया है। अफगानिस्तान में आतंक फैलाने और बरकरार रखने में पाकिस्तान के तालिबान, सूचना-तन्त्र एवं सुरक्षा बलों के हाथ होने की पुष्टि स्वयं अफगानिस्तान ने कई बार की है। भारत-विरोधी आतंकवादी गतिविधियाँ पाकिस्तान और बांग्लादेश (हूजी, अल-कायदा, लश्कर-ए-तोयबा, जैश-ए-मोहम्मद आदि) में होती रही हैं।

आजकल एक नया शब्द 'ग्लोकल' प्रचलित हुआ है जो 'ग्लोबल' और 'लोकल' से बना है यानी दोनों का मिश्रित रूप है, मगर वैश्विक और स्थानीय संस्कृति मिलाने पर वैश्विक संस्कृति के हावी होने का अन्देशा अधिक रहता है। सांस्कृतिक संकरीकरण के तहत विदेशी सांस्कृतिक शिल्प-उपकरणों और पद्धतियों को प्राप्त करने वाली संस्कृतियों के भीतर तथा उनके द्वारा नये मूल्य निर्धारित किये जाते हैं। आमूल-चूल परिवर्तनकारी पुनर्परिभाषा के द्वारा आयातित विदेशी शैली का उपभोक्ता संकर संस्कृति को नया अर्थ देता है। उदाहरण के तौर पर, यह कहा जा सकता है कि 'स्लमडॉग मिलियनेयर' फिल्म में 'जय हो' संगीत (ए.आर. रहमान) को वैश्विक स्तर पर नया अर्थ मिला जैसे माइकेल जैक्सन के पॉप संगीत को भारत

जैसे तमाम विकासशील देशों में।

कुछ विचारकों (कंचा इलैया) का मानना है कि दलितों को हिन्दू धर्म-व्यवस्था में सामाजिक और सांस्कृतिक रूप से 'अन्य' के रूप में देखा गया और अब उनको 'सहयोजित' किया जा रहा है। जबकि दलितों का इतिहास उनके 'स्वप्न' और ज्ञान-मीमांसा पर आधारित होना चाहिए। मगर यह विचार पूरी तरह सही नहीं है क्योंकि भारतीय संस्कृति का दायरा और गहराई हिन्दू धर्म से बहुत अधिक है। दूसरे, संस्कृति जाति-धर्म के बन्धनों से परे जाती है। उसमें साझापन, जुड़ाव और अन्तरनिर्भरता के भाव होते हैं न कि बिलगाव, विघटन और परनिर्भरता के। तीसरे, संस्कृति ठहरे हुए पानी की तरह नहीं होती, बल्कि प्रवाहित जल की तरह बदलती रहती है। कंचा इलैया सदियों पुरानी चीजों का राग अलाप रहे हैं जबकि दलितों का सांस्कृतिक समावेशन एक नया स्थापित यथार्थ है जिसकी अनदेखी नहीं की जा सकती। एकाध अपवादों को छोड़कर कहा जा सकता है कि भारत में सांस्कृतिक समावेशन एवं समरसता की परम्परा। (वसुधैव कुटुम्बकम्, सर्वे भवन्तु सुखिनः आदि) अपेक्षाकृत विस्तृत, गहन एवं सुदृढ़ रही है। यह बिल्कुल सही है कि हर संस्कृति में सहयोग और संघर्ष के तत्त्व होते हैं और उनकी द्वन्द्वात्मकता के कारण नवाचार पैदा होते हैं। मगर यह भी सही है कि पश्चिमी व्यक्तिवाद के बरक्स भारत में 'समाज में व्यक्ति' की भावना प्रचलित रही है यानी व्यक्ति और समाज की अद्वैत संवादधर्मिता हमारी सामाजिक पहचान रही है।

राष्ट्रीय अस्मिता का सवाल

भूमंडलीकरण के इस दौर में 'राष्ट्र के अन्त' की घोषणा की जाती रही है, मगर यह गलत सिद्ध हुआ है। आज राष्ट्र की ज़रूरत है क्योंकि समाज में विषमता और ग़रीबी मौजूद है। सवाल है कि राष्ट्र किस का पक्ष लेगा—अमीर का या ग़रीब का? शहरी मध्य वर्ग का या ग्रामीण ग़रीब का? बी.एम.डब्ल्यू ख़रीदकर लोगों को रौंदने वालों का या पहियों के नीचे कुचले गये मृतकों का? ब्लू लाइन बस मालिकों के लालची और अनियन्त्रित गति वाले ड्राइवरों का या पैदल चलने वाले शहीदों का? अपराधी संगठनों का या निरीह लुटती जनता का? दहेज़ हत्या करने वालों का या जीवित पति के रहते सती होने को बाध्य नयी नवेली दुल्हनों का? विशेष आर्थिक क्षेत्र के सर्वेसर्वा उद्योगपतियों का या अपनी ज़मीन से उच्छेदित आम किसानों (सिंगूर, नन्दीग्राम, दादरी, नागपुर, गोवा आदि) का? अर्थात् राष्ट्र और उसका तन्त्र पूँजी के बाज़ार के अधीन रहकर मूकदर्शक की भूमिका निभाएगा अथवा कमज़ोर वर्ग के पक्ष में हस्तक्षेप करेगा? फिर राष्ट्र किन-किन शक्तियों को अपना एकाधिकार बनाएगा, कौन-कौन शक्तियाँ एवं स्वतन्त्रताएँ आम लोगों को मुहैया कराएगा और किन स्वतन्त्रताओं का हनन होने पर हनन करने वालों को दंडित करेगा? फिर राष्ट्रहितों की रक्षा कैसे की जाएगी? क्या राष्ट्रीय अस्मिता का अर्थ सिर्फ़ 'हम' बनाम 'वे', असली बनाम नक़ली, मूल निवासी बनाम बाद में आये लोग ही हैं अथवा बहुल-संस्कृति की पक्षधरता है? इन सवालों का विवेचन विभिन्न विचारों और दृष्टियों के परिप्रेक्ष्य में आज आवश्यक है।

राष्ट्र का अर्थ और दायरा विभिन्न विद्वानों ने भिन्न-भिन्न तय किया है। हमें सबसे पहले 'राष्ट्र' (नेशन) शब्द का उल्लेख 'जेनेसिस ऑव हेब्रू बाइबिल' (10:31) में मिलता है जिसमें भूमि, भाषा और नातेदारी का जुड़ाव परिलक्षित होता है, विशेषकर बाढ़ के बाद नोआ के बेटों के सन्दर्भ में—"ये सारे शेम के बेटे हैं जिनके अपने परिवार हैं, अपनी भाषाएँ हैं, अपनी ज़मीनें हैं और राष्ट्र हैं।" यहाँ 'नेशन्स' शब्द लोगों के लिए प्रयुक्त है जो इज़राइली और हेथेन, दोनों के लिए है। पर

नि:सन्देह आधुनिक राष्ट्र से हम समझते हैं एक ख़ास भू-भाग में रहने वाले लोग, जिनमें भिन्न-भिन्न मात्रा एवं प्रकार की सामाजिक समरसता होती है, जो बाज़ारों, जनसंचार माध्यमों और शक्तिसम्पन्न राजनीतिक इच्छा द्वारा संचालित होती है। मगर इसमें सन्देह नहीं कि कोई भी राज्य अतीत के मिथकों, इतिहासों (एकल इतिहास की अवधारणा को अब चुनौती दी गयी है वंचित वर्ग के सिद्धान्तकारों द्वारा), सांस्कृतिक ध्वनियों एवं प्रतिध्वनियों और राजनीतिक घटनाओं से बिल्कुल कटा हुआ नहीं रह सकता। काफी पहले वैज्ञानिक ऐतिहासिक दृष्टि के अभाव में कुछ चिन्तकों (यथा रॉबर्ट फिल्मर) ने राष्ट्र-राज्य की दैवी उत्पत्ति की अवधारणा पेश की थी और राजा या सम्राट को धरती पर ईश्वर का प्रतिनिधि माना था। अस्तु, उसकी हर आज्ञा को मानना अनिवार्य घोषित कर दिया गया। मगर इसे 'सामाजिक समझौते' के तीन प्रतिपादकों—थॉमस हॉब्स, जॉन लॉक और ज्याँ जैकस रूसो ने सिरे से नकार दिया। हॉब्स (सत्रहवीं सदी) ने मनुष्य को स्वभावत: 'गन्दा, बर्बर और अपूर्ण' घोषित किया। उसके अनुसार, इसी गन्दे स्वभाव के कारण लोग एक-दूसरे से डरते थे, अपने सम्मान के लिए स्पर्धा करते थे और प्रत्येक अपने को दूसरों से ज्यादा योग्य समझता था। अस्तु, सबके ख़िलाफ़ सबका घमासान युद्ध रोकने तथा बाहरी ताकतों से बचाने के लिए लोगों ने आपस में समझौता किया तथा सभी ने अपनी-अपनी शक्ति एक निरंकुश राजा या सभा को सौंप दी जिसका आदेश अन्तिम माना गया। वह सबकी जान-माल की रक्षा करने लगा और उसके बाद उसके उत्तराधिकारियों ने शासन चलाने का कार्य लगातार निभाया। हॉब्स इस निरंकुश राजा को 'लिवियाथन' कहता था जो धरती पर 'मरणशील देवता' था और सिर्फ 'अमर ईश्वर' के अधीन था। दूसरे, यदि लोगों ने अपनी शक्तियाँ किसी सभा को सौंपीं तो उसे 'राष्ट्रकुल' (कॉमनवेल्थ या लैटिन में सिविटास) कहा गया। मगर हॉब्स ने असीमित शक्ति देकर निरंकुश शासक को नागरिकों के प्रति उत्तरदायी नहीं माना और न समय-समय पर चुनाव की ज़रूरत महसूस की। उसके आगे जाकर जॉन लॉक ने माना कि मनुष्य स्वभावत: स्वतन्त्र होता है और शान्तिपरक परिस्थितियों से ही राजनीतिक समाज का उदय हुआ। उसके अनुसार, वंशानुगत राज्यों तथा पेरू और मेक्सिको के साम्राज्यों में भी लोगों ने सामूहिक सहमति से या सामाजिक समझौते से सरकार का गठन किया था। दूसरे, लॉक का यह भी मानना था कि 'गणतान्त्रिक सम्प्रभुता' लोक सहमति पर ही टिकी होती है तथा बहुमत चुनी गयी सभा से ही निर्धारित होता है। मगर लॉक ने अधिकारों का हनन होने पर ईश्वर के पास अपील करने की बात की थी। उसके अलावा ज्याँ जैकस रूसो ने भी 'लोकप्रिय सम्प्रभुता' को सामूहिक सहमति, न कि सामुदायिक इतिहास, पर आधारित बताया। उसके अनुसार, 'मनुष्य स्वतन्त्र पैदा होता है और सर्वत्र जंजीरों में जकड़ा हुआ है।' उसने 'निजी इच्छा' और 'सामान्य इच्छा' की अवधारणा

दी। यह 'सामान्य इच्छा' सामूहिक इच्छा और सहमति की अन्तिम परिणति है जिसमें प्रत्येक व्यक्ति अपने अधिकारों को जान-माल की रक्षा के लिए एक लोकप्रिय सम्प्रभुता-सम्पन्न अस्तित्व को सौंप देता है। तत्पश्चात सारे लोग उस सामान्य इच्छा रूपी पूर्ण के एक अंग मात्र रह जाते हैं। मांटेस्क्यू की तरह रूसो भी मानते हैं कि शासन के सभी रूप सभी देशों के लिए अनुकूल नहीं होते। पोलैंड सरकार द्वारा सुझाव माँगे जाने पर उन्होंने मन्तव्य दिया था कि बचपन से ही बच्चों में देशभक्ति के बीज बोये जाएँ; शिक्षा का उद्देश्य राष्ट्रीय विरासत (साहित्य से लेकर कानून, राष्ट्रीय खेल एवं उत्सव तक) को अगली पीढ़ी में स्थानान्तरित करना हो।

जोसेफ़ द मेस्त्रे (अठारहवी-उन्नीसवीं सदी) ने शुरू में फ्रांसीसी क्रान्ति का खुलकर समर्थन किया था, मगर जब 1972 में फ्रांस ने उसके देश सेवोय पर आक्रमण कर दिया तो उसने फ्रांसीसी क्रान्ति और ज्ञानोदय में विवेक पर अधिक जोर देने को दोषी करार दिया। उसे बेकन की वैज्ञानिक क्रान्ति, वोल्तेयर, हेल्वेटियस और द होल्बाक के विवेकवाद तथा रूसो के सामाजिक समझौते में अनीश्वरवाद दिखाई दिया। एडमंड बर्क की तरह उसने भी व्यक्तिगत अधिकारों को खारिज कर दिया और यह माना है कि जुनून, अज्ञानता और अभिमान को एक नैतिक व्यवस्था द्वारा ही खत्म किया जा सकता है जिसे एक निरपेक्ष पितृसत्तात्मक व्यवस्था ही स्थापित कर सकती है। उसके अनुसार सम्प्रभु शक्ति ही लोगों को कुछ दे सकती है, लोग उसे कुछ नहीं दे सकते। मांटेस्क्यू से सहमत होकर वह भी मानता था कि विवेकशील शासन-व्यवस्था की अपेक्षा सांस्कृतिक परम्परा एवं पर्यावरण ज्यादा महत्त्वपूर्ण हैं, मगर उसने शासन और धर्म को गड्डमड्ड भी कर दिया। उसके शब्दों में, "शासन सच्चा धर्म है; इसके अपने अन्ध सिद्धान्त, रहस्य तथा पुरोहित हैं; इसे व्यक्तिगत विमर्श पर लाना इसे नष्ट करना है; इसका जीवन सिर्फ़ राष्ट्रीय मस्तिष्क के जरिये है, अर्थात् राजनीतिक अवस्था, जो एक धार्मिक मत है।" इस प्रकार मेस्त्रे की दृष्टि में शासन-व्यवस्था अच्छी परम्पराओं और रीति-रिवाजों पर निर्भर करती है तथा अच्छे रीति-रिवाज आदि सीधे भगवान भरोसे होते हैं। उसका यह भी मानना है कि हर हालत में निजी विवेक 'राष्ट्रीय मस्तिष्क' में समाहित हो जाय क्योंकि उसका अपना कोई अलग अस्तित्व नहीं होना चाहिए। इस प्रकार धर्म और ईश्वर के ज़िम्मे समूचे राष्ट्र को करना तथा व्यक्ति का स्वतन्त्र चिन्तन एवं अस्तित्व न होना तर्क और ऐतिहासिक तथ्य से परे है।

उन्नीसवीं सदी में नस्ल और राष्ट्र के एक महत्त्वपूर्ण सिद्धान्तकार आर्थर द गोविनो थे। उनके अनुसार विभिन्न नस्लें और उनके राष्ट्र न तो नागरिक संस्थाओं द्वारा बनते हैं (जैसा कि रूसो मानते थे) और न पर्यावरण द्वारा (जैसा कि मांटेस्क्यू मानते थे), बल्कि वे स्वभावत: भिन्न एवं चरित्र और हैसियत में सारत: असमान होते हैं। सो विभिन्न नस्लें सिर्फ़ अपनी तरह के लोगों के प्रति प्रेम रखती हैं और दूसरों

के प्रति द्वेष और दुराव। मगर ऐसे नस्लवादी विचार के बावजूद वह उपनिवेशवाद का विरोधी था। मगर इस विरोध का प्रमुख कारण मानवीय या आर्थिक आधार नहीं था, बल्कि इसलिए कि ऐसा करने से विभिन्न नस्लों का मिश्रण होगा— उच्चतर विजेता नस्ल विजित नस्ल में अपना रक्त मिश्रण कर देगी जिसके परिणामस्वरूप विजेता नस्ल में बड़े पैमाने पर पतन होगा। ''राष्ट्र मर जाते हैं जब वे ऐसे तत्त्वों से गठित होते हैं जो निम्नीकृत (अपभ्रष्ट) होते हैं। ऐसे निम्नीकृत या अपभ्रष्ट लोग वे होते हैं जो खराब सरकार, धन के दुरुपयोग, धर्मोन्माद या धर्महीनता के जरिये अपने पूर्वजों के विशिष्ट गुण खो चुके होते हैं।'' उसने हिन्दू, फारसी, यूनानी और रोमन साम्राज्यों का उदाहरण दिया और यह भविष्यवाणी भी की थी कि चूँकि भारत पर अँग्रेजों का आधिपत्य था, किन्तु आत्मसातीकरण नहीं हुआ था, इसलिए अँग्रेज़ ज्यादा दिन तक भारत में राज नहीं कर सकेंगे और भारत सार्वजनिक क्षेत्र में (निजी दायरे की तरह) अपना शासन स्वयं करेगा। उसके नस्लवादी विचारों का प्रभाव लोम्ब्रोसो, चैम्बरलेन नीत्से और नोदाऊ पर काफ़ी पड़ा, किन्तु उसके विचार ग्राह्य नहीं रहे।

उन्नीसवीं सदी के एक अन्य चिन्तक अर्नेस्ट रेनन ने 'राष्ट्र क्या है?' नामक पुस्तक में 'निर्जीव एवं हीनतर' सेमिटिक भाषाओं तथा सजीव, पुनर्निर्माणकारी (रिजरेटिव) भारोपीय भाषाओं में भेद किया है। उसके अनुसार सेमी भाषी (हेब्रू आदि) अपनी भाषा की तरह सीधा-सादा एवं संकीर्ण प्रतीत होते हैं जबकि भारोपीय सभ्यता बौद्धिक रूप से, राजनीतिक रूप से और सैन्य दृष्टि से उत्तम सिद्ध हुई और इसीलिए इसने हीनतर एवं पतनशील नस्लों का मार्गदर्शन किया। दूसरी ओर, सेमी संस्कृति पर धार्मिक विश्वास ने कब्जा कर लिया। मगर रेनन ने नस्ल शब्द का प्रयोग सिर्फ भाषा-समूह के लिए किया है जबकि इसका प्रयोग मानवशास्त्री रक्त-समूह के अर्थ में करते हैं। उसके अनुसार आधुनिक राष्ट्र एक ही दिशा में मिलने वाली कई घटनाओं की शृंखला का ऐतिहासिक परिणाम है। एक राष्ट्र बिना किसी वंशानुक्रम सिद्धान्त के अस्तित्व में रह सकता है और वंशानुक्रम पर आधारित राष्ट्र बाहर से एक-दूसरे से अलग हो सकते हैं। सिर्फ राजकुमारों के अधिकार का पुराना सिद्धान्त अब मान्य नहीं है क्योंकि वंशानुगत अधिकार के ऊपर राष्ट्रीय अधिकार है। उसने स्पष्ट किया कि आधुनिक राष्ट्रों के निर्माण में नस्लीय विचार बिल्कुल नहीं है जैसे फ्रांस में सेल्टिक, इबेरियन और ट्योटॉनिक—तीनों हैं; जर्मनी में ट्योटॉनिक, सेल्टिक और स्लेवोनिक—तीनों हैं; इटली में एट्रस्कन, पेलास्जियन, ग्रीक एवं अन्य शामिल हैं, ब्रिटेन में सेल्टिक और ट्योटॉनिक हैं। इस प्रकार रेनन के शब्दों में, ''सचाई यह है कि कोई शुद्ध नस्ल नहीं है— सर्वाधिक अभिजात, इंग्लैंड, फ्रांस, इटली ऐसे देश हैं जहाँ रक्त सबसे ज्यादा घुला-मिला है।''

उसका मानना है कि भाषा जोड़ती है। यह जुड़ाव ज़बर्दस्ती नहीं होता, मगर

भाषा को भी अत्यधिक महत्त्व देना खतरनाक है क्योंकि मानव मस्तिष्क और सभ्यता के लिए किसी व्यक्ति का एक भाषा के साथ अत्यधिक जुड़ाव, अन्धत्व के बिन्दु तक खतरनाक होगा। महत्त्वपूर्ण बात यह है कि मनुष्य एक विवेकशील और नैतिक प्राणी है। वह पूरी मानवता से जुड़ा है, सिर्फ एक भाषा या नस्ल से नहीं। फ्रांसीसी, जर्मन या इतालवी, संस्कृति से पहले मानव संस्कृति होती है। नवजागरण के महान लोग न तो फ्रांसीसी थे, न जर्मन और इतालवी। उन्होंने प्राचीनता से सम्बन्ध स्थापित करते हुए नयी चीज खोजी—मानव मस्तिष्क की सच्ची शिक्षा का रहस्य और इस पर उन सबने अपने शरीर और आत्मा को पूरी निष्ठा से समर्पित कर दिया।

उन्होंने यह भी स्पष्ट किया कि आधुनिक राष्ट्रीयता का आधार धर्म भी नहीं बन सकता। शुरू में सामाजिक समूहों (जो परिवार के विस्तार थे) के लिए धर्म आवश्यक था। तब धार्मिक कर्मकांड पारिवारिक कामकांड थे। इसी तरह यद्यपि हितों का समुदाय निश्चित रूप से लोगों के बीच शक्तिशाली सामाजिक बन्धन स्थापित करता है, किन्तु राष्ट्र के लिए हित पर्याप्त नहीं है। वास्तव में, रेनन के विचार में राष्ट्रीयता में एक भावबोध होता है—चाहे एक साथ शरीर और आत्मा, दोनों हैं। परन्तु भूगोल निश्चित रूप से एक ऐतिहासिक भूमिका अदा करता है। सामान्यतः पर्वत बाँटते हैं जबकि नदियाँ जोड़ती हैं। मगर प्राकृतिक सीमा भी युद्ध को जन्म देती है, सो नस्ल की तरह जमीन भी जरूरी नहीं है राष्ट्र के लिए। राष्ट्र जैसी पवित्र चीज के लिए मनुष्य ही सबकुछ है, भौतिक पदार्थ जरूरी नहीं है। उसके अनुसार, राष्ट्र एक आध्यात्मिक सिद्धान्त है, गम्भीर ऐतिहासिक जटिलताओं का परिणाम है, एक भू-भाग द्वारा निर्धारित कोई समूह नहीं। इस प्रकार रेनन के अनुसार राष्ट्र जैसे आध्यात्मिक सिद्धान्त की रचना के लिए नस्ल, भाषा हित, धार्मिक जुड़ाव, भूगोल, सैन्य शक्ति आदि जरूरी तत्त्व नहीं हैं क्योंकि यह एक जीवित आत्मा है। इस आत्मा का सृजन दो चीजों से होता है—एक अतीत में है और दूसरा वर्तमान में। पहला, स्मृतियों की समृद्ध विरासत पर साझा कब्जा; दूसरा, वास्तविक सहमति के साथ-साथ जीने की इच्छा— सौंपे गये अविभाजित उत्तराधिकार को महत्त्वपूर्ण ढंग से संरक्षित करने की इच्छा। मनुष्य की तरह राष्ट्र भी एक लम्बे अर्से के प्रयासों, बलिदानों और निष्ठा का परिणाम है— चूँकि हमारे पूर्वजों ने हमेशा ऐसा बनाया, सो उनकी पूजा करना ज़्यादा उचित है। इस प्रकार रेनन के अनुसार, राष्ट्र नागरिकों द्वारा किये गये बलिदानों के भावबोध द्वारा गठित महान संगति या समरसता है। वर्तमान में राष्ट्रों का अस्तित्व न केवल अच्छा है, बल्कि ज़रूरी भी है क्योंकि यह स्वतन्त्रता की गारंटी है जो ख़त्म हो जाएगी यदि समूचे विश्व के लिए एक कानून और एक मालिक होगा। सचेत मनुष्यों का एक महान समूह तथा हृदय की गरमाहट 'नैतिक चेतना' रचती है और इसे ही राष्ट्र कहते हैं।

डब्ल्यू.इ.बी.डु. बोइस (1868–1963) ने अपनी प्रसिद्ध किताब 'इन द सोल्स ऑव ब्लैक फोक' में लिखा है कि बीसवीं सदी की मुख्य समस्या रंगभेद की है। सम्भवतः स्वयं श्वेत पुरुष एवं अश्वेत अफ्रीकी स्त्री की कई पीढ़ियों के बाद की सन्तान होने के कारण डु बोइस ने अमेरिकी नीग्रो की 'दोहरी चेतना' की बात की अर्थात् उनकी कोई सच्ची चेतना नहीं होती, बल्कि अन्य विश्व के प्रकटीकरण के जरिये यह चेतना अमेरिकी नीग्रो को स्वयं को देखने देती है। नस्ल सम्बन्धी उसकी अवधारणा में शारीरिक और सांस्कृतिक, दोनों तत्त्व मौजूद हैं। उसके अनुसार नस्ल मानवों का एक वृहत् परिवार है जो सामान्यतः साझे रक्त, भाषा, इतिहास परम्पराओं और आवेगों के होते हैं जो जीवन के विविध रूप से विचारित आदर्श की प्राप्ति के लिए स्वेच्छा या बिना स्वेच्छा के प्रयास करते रहते हैं। विभिन्न नस्लों में यद्यपि शारीरिक अन्तर होते हैं, मगर गहराई में जाने के लिए ये शारीरिक अन्तर पर्याप्त नहीं होते। गहरे अन्तर मनोवैज्ञानिक व आध्यात्मिक होते हैं। वास्तव में, नस्लीय पूर्वाग्रह ऐतिहासिक रूप से विभिन्न समूहों के संघर्ष होते हैं। ये उनके लक्ष्य, अहसास, आदर्श आदि में अन्तर परिलक्षित करते हैं। किन्तु यदि कानूनों, भाषा और धर्म के धरातल पर दो नस्लों में सारतः सहमति हो जाती है, तो उनमें टकराव नहीं होता। अमेरिकी नीग्रो न केवल जल एवं नगरीकरण से अमेरिकी हैं, बल्कि अपने राजनीतिक आदर्शों, भाषा, धर्म आदि में भी अमेरिकी हैं। उनका अमेरिकावाद उसके आगे नहीं जाता। किन्तु मार्क्स गार्वे (1887–1947) ने डु बोइस की आलोचना करते हुए लिखा कि 'अफ्रीका अफ्रीकियों के लिए' है तथा सभी देशों के अश्वेत अफ्रीका में वापस आ जाएँ क्योंकि श्वेत नस्ल कभी भी अश्वेतों के विकास का प्रयास नहीं करेगी और दो नस्लों के बीच तभी तालमेल स्थापित होगा जब दो राष्ट्रों के बीच बन्धुत्व कायम होगा— अर्थात् जब अश्वेत अपने मूल घर 'अफ्रीका' को लौट आएँ। गार्वे ने श्वेतों और अश्वेतों, दोनों की शुद्धता कायम रखने की दलील दी। अपनी इस दलील को अमलीजामा पहनाने के लिए उसने 'यूनिवर्सल नीग्रो इम्प्रूवमेंट एसोसिएशन' की स्थापना भी की। किन्तु उसका यह चरमपन्थी विचार नस्लवाद को बढ़ावा देने वाला है।

बी.आई. लेनिन (1870–1924) ने रोजा लक्जेम्बर्ग के इस दावे को खारिज कर दिया कि क्रान्तिकारी मार्क्सवाद राष्ट्रवाद को नकार दे। लेनिन मानते थे कि राष्ट्रीय आन्दोलन की ऐतिहासिक आर्थिक दशाओं ने सामन्तवाद पर पूँजीवाद की अन्तिम विजय को रेखांकित किया जिसमें पूँजीपति वर्ग ने मुक्त वणिज्य का समर्थन करने वाले भाषा की दृष्टि से एकीकृत भूभाग के जरिये घरेलू बाज़ारों को सुरक्षित किया। दूसरी ओर साम्यवाद पूर्ण पूँजीवाद को ध्वस्त करने पर आधारित है। इसलिए सच्चा साम्यवाद आत्मनिर्णयवाद के सिद्धान्त का समर्थन करता है जब उत्पीड़ित राष्ट्र साम्राज्यवादी

उत्पीड़क से लड़ता है तो साम्यवाद उसका समर्थन करता है, मगर उस उत्पीड़ित राष्ट्र का विरोध करता है जब वह अपने पूँजीवादी राष्ट्रवाद को समृद्ध करने का प्रयास करता है। लेनिन उत्पीड़क राष्ट्र के विशेषाधिकारों और हिंसा का विरोध करते हैं और दूसरी ओर उत्पीड़ित राष्ट्र द्वारा उन विशेषाधिकारों को प्राप्त करने के प्रयास का भी विरोध करते हैं। लेनिन के शब्दों में ''किसी उत्पीड़ित राष्ट्र के पूँजीवादी राष्ट्रवाद में एक सामान्य लोकतान्त्रिक तत्त्व होता है जो उत्पीड़न के विरुद्ध लक्षित होता है और इस कथ्य का ही हम बिना शर्त समर्थन करते हैं। इसके साथ-साथ हम सख़्त तौर पर इसे राष्ट्रीय बहिर्भाव (एक्सक्लूसिवनेस) की ओर की प्रवृत्ति से अलग करते हैं; हम पोलिश बुर्जुआ (पूँजीपति वर्ग) द्वारा यहूदियों आदि को उत्पीड़ित करने की प्रवृत्ति के विरुद्ध लड़ते हैं।'' इस प्रकार लेनिन के विचार मार्क्सवाद के लचीले व्यावहारिक प्रयोग के सूचक हैं।

उपन्यासकार वर्जीनिया वुल्फ (1882-1941) का मानना था कि महिलाएँ अपना 'बाहरी लोगों का समाज' (आउटसाइडर्स सोसायटी) गठित करके उन्नति कर सकती हैं। उन्होंने मर्दवादी देशभक्ति और राष्ट्रवाद से किनारा कर लिया। एक बाहरी (महिला) कहेगी कि 'एक महिला के रूप में मेरा कोई देश नहीं है। एक महिला के रूप में मुझे किसी देश की ज़रूरत नहीं है। एक महिला के रूप में समूची दुनिया मेरा देश है।' इसी प्रकार कवयित्री ईवान बोलन्द मानती हैं कि महिला लेखकों के लिए 'बौद्धिक रूप से प्रलोभन देने वाला' मार्ग है 'राष्ट्र के विचार से हट जाना।' मगर आगे वह कहती हैं कि वह कैसे हट सकती हैं जब वह स्वतन्त्र ही नहीं हैं। उसके अनुसार आयरिश कविता मुख्यतः मर्दवादी है और स्मृति मायावी होती है जो ऐसे अर्थ निकालती है जो उस समय प्रत्यक्ष ही नहीं होते। वास्तव में नारियों का सवाल राष्ट्र में शामिल होना चाहिए, न कि समूचे राष्ट्र को नकार देना।

वुल्फ ने यहाँ तक लिखा है कि जब पुरुष देशभक्ति की भावना जगाने का प्रयास करें तो महिलाएँ अपने लिंगभेद और वर्णभेद के बारे में सोचें—उनके पास कितनी जमीन, सम्पत्ति और धन है और 'इंग्लैंड' का कितना हिस्सा उनसे सम्बन्धित है। उसे कानून कितना संरक्षण अभी देता है और कितना अतीत में दिया है? सो महिलाएँ अन्ततः राष्ट्रीय प्रदर्शन और राष्ट्रीय अभिमान/सराहना में हिस्सा नहीं लेंगी। उनकी तटस्थता युद्ध को रोकने में सहायक होगी। महिलाएँ अपने भाइयों को न तो कायरता का सफेद पंख दें और न साहस का लाल पंख— कोई पंख नहीं। जब युद्ध की बात चले तो 'बाहरी' महिलाएँ शान्ति में अपने को प्रशिक्षित करें—इसके पहले की मृत्यु की धमकी अनिवार्यतः विवेक को शक्तिहीन बना दे। लैंगिक दृष्टि से नहीं, बल्कि मानवता की दृष्टि से भी युद्ध को नकारा जाना चाहिए और शान्ति का प्रयास सभी स्त्री-पुरुष करें, यही हमारा मानना है।

कवि एवं नाटककार एमे चेसेयर ने बीसवीं सदी के मध्य में लियोपोल्ड सेंघोर तथा लियोन दमस के साथ मिलकर फ्रांसीसी भाषी अफ्रीकियों के बीच नीग्रो सौन्दर्य (नीग्रिट्यूड) आन्दोलन चलाया जिसका दायरा अफ्रीका के बाहर फैली 'अश्वेत सभ्यता' का प्रसार था जिसमें 'विउपनिवेशीकरण' (डिकोलोनाइजेशन) तथा 'अपरायापन' (डिसएलिनेशन) की माँग प्रमुख रूप से शामिल थी। उनके शब्दों में, "हम अश्वेत थे और हमारा एक इतिहास है--जिसमें कुछ महान मूल्य वाले सांस्कृतिक तत्त्व समाहित हैं।" समाजवादी चेसेयर ने फ्रांसीसी मार्क्सवादियों की आलोचना की कि वे नीग्रो सवाल की 'ऐतिहासिक विशिष्टताओं' को मान्यता देने में विफल रहे। उसके अनुसार, अफ्रीका की प्राक्-पूँजीवादी और उपनिवेश के पूर्व की 'प्राकृतिक अर्थव्यवस्थाओं', उसकी लोकतान्त्रिक, सामुदायिक और बन्धुत्व वाले समाजों को यूरोपीय साम्राज्यवाद ने नष्ट कर दिया जो हिटलर की तरह बर्बरतापूर्ण था, सो यूरोपीय साम्राज्यवाद ने राष्ट्र की अवधारणा पेश की जो पूँजीवादी (बुर्जुआ) अवधारणा है। उसका मानना था कि पूँजीवादी व्यवस्था मनुष्य के अधिकारों की अवधारणा स्थापित करने में अक्षम है जिस प्रकार यह व्यक्तिगत नैतिकता की व्यवस्था स्थापित करने में अक्षम है। उपनिवेशक और उपनिवेशित के बीच सिर्फ़ बेगार, धमकी, दबाव, पुलिस, करारोपण, चोरी, बलात्कार, अनिवार्य फसलें, अवमानना, अविश्वास, अहंकार, आत्मतुष्टि, पशुता, बेदिमाग अभिजन और अप्रतिष्ठित जनसमूह के लिए जगह होती है। कहने का आशय यह है कि उपनिवेशक और उपनिवेशित के बीच मानव-सम्बन्ध की जगह सिर्फ आधिपत्य और अधीनता का भाव होता है। इसके फलस्वरूप उपनिवेशक कक्षा का मॉनिटर (प्रमुख), सेना का सार्जेंट, जेल का सिपाही या गुलामों का चालक बन जाता है। जबकि देसी व्यक्ति (उपनिवेशित) उत्पादन और औजार मात्र बनकर रह जाता है। इस प्रकार उपनिवेशीकरण 'वस्तुकरण' के बराबर होता है। उपनिवेशवादी सिद्धान्तकार / चिन्तक उपनिवेशों में हुई प्रगति, 'उपलब्धि' बीमारियों के इलाज और बेहतर जीवन-स्तर की बात करते हैं, किन्तु चेसेयर उपनिवेशित समाजों से ले जाय गये मूल, संस्कृतियों के रौंदने, देशज संस्थाओं की उपेक्षा, ज़ब्त की गयी ज़मीनों, नष्ट किये गये धर्मों, महान कला-सृजनों के विनाश और क्षत-विक्षत् की गयी असाधारण 'सम्भावनाओं' पर ज़ोर देते हैं। उनके अनुसार अफ्रीका जैसे उपनिवेशित देशों में 'प्राकृतिक अर्थव्यवस्थाएँ' देशज लोगों के अनुरूप मेल-जोल रखने वाली थीं। उपनिवेशकों द्वारा जब सभ्यता पर चर्चा की जाती है तो जवाब में चेसेयर सर्वहाराकरण और रहस्यीकरण की चर्चा करते हैं जो उपनिवेशवाद का प्रतिफल है। देशज समाज सामुदायिक थे, न कि बहुत सारे लोगों का समाज सिर्फ कुछ लोगों के लिए। यह समाज पूँजीवाद-विरोधी ही नहीं, पूँजीपति विरोधी भी था और लोकतान्त्रिक एवं सहयोगात्मक भी। सो वह राष्ट्र को एक पूँजीवादी परिघटना

मानते हैं। उनके अनुसार दूसरे देशों और संस्कृतियों को नष्ट करके यूरोप ने जो रिक्तता बनायी है, उससे स्वयं उसका विनाश अवश्यम्भावी है। वास्तव में, विकासशील देशों का भी राष्ट्र होता है जो लोकतान्त्रिक एवं बुर्जुआ राष्ट्र से भिन्न होता है।

फ्रांज फैनन, जो सार्त्र, हीगेल और नीत्से से प्रभावित थे, ने नीग्रो मिशन, नीग्रो सौन्दर्य, रुख़ और 'अश्वेत सभ्यता' से असहमति जतायी। उसके अनुसार, उपनिवेशित समाज में राष्ट्रीय चेतना तीन चरणों में विकसित हुई : पहल, अनुसरण द्वारा आत्मसातीकरण; दूसरा (स्थानिक) सारवाद; तीसरा राष्ट्रीय स्वतन्त्रता हेतु भविष्योन्मुखी संघर्ष। मगर उसने 'राष्ट्रीय चेतना के जालों' से सावधान किया क्योंकि नये राष्ट्र में उत्पीड़नकारी वर्ग-विभाजन होते हैं। उन्होंने अपनी किताब 'ब्लैक स्किन, व्हाइट मास्क्स' (1952) में लिखा है—"स्थानीय सांस्कृतिक मौलिकता की मृत्यु एवं दफ़न के द्वारा हीनग्रन्थि पैदा हुई है।" वह संस्कृति को जनता की आत्मा की सौन्दर्यमूलक अभिव्यक्ति मानता है। वह उत्तर औपनिवेशक राष्ट्रीय अस्मिता की महत्तर समस्या में 'स्वायत्त सांस्कृतिक अभिव्यक्ति और विउपनिवेशित मन के मनोवैज्ञानिक एवं अस्तित्वमूलक स्वास्थ्य' को केन्द्र मानते हैं। उसके अनुसार देसी लेखकों की रचनाओं में राष्ट्रीय संस्कृति के विकास के तीन चरण हैं—पहले चरण में देशी बुद्धिजीवी यह साक्ष्य देता है कि उसने उपनिवेशक सत्ता की संस्कृति को आत्मसात कर लिया है। उसकी प्रेरणा यूरोपीय संस्कृति होती है जिसके साहित्य की प्रवृत्ति से देसी लेखक की रचनाओं को जोड़ा जा सकता है। इस बिना शर्त वाले आत्मसातीकरण के दौर में उपनिवेशों में 'पार नासियन्स', प्रतीकवादियों और अतियथार्थवादियों के कार्य उल्लेखनीय हैं। दूसरे चरण में, देसी लेखक चिन्तित होता है—वह अपने होने को याद करना चाहता है। चूँकि देशी लेखक अपनी जनता का हिस्सा नहीं रह गया है, और उसका सिर्फ़ बाहरी सम्बन्ध रह गया है, वह उसकी ज़िन्दगी को याद करने में ही सन्तुष्ट रहता है। वह अपनी स्मृति की गहराइयों से अपने बचपन में घटी घटनाओं को याद करता है—वह उधार लिये गये सौन्दर्यबोध के आलोक में पुरानी दन्तकथाओं की पुनर्व्याख्या करता है। वह दूसरे आकाशों के नीचे खोजे गये विश्व की अवधारणा पेश करता है। कभी-कभी ऐसे साहित्य में संघर्ष के पहले हास्य और उपमा का पुट होता है, मगर ये भी कठिनाई और तनाव के लक्षण होते हैं जहाँ मृत्यु और अरुचि का अहसास होता है। तीसरे चरण में जो संघर्ष का चरण होता है, देसी लेखक अपने को अपनी जनता के साथ और जनता में ही समाहित कर देने की कोशिश के बाद, जनता को हिला देता है अपनी रचनाओं से। वह जनता को जगाने का काम करता है जिससे संघर्ष साहित्य, क्रान्तिकारी साहित्य और राष्ट्रीय साहित्य का उदय होता है। जो कभी लेखक नहीं थे, वे भी इस दौर में लेखन करने लगते हैं क्योंकि वे अपने राष्ट्र से बात करना चाहते हैं, जनता के दिल की बात कहना चाहते हैं और सक्रिय

वास्तविकता के प्रवक्ता बनना चाहते हैं।

उसके अनुसार चूँकि औपनिवेशिक आधिपत्य सम्पूर्ण और अतिसरलीकरण करता है, इसलिए वह शीघ्र ही तेज़ी से विजित लोगों के सांस्कृतिक जीवन को अवरुद्ध कर देता है। किन्तु संघर्ष साहित्य वह होता है जो राष्ट्रीय चेतना को मोड़ देता है, नये असीमित क्षितिज उसके सामने खुलते हैं; इसमें ज़िम्मेदारी का बोध होता है और देशकाल के सन्दर्भ में अभिव्यक्त स्वतन्त्रता की इच्छा होती है। दूसरे धरातल पर मौखिक साहित्य अब बदलने लगते हैं। पहले जो मौखिक कथा वार्ताकार निष्क्रिय और जड़ीभूत घटनाओं का वर्णन करते थे, अब उन्हें जीवन्त बनाते हैं और घटनाओं में मौलिक संशोधन करते हैं। फैनन का यह मानना सही है कि राष्ट्र संस्कृति की दशा, प्रतिफल, सतत् नवीनीकरण और गहरापन ही नहीं होता, यह एक जरूरत भी है। राष्ट्रीय अस्तित्व के लिए संघर्ष संस्कृति को गतिमान रखता है और उसके लिए सृजन के द्वार खोलता है। बाद में राष्ट्र की ज़िम्मेदारी संस्कृति के लिए ज़रूरी स्थितियाँ और बाहरी ढाँचा उपलब्ध कराना होती है। आगे वह यह भी स्पष्ट करते हैं कि आत्म और राष्ट्र में समाज क़ायम रहना चाहिए। 'स्व' की चेतना का अर्थ सम्प्रेषण का दरवाजा बन्द करना नहीं होता, बल्कि यह गारंटी होती है। राष्ट्रीय चेतना सिर्फ राष्ट्रवाद नहीं होती, वह हमें अन्तरराष्ट्रीय आयाम देती है। अफ्रीकियों की जिम्मेदारी राष्ट्रीय चेतना तथा अफ्रीकी नीग्रो संस्कृति, दोनों की है।

अर्नेस्ट गेलनर ने राष्ट्र की आधुनिकतावादी अवधारणा पेश की है जो आर्थिक, तकनीकी और औद्योगिक ताकतों के कारण अठारहवीं सदी में यूरोप में पैदा हुई। अपनी पुस्तक 'नेशन्स और नेशनलिज्म' (1983) में उसने लिखा है कि मानवता औद्योगिक समाज के लिए कटिबद्ध है और इसलिए इसकी उत्पादन-व्यवस्था समेकित विज्ञान और तकनीक पर आधारित है। अब कृषि व्यवस्था पर हम वापस नहीं लौट सकते क्योंकि इससे भुखमरी पैदा होगी। इसलिए कृषि संस्कृति की अच्छाइयों और बुराइयों पर चर्चा करना उचित नहीं है। औद्योगिक समाज में राष्ट्रवाद की ज़रूरत सांस्कृतिक एकरूपता होती है। उसके अनुसार राष्ट्रवाद द्वारा एकरूपता नहीं थोपी जाती, बल्कि अनिवार्य लक्ष्य द्वारा थोपी हुई एकरूपता से राष्ट्रवाद का स्वरूप पैदा होता है। उसके अनुसार राष्ट्रवाद और उपनिवेशवाद, साम्राज्यवाद, तथा विउपनिवेशीकरण में सम्बन्ध होता है क्योंकि पश्चिमी यूरोप में औद्योगिक समाज के उदय का एक परिणाम यूरोपीय शक्तियों द्वारा लगभग सभी देशों पर विजय पाना रहा। यूरोपीय विजय को सैन्य शक्ति की बजाय उद्योग की ओर उन्मुखता और व्यापार ने सम्भव किया। उसके अनुसार विश्व में करीब आठ हजार भाषाएँ हैं और कई हजार बोलियाँ हैं जबकि करीब दो सौ राष्ट्र हैं। कई राज्य राजनीतिक वैधानिकता के बिना राष्ट्र नहीं बन सके हैं। यदि उनकी संख्या और राष्ट्रों की कुल संख्या आठ सौ भी

मान ली जाय, तो एक प्रभावकारी राष्ट्र पर दस सम्भावित राष्ट्र हो सकते हैं। राष्ट्रवाद के लिए एक राजनीतिक व्यवस्था और सुसंगत संस्कृति आवश्यक तत्त्व माने जा सके हैं। राष्ट्र एक नये प्रकार के सामाजिक संगठन का परिणाम है जो शिक्षा आधारित उच्च संस्कृतियों पर निर्भर है जिसकी सुरक्षा राज्य करता है। चूँकि औद्योगिक समाज ने कई राजनीतिक इकाइयों और कई संस्कृतियों को उत्तराधिकार में प्राप्त किया, इसलिए उन सभी का एक रूप हो जाना सम्भव नहीं है। औद्योगिक युग विभिन्न समाजों में अलग-अलग समय पर विकसित हुआ और इसके कारण बहुल संस्कृति का भी विकास हुआ। अधिकतर समूहों के गठन में इच्छा और सहमति की मुख्य भूमिका होती है। दो कारणों में समूह बनते हैं—एक, स्वैच्छिक पहचान, स्वामिभक्ति और संगति; दो, डर, बल, मजबूरी आदि। अधिकतर स्थायी समूह इन दोनों कारणों की वजह से बनते हैं—सकारात्मक एवं नकारात्मक। आधुनिक युग में राष्ट्रीय इकाइयों को पहचान के लिए प्राथमिकता दी जाती है क्योंकि अन्य समूह आसानी से भुला दिये जाते हैं। दूसरे, साझी संस्कृति राष्ट्रवाद का अन्य महत्त्वपूर्ण तत्त्व होता है। मानव इतिहास सांस्कृतिक भिन्नता से भरा पड़ा है। सामान्यत: सांस्कृतिक सीमाएँ राजनीतिक सीमाओं के साथ होती हैं, किन्तु उनका अतिक्रमण भी करती हैं मगर अतीत में कई समाजों में कई संस्कृतियाँ एक साथ मौजूद थीं। इस प्रकार गेलनर मानते हैं कि राष्ट्र को इच्छा और संस्कृति, दोनों के सन्दर्भ में परिभाषित किया जा सकता है और नि:सन्देह इन दोनों को राजनीतिक इकाइयों में मिलन होने के सन्दर्भ में भी परिभाषित किया जा सकता है। इच्छा, संस्कृति और राजनीतिक व्यवस्था का विलयन (फ्यूजन) मुख्य नियम बन जाता है। राष्ट्रवाद वह नहीं है, जो मालूम होता है कि अन्तत: यह वह नहीं है जो यह स्वयं को मालूम पड़ता है। जिन संस्कृतियों की यह रक्षा करता है, वे प्राय: इसका अपना अन्वेषण होती हैं अथवा पूरी मान्यता से इसके द्वारा संशोधित होती हैं। यह भ्रम है कि राष्ट्रवाद समस्त समाज पर उच्च संस्कृति का थोपा जाना होता है जिसमें निम्न संस्कृतियाँ बहुसंख्यक उच्च संस्कृतियों को अपना लेती हैं। वास्तव में, राष्ट्रवाद आम कृषक संस्कृति के नाम पर विजय प्राप्त करता है। इसके प्रतीक किसानों के स्वस्थ और महान जीवन से लिये जाते हैं। अब समाज धार्मिक प्रतीकों के जरिये पूजा नहीं करता। एक आधुनिक गतिमान उच्च संस्कृति किसानों के नाच-गान का उत्सव मनाती है—लोक संस्कृति से उधार लेकर उच्च संस्कृति लोक संस्कृति को सतत् चलायमान रखती है, उसका बचाव करती है और उसकी पुनर्पुष्टि भी करती है। वास्तव में, भारत की राष्ट्रीय संस्कृति की पहचान इसकी सांस्कृतिक बहुलता है जिसमें शास्त्रीय नृत्य-संगीत-नाटक से लेकर आदिवासियों के नृत्य-संगीत-नाटक और मौखिक साहित्य शामिल हैं।

एक अन्य आधुनिकतावादी चिन्तक बेनेडिक्ट एंडरसन ने गेलनर की अवधारणा

को संशोधित करते हुए यह प्रतिपादित किया कि व्यवहार में समुदाय के सभी रूप किसी-न-किसी अर्थ में कल्पित होते हैं। उसने कहा कि राष्ट्रीय अस्मिताएँ उतनी गल्पमूलक नहीं होतीं जितनी कि 'सृजित' या उत्पादित होती हैं। अपनी प्रसिद्ध पुस्तक 'कल्पित समुदाय' (इमेजिंग कम्युनिटीज, 1983) में एंडरसन ने यह स्थापना दी कि पूँजीवाद के क्रान्तिकारी देसी भाषा अभियान को तीन बाहरी कारकों से बल मिला और उससे राष्ट्रीय चेतना बढ़ी—पहला, लैटिन भाषा के चरित्र/स्वरूप में बदलाव—पुरानी लैटिन अपनी शैली के कारण नहीं, बल्कि 'पाठ' के रूप में इसकी प्रस्थिति के कारण रहस्यमयी थी, किन्तु नयी लैटिन लिखित रूप और अपने-आप में भाषा के कारण रहस्यमयी बन गयी। दूसरा, सुधार का प्रभाव जिसकी सफलता का मुख्य कारण मुद्रित-पूँजीवाद था। मुद्रण युग के पूर्व पश्चिमी यूरोप में विधर्मियों के बरक्स रोम आसानी से जीत जाता था क्योंकि इसके पास चुनौती देने वालों की अपेक्षा बेहतर आन्तरिक सम्प्रेषण की सुविधा थी। मगर जब मार्टिन लूथर ने 1517 ई. में अपनी प्रोटेस्टेंट सम्बन्धी प्रस्थापनाएँ दीं तो उनका जर्मन अनुवाद छापा गया तथा पन्द्रह दिन में सारे देश में पहुँचा दिया गया। प्रोटेस्टेंटिज्म और मुद्रित-पूँजीवाद के उदय से पाठकों का एक बड़ा वर्ग तैयार हुआ। इससे न केवल चर्च भीतर से हिल गयी, बल्कि इसे यूरोप का पहला महत्त्वपूर्ण ग़ैर-वंशानुगत शासन, ग़ैर-नगर-राज्य, डच गणराज्य और पुरिंटस का राष्ट्रकुल स्थापित हुआ। तीसरा, धीमे-धीमे, विभिन्न क्षेत्रों में असमान रूप से फैली विशिष्ट देसी भाषाओं का उपयोग कल्पित राजतन्त्रों द्वारा प्रशासनिक केन्द्रीकरण के औजारों के रूप में हुआ। मध्यकालीन पश्चिमी यूरोप में लैटिन की सार्वभौमिकता कभी भी सार्वभौमिक राजनीतिक व्यवस्था के सदृश नहीं थी। इसके फलस्वरूप पश्चिमी साम्राज्य के पतन के बाद पश्चिमी यूरोप की राजनीतिक टूटन का अर्थ था कि कोई सम्प्रभु राज्य लैटिन पर एकाधिकार नहीं जमा सका और लैटिन को सिर्फ़ अपनी भाषा नहीं बना सका—इस प्रकार लैटिन की धार्मिक सत्ता के पास एक सच्ची राजनीतिक सत्ता कभी नहीं थी। एंडरसन का मानना है कि हर मामले में भाषा का चयन धीरे-धीरे बिना आत्म-चेतना के, व्यावहारिक रूप से और अक्रमिक विकास (संयोगवश) से हुआ। इस प्रकार यह उन्नीसवीं सदी की वंशानुगत राज्यों की भाषा नीतियों से बिल्कुल भिन्न था। पुरानी प्रशासनिक भाषाएँ सरकारी अमले द्वारा महज अपने आन्तरिक कार्यों के लिए प्रयुक्त की जाती थीं, वे व्यवस्थित रूप से वंशानुगत राज्यों की प्रजाओं पर थोपी नहीं जाती थीं। फिर भी इन देसी भाषाओं की सत्ता की भाषाओं के रूप में प्रोन्नति—जहाँ एक मायने में वे लैटिन भाषा के साथ स्पर्धा कर रही थीं। (जैसे फ्रांस में फ्रांसीसी और इंग्लैंड में अँग्रेजी)—ने ईसाइयत के 'कल्पित समुदाय' के पतन में योगदान किया।

एंडरसन ने माना है कि मुद्रित भाषाओं ने राष्ट्रीय चेतना के विकास में तीन तरह

से महत्त्वपूर्ण भूमिका निभाई—पहला, इन्होंने लैटिन भाषा के नीचे और बोली जाने वाली देसी भाषाओं के ऊपर विनिमय तथा सम्प्रेषण को एकीकृत क्षेत्र बनाये। फ्रांसीसी, अँग्रेज़ी और स्पैनिश भाषाओं के बोलने वाले, जो एक-दूसरे को वार्तालाप में नहीं समझ सकते थे, एक दूसरे की बात को कागज और मुद्रण के जरिये आसानी से समझने लगे। इस प्रकार, वे अपनी भाषा के लाखों लोगों के बारे में अवगत हो गये और उनसे एक सम्बन्ध स्थापित हो गया। दूसरा, मुद्रित माध्यम ने भाषा को एक निश्चितता प्रदान की—अब यह व्यक्तिगत और अचेतन रूप से आधुनिकीकरण के प्रयास से अलग थी। थोड़ा-बहुत परिवर्तन भाषा में होता रहा, मगर सत्रहवीं सदी से उनकी गति काफ़ी धीमी हो गयी। तीसरा, मुद्रित पूँजीवाद ने सत्ता की भाषाएँ सृजित कीं जो पुरानी प्रशासनिक देसी भाषाओं से भिन्न रहीं। वह इस बात पर बार-बार ज़ोर देता है कि मुद्रित भाषाओं की निश्चितता और उनमें परस्पर प्रस्थिति (हैसियत) की भिन्नता मुख्यत: बिना आत्म-चेतना की प्रक्रियाएँ थीं जिनका उदय पूँजीवाद, तकनीकी और मानव भाषाई विविधता की विस्फोटक अन्त:क्रिया से हुआ। इस प्रकार एंडरसन का निष्कर्ष यह है कि मानव भाषा की घातक विविधता पर पूँजीवाद और मुद्रित तकनीकी के सम्मिलन ने 'कल्पित समुदाय' के नये रूप की सम्भावना तलाशी और उसने अपने मूल आकार में आधुनिक राष्ट्र को साकार किया। इन समुदायों की क्षमता आन्तरिक रूप से सीमित थी और इसके साथ-साथ मौजूदा राजनीतिक सीमाओं में उसका सम्बन्ध सर्वाधिक आकस्मिक सम्बन्ध रहा।

उत्तर-औपनिवेशिक उपन्यासकार सलमान रुश्दी का (इमेजिनरी होम लैंड्स) का सवाल है कि क्या भारत अस्तित्व में है? 15 अगस्त, 1947 को भारत स्वतन्त्र हुआ मगर वह अस्तित्व में था क्या? भारत भाषा, नस्ल, धर्म या संस्कृति से संगठित नहीं है, जे.के. गालब्रेथ ने इस भारत को 'कार्यकारी अराजकता' कहा है। यदि भारत अस्तित्व में कहीं नहीं है, तो इसकी वजह साम्प्रदायिकता है—धार्मिक घृणा की राजनीति। 1992 में बाबरी मस्जिद ढहा दी गयी और तब से उसी वजह से साम्प्रदायिक दंगे होते रहे। इसी प्रकार 1984 में सिख विरोधी दंगा हुआ जिसके दोषियों को सज़ा नहीं दी गयी। मगर बाद में इक्कीसवीं सदी में उन्हें सज़ा मिली। बाल ठाकरे मानता है कि भारत में लोकतन्त्र विफल हो गया है और वह खुलेआम मुसलमानों का विरोध करता है। 1985 में भिवंडी में शिवसेना ने मुस्लिम-विरोधी दंगे करवाये। उसके अनुसार, 'मेरा' भारत हमेशा बहुत्व बहुलता, वर्ण-संकरता के विचारों पर टिका है जिसके विरुद्ध साम्प्रदायिक ताकतों के विचार हैं। मेरे लिए भारत की पारिभाषिक छवि 'भीड़' की है जो स्वभावत: अतिप्रचुर विषम जातीय (हेटरोजिनियस) और एक साथ कई चीजें होती हैं, मगर साम्प्रदायिक लोगों का भारत ऐसा नहीं है। दुर्भाग्यवश उसके अनुसार अब हिन्दू राष्ट्रवाद भारत को

परिभाषित करता है जिसकी प्रतिक्रिया में सिख और मुस्लिम कट्टरता पहले से ज़्यादा उग्र हो गयी है। मगर रुश्दी के विचार एकांगी हैं क्योंकि दंगों में अल्पसंख्यक समुदाय भी दोषी होता है और आतंकवादी गतिविधियों में कई मुस्लिम व्यक्तियों और समूहों का हाथ रहा है जो राष्ट्र विरोधी हैं।

पार्था चटर्जी का मानना है कि आदिमवादी (प्राइमोर्डियलिस्ट) और आधुनिकतावादी, दोनों ने राष्ट्र के सवाल पर पश्चिमी ज्ञानोदय का दृष्टिकोण अपनाते हुए राष्ट्र-राज्य की अस्मिताओं की ऐतिहासिक प्रगति पर ज़ोर दिया है। 'नेशनलिस्ट थॉट ऐंड कोलोनियल वर्ल्ड' (1996) में वह लिखते हैं कि विज्ञान, तकनीकी, आर्थिक संगठन के विवेकपूर्ण रूपों और राजनीति के आधुनिक तौर-तरीकों ने यूरोपीय देशों को अन्य देशों को अपने अधीन बनाने की ताकत दे दी थी। सो उपनिवेशों के राष्ट्रवादी बुद्धिजीवियों ने माना कि इस आधिपत्य से उबरने के लिए ऐसी उच्चतर चीजों को जानना और अपनी संस्कृति में शामिल करना आवश्यक है, मगर पूरब और पश्चिम की संस्कृतियों का अन्तर बरकरार रखना है। सो, भारत में आजादी की लड़ाई सिर्फ राजनीतिक नहीं थी, बल्कि भौतिक और अभौतिक यानी आध्यात्मिक जीवन की मुक्ति के लिए भी थी। हर मामले में 'क्या लिया जाय, क्या छोड़ा जाय' की समस्या थी। राष्ट्रवादी दिमाग़ में भौतिक-आध्यात्मिक अन्तर 'विश्व' एवं 'घर' जैसे शब्दों में ध्वनित होता था। यद्यपि 'विश्व' के दायरे में यूरोपीय शक्तियों ने ग़ैर-यूरोपीय देशों पर बेहतर भौतिक संस्कृति के कारण आधिपत्य जमा लिया था, मगर उनके अन्त:करण, सार तथा बेहतर आध्यात्मिक संस्कृति, जो पूरब की पहचान थी, पर क़ब्ज़ा नहीं कर सका। राष्ट्रवादियों ने पश्चिम को पूरी तरह से नहीं नकारा बल्कि 'चयन' का विचारधारात्मक सिद्धान्त अपनाया—यह आधुनिकता की नकल नहीं था, बल्कि आधुनिकता को राष्ट्रवादी परियोजना के अनुरूप तैयार किया।

भूदवे मुखोपाध्याय ने 'पारिवारिक प्रबन्ध' (1882) में लिखा कि महिलाओं के लिए शिक्षा जरूरी है, मगर 'पारिवारिक प्रबन्ध' का प्रशिक्षण भी जरूरी है—उनमें सदाचार (स्त्रियोचित गुण) होना चाहिए जो एक मानवीय गुण है, वह पशुओं में नहीं होता। यूरोपीय धर्म में भौतिक सुख की महत्ता होती है जबकि हिन्दू धर्म में आध्यात्मिकता की—यहाँ स्त्री देवी होती है जबकि यूरोपीय व्यवस्था में वह सिर्फ साझीदार और साथी होती है। सो उनके अनुसार महिलाओं को स्वत: आध्यात्मिक होना चाहिए न कि पाश्चात्यमुखी। इस रूप में भारतीय राष्ट्रवाद ने महिलाओं के सवाल का हल दिया। इस प्रकार परिभाषित 'नयी' महिला नयी पितृसत्ता के अधीन कर दी गयी। यह 'नयी' स्त्री पहले की 'आम' स्त्री से भिन्न थी जो कुरूप, अशिष्ट, ऊँचे स्वर में बोलने वाली, झगड़ालू, बेहतर नैतिक बोधरहित, यौन-व्यवहार में स्वच्छन्द और पुरुषों द्वारा बर्बरतापूर्ण शारीरिक उत्पीड़न की शिकार थी। पश्चिमी

महिलाओं के बरक्स ऐसी महिलाओं के चरित्रों (नौकरानी, धोबिन, नाइन, फेरीवाली, वेश्या आदि) का चित्रण उन्नीसवीं सदी के भारतीय साहित्य में भरपूर मिलता है। राष्ट्रवाद ने स्त्री के इस रूप को सुधारने का जिम्मा लिया और इसीलिए राष्ट्रवाद की 'नयी' स्त्री को अमीर पश्चिमी महिलाओं से उच्चतर दर्जा दिया गया। महिलाओं की नयी आजादी का प्रतीक अपने प्रयास से उच्चतर राष्ट्रीय संस्कृति की प्राप्ति था—यही राष्ट्रवादी हल था महिलाओं के सवाल का। इस प्रकार उनका मानना सही है कि राष्ट्रवाद में महिलाओं का सवाल हल होना चाहिए।

आदिमवादी सिद्धान्तकार एन्थनी डी. स्मिथ ने 'द ओरिजन्स ऑव नेशन्स' (1989) में लिखा है कि राष्ट्रीय अस्मिता को समझने के लिए आधुनिक राष्ट्र-राज्य की स्थानीय (एथनिक) जड़ों को समझना जरूरी है जो पश्चिम और पूरब में भिन्न-भिन्न रूप ले सकती हैं। कुछ लोगों द्वारा राष्ट्र को सिर्फ अमूर्तन के रूप में देखा जाता है जिसे राष्ट्रवादी अभिजनों ने अपने ख़ास उद्देश्यों की पूर्ति के लिए 'निर्मित' किया था। इस अवधारणा (ब्रेउली हॉब्सबाम, रेंजर, सत्यमूर्ति आदि) में राष्ट्र का भौतिक या आदिम चरित्र नहीं माना जाता। दूसरी ओर, आदिमवादियों का मानना है कि राष्ट्र वास्तविक, भौतिक और जनसमूह के आधार पर टिके होते हैं। क्योंकि इनकी जड़ें नातेदारी, विस्तृत परिवार आदि के अहसास में हैं जो सामूहिक भावबोध के अन्य रूपों से भिन्न है। राष्ट्र इतिहास और संस्कृति का एक नाम वाला समुदाय है जिसके पास एक संगठिन भूभाग, अर्थव्यवस्था, जन-शिक्षा व्यवस्था और साझे वैधिक अधिकार होते हैं। यह राष्ट्र का आदर्श रूप है। स्मिथ के अनुसार राष्ट्र 'सदैव के लिए' अथवा 'सब कुछ या कुछ नहीं' वाली अवधारणा नहीं है, बल्कि ऐतिहासिक राष्ट्र सतत् प्रक्रियाएँ हैं—कभी तेज, कभी धीमी और प्रायः निरन्तरहीन। यूरोप में राष्ट्र मध्यकाल से बनते रहे हैं—''मानव नियन्त्रण से परे वस्तुनिष्ठ कारक, और मानव इच्छा एवं कार्य-दोनों राष्ट्र का सृजन करते हैं।'' भौगोलिक पर्यावरण एवं राजनीतिक युद्ध की घटनाएँ किसी समूह को राष्ट्र बनाने का आधार दे सकती हैं, मगर यह इस बात पर निर्भर करेगा कि वह समूह अपनी पहचान के बारे में कितना सचेत है और इसे शिक्षा, वैधिक संहिताओं और प्रशासनिक केन्द्रीकरण द्वारा कितना लागू करता है जैसा कि चार्ल्स टिल्ली ने कहा है। यदि उपरोक्त तर्क एवं तथ्य को स्वीकार कर लिया जाता है तो राष्ट्र को 'निर्मित' और वास्तविक ऐतिहासिक गठन, दोनों के रूप में देखा जा सकता है।

निःसन्देह दूरदर्शी राष्ट्रवादी के साझे लक्ष्यों—स्वायत्त एकता और पहचान—को पाने के लिए संघ और संस्कृति के कतिपय मुख्य संजाल आवश्यक होते हैं जिन पर राष्ट्र बनाये जा सकते हैं। प्रायः भाषा समूहों को ऐसा संजाल माना जाता है मगर धार्मिक समुदाय भी राष्ट्र का पुनर्निर्माण कर सके हैं। स्मिथ के अनुसार 'स्थानिक

समुदाय' (एथनिक कम्युनिटीज) की निम्नलिखित विशेषताएँ होती हैं—(क) जनसंख्या की इकाई का साझा नाम। (ख) साझी उत्पत्ति और उस जनसंख्या के वंश के बारे में कुछ मिथक। (ग) साथ-साथ अनुभूत चीजों की साझी ऐतिहासिक स्मृतियाँ। (घ) एक साझा 'ऐतिहासिक भूभाग' या 'गृह भूमि'। (च) साझी संस्कृति के एक या अधिक तत्त्व-भाषा, रीति-रिवाज या धर्म। (छ) समुदाय के अधिकतर सदस्यों के बीच साहचर्य (सॉलिडेरिटी)।

इन विशेषताओं वाले समुदायों को स्मिथ 'एथनीज' कहते हैं। प्राचीन और मध्यकाल में यहूदियों ने विभिन्न क्षेत्रों में बिखरने के बावजूद 'एथनी' का उदाहरण पेश किया। स्मिथ आधुनिकतावादियों की आलोचना करते हैं कि वे साझे इतिहास और संस्कृति जैसे तत्त्वों को नज़रअन्दाज़ करते हैं जिनके बिना राष्ट्र सिर्फ भूभागीय राज्य मात्र रहेंगे। आज के राष्ट्रों को साझे मिथकों, स्मृतियों और प्रतीकों की उतनी ही जरूरत है जितनी अतीत के 'एथनीज' को—क्योंकि ये साझी संगति के संजाल स्थापित करते हैं। जब राष्ट्रों को बौद्धिक एवं अन्य अभिजनों की पुनर्निमिति पढ़ा जा सकता है, तो उन्हें वास्तविक प्रवृत्तियों के रूप में ऐतिहासिक प्रक्रियाओं के बाहरी आकार के रूप में भी देखा जा सकता है। चूँकि राष्ट्र में एथनिक और नागरिक, दोनों तत्त्व होते हैं इसलिए वे पहले से मौजूद 'एथनिक केन्द्र' (वर्तुलाकार एवं पार्श्विक) के इर्द-गिर्द गठित होते हैं। 'एथनीज' की संख्या, स्थान और स्थायित्व ऐतिहासिक राष्ट्र के गठन के लिए जरूरी हैं। इसी प्रकार विभिन्न प्रकार के 'एथनीज' के बीच शक्ति और शोषण के सम्बन्ध भी ऐतिहासिक राष्ट्रों के लिए आधारों के निर्धारण में मदद करते हैं।

स्मिथ के अनुसार 'डेमोटिक एथनी' से 'नागरिक राष्ट्र' (सिविक नेशन) में संक्रमण अपने साथ निम्नलिखित जुड़ी हुई प्रक्रियाएँ एवं स्थान-परिवर्तन लाता है—(क) परिधिक अल्पसंख्यक के अधीनस्थ आवासन एवं निष्क्रियता से आगे बढ़कर एक एकीकृत नीति वाली सक्रिय, दृढ़ी एवं राजनीतिक समुदाय का बनना। (ख) सार्वभौमिक रूप से मान्य एक सुस्पष्ट भूभाग—'गृह भूमि'; (ग) इसके संसाधनों पर नियन्त्रण सहित समुदाय के लिए अलग किये गये भूभाग के सभी सदस्यों की आर्थिक एकजुटता; (घ) एथनिक सदस्यों को वैध नागरिकों में बदलना-राजनीतिक उद्देश्यों के लिए संगठित करके और प्रत्येक नागरिक को समान नागरिक, सामाजिक और राजनीतिक अधिकार और कर्तव्य सौंपकर; (च) लोगों को नैतिक तथा राजनीतिक सरोकार के केन्द्र में रखना तथ जन-समूह को राष्ट्रीय मूल्यों, मिथकों एवं स्मृतियों में पुनर्शिक्षित करके उनकी नयी भूमिका का उत्सव मनाना।

वह यह भी मानता है कि पारम्परिक अभिजन, ख़ासकर पवित्र ग्रन्थों के संरक्षक (जिन ग्रन्थों ने 'डेमोटिक एथनी' को लम्बे अरसे तक परिभाषित किया) ऐसे परिवर्तनों का विरोध कर सकते हैं।

राष्ट्र के बारे में मिखाइल बाख्तिन तथा जॉक देरिदा से प्रेरणा लेने वाले उत्तर-औपनिवेशक चिन्तक होमी के. भाभा का कहना है कि सारा राष्ट्रीय विमर्श और सारी राष्ट्रीय अस्मिता अन्यूनीकरणीय संकरता होती है। अस्मिता के राष्ट्रीय वृत्तान्त में भिन्नता तथा अन्यत्व हमेशा विद्यमान रहते हैं, जैसे वे किसी जनसंख्या के भीतर मौजूद रहते हैं। उसके अनुसार सांस्कृतिक भावबोध की एक व्यवस्था के रूप में राष्ट्र का अस्तित्व में होना—सामाजिक-राजनीतिक व्यवस्था की बजाय सामाजिक जीवन के प्रतिनिधित्व के रूप में ज्ञान की अस्थिरता पर ज़ोर देता है। उदहारण के तौर पर, राष्ट्रीय विचार का सबसे मज़ेदार लेखा-जोखा उस द्वैध तनाव से सहमति व्यक्त करता है जो राष्ट्र के 'समाज' को परिभाषित करता है। माइकेल ओकशाट्ट के अनुसार आधुनिक राष्ट्रीय जगह मानव संघ के दो स्पर्धात्मक स्वभावों से बनती है—'सोसाइटास' (अर्थात् नैतिक आचार-विचार एवं नियमों की स्वीकारोक्ति) तथा 'युनिबर्सिटास' (साझा उद्देश्य तथा ठोस लक्ष्य की स्वीकारोक्ति)। दोनों के एक अस्मिता में न मिलने के कारण वे स्पर्धात्मक मताग्रह के रूप में बरक़रार हैं। इसी प्रकार हन्ना अरेंड का मानना है कि आधुनिक ज़माने में राष्ट्र का समाज 'एक ऐसा कौतूहलपूर्ण संकर क्षेत्र हैं जहाँ व्यक्तिगत हित सार्वजनिक महत्ता ग्रहण कर लेते हैं।' सो टॉम नैर्न ने राष्ट्र को 'आधुनिक राक्षस' कहा है जिसमें पूँजीवाद का 'असमान विकास' राष्ट्र के मूल आनुवंशिक कूट में प्रगति एवं अवनति, राजनीतिक विवेकशीलता एवं अविवेकशीलता, दोनों अंकित करता है। भाभा का मानना है कि वृत्तान्तों के जरिये राष्ट्र का अध्ययन न केवल भाषा और शब्दाडम्बर की ओर ध्यान खींचता है, बल्कि यह स्वयं अवधारणात्मक वस्तु को बदलने की कोशिश भी करता है। भाभा का स्पष्ट मानना है कि राष्ट्रीय संस्कृति की 'स्थानीयता' अपने सम्बन्ध में न तो 'एकीकृत' (यूनिफाइड) होती है और न 'केन्द्रकरणवादी' (यूनिटरियन), और इसके बाहर की चीज़ों के सम्बन्ध में इसे सिर्फ 'अन्य' के रूप में भी कदापि नहीं देखा जाना चाहिए। उसकी सीमा राक्षस-मुखी होती है और 'बाहरी' तथा 'भीतरी' की समस्या हमेशा स्वयं एक संकरता की प्रक्रिया होगी जिसमें (राजनीतिक व्यवस्था के बाबत) नये 'लोग' शामिल होंगे, जहाँ अर्थ के नये क्षेत्र पैदा होंगे और अनिवार्यत: राजनीतिक प्रक्रिया में बिना लोगों वाले क्षेत्रों की राजनीतिक दुश्मनी से राजनीतिक प्रतिनिधित्व के लिए अपूर्वानुमेय ताक़तें पैदा होंगी। एक वृत्तान्त के रूप में किसी राष्ट्र को सम्बोधित करना राजनीतिक शक्ति और सांस्कृतिक प्राधिकार के आग्रह पर ज़ोर देता है। विभिन्न सरहदों और सीमाओं को 'बीच की जगहों' (इन बिटवीन स्पेसेज) में बदलना है जिसके ज़रिये सांस्कृतिक और राजनीतिक प्राधिकार के अर्थों को समझा जा सके। भाभा फ्रांज़ फैनन के इस मत से सहमत हैं—''राष्ट्रीय चेतना, जो राष्ट्रवाद नहीं है, ही एक मात्र चीज है जो हमें अन्तरराष्ट्रीय आयाम देगी।'' भाभा मानते हैं कि 'अन्य'

कभी भी हमसे परे या बाहर नहीं है। यह सांस्कृतिक विमर्श के भीतर पूरी ताक़त से पैदा होता है जब हम सोचते हैं कि हम सर्वाधिक घनिष्ठता और देशजता से 'अपने लोगों के बीच' बोलते हैं।

एक अन्य महत्त्वपूर्ण उत्तर-औपनिवेशिक सिद्धान्तकार और फिलिस्तीन के संघर्ष के समर्थक एडवर्ड सईद ('कल्चर ऐंड इम्पीरिलिज्म', 'ओरियंटलिज्म') ने पश्चिम की राष्ट्रीय संस्कृति और साम्राज्यवाद के बीच मूलभूत सम्बन्धों को पूरी गहनता एवं विस्तार से विवेचित किया है। उसके अनुसार, प्राचीन यूनानियों से लेकर वर्तमान काल तक पश्चिम ने 'पूरब' (ओरियंट) का 'ज्ञान' पैदा किया जिसने इसके आधिपत्य की राह निर्धारित की। इसलिए उत्तर-औपनिवेशिक राष्ट्र अपनी संस्कृति का पुनर्निर्माण करें, किन्तु एकाकीपन तथा अन्ध-राष्ट्रीयता से विमुख रहें। सईद के अनुसार सांस्कृतिक प्रतिरोध का विउपनिवेशीकरण करने पर तीन चीजें उभरती हैं— पहली, समुदाय के इतिहास को पूर्णतः सुसंगत तथा समेकित तरीके से देखने का आग्रह, अर्थात् कारावासित राष्ट्र को बहाल करना। यद्यपि राष्ट्रभाषा का सवाल अहम है, किन्तु राष्ट्रीय संस्कृति के व्यवहार के बिना राष्ट्रभाषा निष्क्रिय है क्योंकि राष्ट्रीय संस्कृति सामुदायिक मेल-मिलाप को बरक़रार रखती है। स्थानीय गुलाम वृत्तान्त, आध्यात्मिक आत्मकथाएँ एवं जेल के संस्मरण पश्चिमी शक्तियों के स्मारक इतिहासों, सरकारी विमर्शों और कवचीय अर्ध-वैज्ञानिक दृष्टिकोण के प्रति-कथानक होते हैं। दूसरी, प्रतिरोध सिर्फ साम्राज्यवाद की प्रतिक्रिया नहीं होता, बल्कि मानव इतिहास को समझने का वैकल्पिक पथ भी होता है। यह देखना जरूरी है कि यह वैकल्पिक पुनरावधारणा संस्कृतियों के बीच बन्धनों को कहाँ तक तोड़ती है। जैसे सलमान रुश्दी का उपन्यास 'मिडनाइट्स चिल्ड्रेन' स्वयं स्वतन्त्रता की मुक्तिकामी परिकल्पना पर आधारित है जिसमें सचेतन रूप से पश्चिम और यूरोप के विमर्श में रुश्दी ने प्रवेश किया है, उसमें कुछ मिलाया है, उसमें कुछ बदलाव किया है और हाशिये के लोगों के इतिहास को स्वीकार करने पर ज़ोर दिया है। इसे सईद 'आन्तरिक जलयात्रा' (वोयेज इन) कहते हैं। तीसरी, अलगाववादी राष्ट्रवाद से हटकर मानव समुदाय और मानव मुक्ति के लिए जो संघर्ष किये गये थे, वे कभी-कभी उग्र रूप से अनन्य (अन्य लोगों को बाहर करने वाले) हो गये थे, मगर स्वतन्त्रता मिलने के बाद समाज और संस्कृति की पुनरावधारणा बनायी गयी। यहाँ महिला आन्दोलन पर ध्यान देना जरूरी है। कई अन्यायपूर्ण रीति-रिवाजों जैसे रखैल, बहुपत्नी विवाह, पैर बाँधना, सती और लगभग गुलाम बनाना आदि को चुनौती देना नारी आन्दोलन का सन्दर्भ बिन्दु बना। मिस्र, तुर्की, इंडोनेशिया, चीन और श्रीलंका में बीसवीं सदी के पूर्वार्द्ध में राष्ट्रीय आन्दोलन का एक हिस्सा नारी आन्दोलन था। उसी प्रकार भारत में राजा राममोहन राय ने उन्नीसवीं सदी में महिला अधिकारों के लिए लोगों को संगठित किया। बाद में महिला लेखकों

और कार्यकर्ताओं ने इसे आगे बढ़ाया।

उसके अनुसार संस्कृति स्वामित्व का मामला नहीं है और न निरपेक्ष महाजनों और क़र्ज़ लेने वालों के बीच उधार लेना-देना है, बल्कि आत्मसातीकरण, साझे अनुभवों तथा विभिन्न लोगों के बीच सभी प्रकार की अन्तर-निर्भरताओं का मामला है। वह पार्था चटर्जी की इस बात को मानते हैं कि राष्ट्रवाद की आड़ में आर्थिक विषमता, सामाजिक अन्याय, और नये स्वतन्त्र राज्य पर राष्ट्रवादी अभिजनों के क़ब्ज़े को नज़रअन्दाज़ किया जाता है। मगर दूसरी ओर राष्ट्रवादी सहमति के भीतर एक नयी बौद्धिक प्रवृत्ति उभरी है जो काफ़ी आलोचनात्मक है, जो अलगाववादी नारों के अल्पकालिक प्रलोभनों को इनकार करते हैं और विभिन्न संस्कृतियों, लोगों और समाजों के समुदाय की वृहत्तर और ज़्यादा उदार मानव वास्तविकताओं को स्वीकार करते हैं। यह समुदाय साम्राज्यवाद के प्रतिरोध से उत्पन्न वास्तविक मानव-मुक्ति है।

इस प्रकार राष्ट्रीय अस्मिता का सवाल बहुत जटिल है और इस बाबत कई निष्कर्ष निकाले जा सकते हैं—पहला, राष्ट्रवाद भौतिक और अभौतिक, वास्तविक और काल्पनिक दोनों वस्तुओं/आयामों से बनता है। यह भूभाग, (वेश) भूषा, भवन, भोजन और भाषा के आयामों में वास्तविक है, किन्तु आध्यात्मिक विचारों के मामले में अभौतिक है। यदि मैं अपने गाँव में एक छोर से दूसरे छोर पर घूमता हूँ तो मेरे घर में विपरीत छोर वाले (पश्चिम) मुझे पूर्वी छोर का रहने वाला अमुक के पुत्र, भाई या पोता के रूप में देखते-जानते-पहचानते हैं। अर्थात परिवार और टोले की पहचान। यदि मैं अपने बगल के गाँव में किसी कार्यवश जाता हूँ तो वहाँ मुझे लोग शाहपुर का निवासी समझते हैं अर्थात मेरे गाँव की पहचान। यदि नैं ब्लॉक में जाता हूँ तो वहाँ मुझे नानेमऊ ग्राम पंचायत के निवासी के रूप में देखा जाता है अर्थात पंचायत की पहचान। यदि मैं जिला मुख्यालय (सुल्तानपुर) जाता हूँ, तो मुझे मोतिगरपुर ब्लॉक का निवासी समझा जाता है अर्थात ब्लॉक की पहचान। जब मैं इलाहाबाद विश्वविद्यालय में बी.ए. की पढ़ाई करने गया तो मुझे सुल्तानपुर के निवासी के रूप में पहचाना गया। अर्थात जिले की पहचान। जब मैं जवाहरलाल नेहरू विश्वविद्यालय में पढ़ने गया तो मुझे वहाँ उत्तर प्रदेश के निवासी के रूप में पहचाना गया—यही पहचान बिहार जाने पर भी क़ायम रही। अर्थात प्रान्त की पहचान। फिर जब मैं इंग्लैंड और अफ्रीका गया तो मुझे भारतवासी के रूप में पहचाना गया अर्थात राष्ट्रीय पहचान। इसकी वजह यह है कि जैसे-जैसे मैं वृहत्तर भूभाग पर गया, मेरी पहचान का दायरा भी बढ़ता गया और दूसरी ओर यह वृहत्तर पहचान इसलिए थी कि नये लोग मेरे नजदीक के नहीं थे और मेरे परिवार-पड़ोस आदि को नहीं जानते थे। दूसरी बात यह है कि अस्मिता प्राय: एकल नहीं होती, बल्कि बहुल होती है। जैसे मैं एक साहित्यकार, समाजशास्त्री, प्रशासक, पिता, पति, शाकाहारी आदि एक साथ हूँ। बहुल अस्मिता ज़्यादा वृहत्तर और

खुली होती है जबकि एकल अस्मिता संकीर्ण एवं बन्द होती है। तीसरी बात यह है कि राष्ट्र किसका और किसके लिए? यदि इसमें निम्न समुदायों, दलितों, अल्पसंख्यकों और महिलाओं की अस्मिताओं को समता एवं न्याय के आधार पर दर्जा दिया गया है, तभी राष्ट्रीय अस्मिता समावेशी होगी अन्यथा वह औपचारिक एवं खंडित अस्मिता होगी। इस समावेश के लिए जरूरी है कि अर्थव्यवस्था, राजनीतिक व्यवस्था, समाज व्यवस्था, सांस्कृतिक व्यवस्था आदि में उनकी सम्यक् भागीदारी हो, तभी राष्ट्र का स्वरूप क्षैतिज होगा अन्यथा वह वर्तुलाकार सोपान क्रम व्यवस्था होगी जो शोषण के पाये पर टिकी होगी और उसके विरुद्ध नाना प्रकार के प्रतिरोध और संघर्ष होते रहेंगे। राष्ट्रीय अस्मिता में सामाजिक सहयोग और संघर्ष, दोनों का तालमेल होगा जिससे निरन्तरता और परिवर्तन में उचित सन्तुलन क़ायम रहे। चौथी बात यह है कि राष्ट्रवाद का सार यह नहीं है कि व्यक्ति की स्वतन्त्रताएँ राष्ट्र के नाम पर छीनी जाएँ या कमतर की जाएँ। राष्ट्र में व्यक्ति की गरिमा, स्वतन्त्रता और पहचान को उचित जगह मिलनी चाहिए। सच्चे लोकतन्त्र का तक़ाज़ा है कि एक भी व्यक्ति या छोटे समूह की असहमति का आदर किया जाय, उस पर सम्यक् विचार-विमर्श करके उठाये गये बिन्दुओं का समाधान तलाशा जाय। तभी सच्चा लोकतान्त्रिक एवं समावेशी राष्ट्र फल-फूल सकेगा अर्थात हमें उग्र राष्ट्रवाद की जगह लचीला (किन्तु अपराधियों के प्रति नरम नहीं, जैसा कि गुन्नार मिर्डल ने भारत में साम्प्रदायिकता, जातिवाद आदि के लए इसके 'नरम राज्य' को जिम्मेदार ठहराया है) राष्ट्र ज़्यादा मान्य होना चाहिए।

बहुल संस्कृति : एक आलोचनात्मक परिप्रेक्ष्य

लोकतन्त्र का तक़ाज़ा है कि उसमें विभिन्न जातियों, प्रजातियों, वर्णों-वर्गों, संस्कृतियों को पुष्पित-पल्लवित होने के लिए अनुकूल माहौल मिले जिससे उनकी विषमता ख़त्म हो और वे समान अवसर मिलने पर स्वस्थ प्रतियोगिता कर सकें। जहाँ कई संस्कृतियों का मेल-जोल, आदान-प्रदान होगा, वहीं समता और स्वतन्त्रता जैसे आधुनिक मानव-मूल्यों को व्यवहार में महसूस किया जा सकेगा। सो आजकल बहुसांस्कृतिक दशाओं की अवधारणा पेश की जाती है जिसमें सामाजिक अभिव्यक्तियों, विचारों और व्यवहारों का विस्तृत फलक होता है जबकि 'बहुसंस्कृतिवाद' में इसे 'औपचारिक विशिष्टता' तक सीमित कर दिया जाता है अर्थात् एक प्रकार की 'राजनीतिक शुद्धता' ('पोलिटिकल करेक्टनेस') की विचारधारा काम करती है, जैसा कि पीटर कॉस ने कहा है। उनके कहने का आशय यह है कि बहुल संस्कृति में 'वाद' के जुड़ जाने से बहुल संस्कृति की दशाओं की विषम जातीयता (हेटेरोजिनाइटी) वाला विस्तृत लक्षण प्रकल्पित शुद्धता (औचित्य) के संकीर्ण मताग्रह तक सीमित हो जाता है। उदाहरण के तौर पर, अमेरिका में जनसंचार माध्यमों पर श्वेतों का नियन्त्रण होने के कारण अफ्रीकी-अमेरिकियों की सामाजिक-आर्थिक दशाओं की उपेक्षा की जाती है और उन्हें हिंसा करने वाले के रूप में चित्रित किया जाता है। निम्नवर्गीय व्यक्तियों को तर्कमूलक संरचना से बाहर नशाख़ोरी या अपराध के अनिवार्य प्रतिभागी के रूप में दिखाया जाता है। युवा अफ्रीकी-अमेरिकियों द्वारा शहरों में किये गये हिंसात्मक कार्यों को जनसंचार माध्यमों ने 'जंगलीपन' की संज्ञा दी। सेन्ट्रल पार्क के बलात्कारियों के लिए न्यूयार्क सिटी के अख़बारों ने इस शब्द का प्रयोग उन युवाओं के लिए किया जो अफ्रीकी मूल के थे जबकि बेन्सोन्हर्स्ट में श्वेत युवकों द्वारा की गयी हिंसा के लिए उस शब्द का प्रयोग नहीं किया गया। इस प्रकार अल्पसंख्यक अश्वेतों की लोकतन्त्र और प्रजाति-सम्बन्धों की समझ को शत्रुवत् धक्का दिया है। इस प्रकार, जैसा की पीटर मैकलारेन कहते हैं, ''लोकतान्त्रिक नागरिकता का विचार अब निजी, उपभोक्ता नागरिक और 'अन्य' के बढ़ते निम्नवर्गीकरण का समानार्थी हो

गया है। निगमित प्रायोजकता (कारपोरेट स्पांसरशिप) तथा आयोजकीय संस्कृति ने लोकतान्त्रिक सार्वजनिक क्षेत्रों को स्थापित करने वाले संघर्ष में बाधा पहुँचाई है तथा ऐतिहासिक परस्पर निर्भरताओं और समुदाय के रूपों के ख़ात्मे को बढ़ाया है, गोलाकार आख्यानक समय के अनुभव तथा सार्वजनिक स्थान के उत्तर-औद्योगिक विघटन को बढ़ाते हुए।''

पीटर मैकलारेन 'आलोचनात्मक बहुसंस्कृतिवाद' की अवधारणा पेश करते हैं और वे इसीलिए विश्लेषण के लिए तीन प्रकार के बहुसंस्कृतिवाद की बात करते हैं—

(क) रूढ़िवादी या निगमित बहुसंस्कृतिवाद;

(ख) उदारवादी बहुसंस्कृतिवाद;

(ग) वाम-उदारवादी बहुसंस्कृतिवाद।

उदारवादी बहुसंस्कृतिवाद अफ्रीकी अमेरिकियों को गुलामों, नौकरों और मनोरंजन कराने वालों के रूप में देखता है—जो यूरोपीय-अमेरिकी साम्राज्यवादी रुख़ है। इसने अफ्रीका को एक असभ्य और जंगली महाद्वीप माना जिसमें पश्चिमी सभ्यता से वंचित निम्नतर कोटि के प्राणी हैं जो मानव-विकास के शुरू के चरण में हैं। उदाहरणार्थ, एक दस वर्षीय अश्वेत बालक-जोसेफ मोलर को बीसवीं सदी के शुरू में एंटवर्प चिड़ियाघर में रखा गया था। इसी प्रकार 1906 में ओटा बोंगा नामक अश्वेत बौने को ब्रोंक्स चिड़ियाघर में मंकी हाउस में प्रदर्शित किया गया था और उसे सभ्यता के विकास की 'खोई हुई कड़ी' के रूप में दिखाया गया था और चिड़ियाघर के स्टॉफ उसे प्रोत्साहित करते थे कि वह अपने खुले मुँह और नंगे दाँतों से अपने पिंजड़े की छड़ों को नोचे-चोथे। यह प्रवृत्ति अमेरिका और यूरोप में अभी भी बरकरार है तभी तो 1992 में बुश प्रशासन के सचिव, स्वास्थ्य एवं मानव सेवाओं ने फ्रेडरिक ए. गुडविन को नेशनल इंस्टीट्यूट फॉर मेंटल हेल्थ का निदेशक नियुक्त किया जिसने अपने शोध में युवा अपराधी गिरोहों की तुलना 'अति आक्रामक' और 'अतिकामुक' बन्दरों से की तथा व्याख्या की कि कुछ शहरों के कुछ हिस्सों को आम लोग 'जंगल' शायद ठीक ही कहते हैं! इस प्रकार अश्वेतों को मानव-सभ्यता के निम्नतम पायदान पर देखा जाता है। इस सन्दर्भ में जे.एन. पायटर्से ठीक ही कहते हैं कि अमेरिका ऐतिहासिक रूप से 'श्वेत पुरुष का देश' रहा है जिसमें ''अश्वेतों पर श्वेतों की उच्चता तथा महिलाओं पर पुरुषों की उच्चता के संस्थागत एवं विचारधारात्मक पैटर्नों ने एक-दूसरे को पूरा और सुदृढ़ किया।'' वास्तव में, रूढ़िवादी बहु-संस्कृतिवाद एक साझी या सार्वजनिक संस्कृति ('कामन कल्चर') की पाठीयता के असीम जाल की निर्मिति चाहता है और विदेशी भाषाओं व क्षेत्रीय एवं स्थानीय बोलियों के अवैधीकरण, अमानक अँग्रेजी पर निरन्तर आक्रमण तथा द्विभाषी शिक्षा को कमतरी के जरिये 'सीमा' की अवधारणा को खत्म करना चाहता है। इस सन्दर्भ में ग्राम्शी ने बहुत पहले ही

आगाह किया था कि एक राष्ट्रभाषा को थोप करके 'लोकप्रिय मानसिकता को बदलने' और साझा सांस्कृतिक माहौल बनाने की बात प्रबल वर्ग करता है. इसलिए भाषाई वर्चस्व में ऐसे चिह्नों और प्रतीकों की स्पष्ट अभिव्यक्ति निहित होती है जो प्रबल दृष्टिकोण का कूटीकरण और सुदृढ़ीकरण करते हैं। सो ग्राम्शी का स्पष्ट मानना है कि भाषाई स्तरीकरण और सामाजिक सोपानक्रम के बीच इस अर्थ में एक घनिष्ठ सम्बन्ध होता है कि किसी समाज में पायी जाने वाली विभिन्न बोलियाँ और बलाघात हमेशा अपनी अनुभूत-वैधानिकता, उपयुक्तता आदि के लिहाज़ से श्रेणीकृत होते हैं। इस प्रकार ख़ास भाषाई प्रयोग से विषम-शक्ति-सम्बन्ध परिलक्षित होता है। इसीलिए ग्राम्शी के अनुसार, क्षेत्रीय बोलियों के अस्तित्व ने किसानों और मजदूरों को राजनीतिक और सांस्कृतिक वर्चस्व की शक्तियों के प्रतिरोध करने में सहायता दी।

इसके अलावा, जैसा कि पीटर मैकलारेन ने ठीक ही कहा है, रूढ़िवादी या निगमित बहु-संस्कृतिवाद को पाँच आधारों पर खारिज किया जा सकता है—पहला, यह श्वेत प्रजाति को स्थानिक जाति का एक रूप नहीं मानता और इस प्रकार श्वेतता को एक अदृश्य नियम मानता है जिसके बरक्स अन्य स्थानिक जातियों को परखा जाता है। दूसरा, इसमें (जैसा कि डिमेन राविच, आर्थर श्लेसिंगर, लीन वी.चेनी, चेस्टर फिन्न आदि मानते हैं।) 'विविधता' (डायवर्सिटी) शब्द का प्रयोग आत्मसातीकरण की विचारधारा को ढँकने के लिए किया जाता है अर्थात् स्थानिक जाति समूहों को प्रबल संस्कृति के 'परिशिष्ट' के रूप में न्यूनीकृत कर दिया जाता है और उन्हें यूरोप अमेरिका के पितृसत्तात्मक नियमों को सीखना पड़ता है। तीसरा, यह द्विभाषी शिक्षा के विरुद्ध एक भाषावादी है और चाहता है कि अँग्रेज़ी एक मात्र राजभाषा होनी चाहिए। चौथा, यह सभी युवाओं के लिए एक उपलब्धि मानक चाहता है जो एंग्लो मध्यमवर्ग की सांस्कृतिक राजधानी पर आधारित हो। पाँचवा, यह उच्च-स्तरीय ज्ञान और उसमें निहित मध्यमवर्गीय हित पर सवाल करने से कतराता है अर्थात् यह प्रबल विमर्श और सामाजिक-सांस्कृतिक व्यवहारों पर सवाल करने में विफल होता है जिनकी मान्यताएँ नस्लवादी, वर्गीय, यौनवादी और समभयी (होमोफोबिक) होती हैं। इस प्रकार रूढ़िवादी बहु-संस्कृतिवाद चाहता है कि सभी स्थानिक जाति समूह सांस्कृतिक रूप में उघाड़ और विजातीय होकर यूरोपीय अमेरिकी संस्कृति क्लब में शामिल हो जाएँ। इस प्रकार यह सामाजिक डार्विनवाद 'प्राकृतिक चयन' पर आधारित है जिसमें (कार्ल कैम्पबेल, ब्रिघम, मैडिसन ग्रांट, एडवर्ड गिब्बन, जोसेफ आर्थर, रिचर्ड ब्रुकहाइजर, लारेन्स आस्टर आदि) नोर्दिक प्रजाति को उच्चतम माना जाता है उसके बाद (क्रम से) अल्पाइन, मेडिटेरेनियन, ईस्टर्न, न्यू ईस्टर्न और नीग्रो प्रजाति मानी जाती है। रिचर्ड ब्रुकहाइजर ('द वे ऑव द वैस्प') के अनुसार पाश्चात्य (वैस्प) गुण हैं—अन्तरात्मा, अनासक्ति, उद्योग, प्रयोग, सफलता और नागरिक मानसिकता।

दूसरी ओर गैर-वैस्प (एशियाई, अफ्रीका-अमेरिकी और लातीनी) के निम्नतर गुण हैं—स्व, सृजन, महत्त्वाकांक्षी, संशय, परितोषण और सामूहिक मानसिकता। पाश्चात्य भाषाओं (अँग्रेज़ी, फ्रांसीसी, जर्मन, प्राचीन ग्रीक) में ही सत्य को 'सार' के रूप में ग्रहण करने की शक्ति बतायी जाती है। एक ओर पाश्चात्य भाषाओं को 'सत्य-कथन की हैसियत' दी जाती है तो दूसरी ओर पाश्चात्य अनुभववाद में 'कारण और प्रभाव' की आख्यान-निर्मिति होती है।

'उदारवादी बहुलसंस्कृतिवाद' का मानना है कि विभिन्न प्रजातियों के बीच प्राकृतिक समता होती है, उनमें संज्ञानात्मक समकक्षता होती है और उनकी विवेकशीलता पूँजीवादी समाज में उन्हें समान रूप से स्पर्धा में सफल बनाती है। इसके अनुसार संयुक्त राज्य अमेरिका में समानता नहीं है क्योंकि वहाँ सामाजिक और शैक्षिक अवसर मौजूद नहीं है जिनमें प्रत्येक व्यक्ति समान रूप से बाज़ार में सफल हो सकता है—न कि अश्वेत और लातीनी सांस्कृतिक वंचना के कारण असमानता है। उदारवादी बहु-संस्कृतिवाद के अनुसार मौजूदा सांस्कृतिक, सामाजिक और आर्थिक बाधाओं को सुधारा जा सकता है सापेक्ष समानता के लिए। मगर यहाँ भी एंग्लो-अमेरिकी सांस्कृतिक राजनीतिक समुदायों के नियम स्थानिक जाति-केन्द्रवाद से पीड़ित हैं जो दूसरे समुदायों के लिए वैध नमूने हैं।

इससे हटकर वाम-उदारवादी बहुल-संस्कृतिवाद सांस्कृतिक भिन्नताओं पर ज़ोर देता है अर्थात् सांस्कृतिक 'भिन्नता' को अनिवार्य माना जाता है, मगर भिन्नता की ऐतिहासिक और सांस्कृतिक 'परिस्थितीयता' (सिटुयेटेडनेस) को नज़रअन्दाज़ किया जाता है। यहाँ भिन्नता को भाव का ऐसा रूप समझा जाता है जो सामाजिक और ऐतिहासिक प्रतिबन्धों से अलग होता है। अर्थात् यहाँ भिन्नता को एक सामाजिक एवं ऐतिहासिक निर्मिति नहीं माना जाता जिनमें अर्थों का प्रतिनिधित्व करने वाली शक्ति शामिल होती है। यहाँ यह मान लिया जाता है कि एक 'नारी' या 'अफ्रीकी-अमेरिकी', या 'लातीनी' प्रामाणिक अनुभव अस्तित्व में होता है—सो प्राय: संवाद शुरू होने के पहले प्रत्येक को पहचान के कागजात दिखाने के लिए कहा जाता है। अत: पीटर मैकलारेन इसकी आलोचना करते हैं क्योंकि यहाँ पर गलत ढंग से विश्वास किया जाता है कि किसी की अवस्थिति (स्थान) की राजनीति उसकी 'राजनीतिक शुद्धता' की गारंटी अग्रिम में देती है। किसी व्यक्ति की उत्पीड़ित व्यक्ति से भौतिक निकटता या एक उत्पीड़ित के रूप में किसी व्यक्ति की अपनी अवस्थिति को एक विशिष्ट प्राधिकार देने वाला मान लिया जाता है जहाँ से बोला जाना है। मगर बहुधा ऐसा होता है कि एक लोकप्रियतावादी अभिजनवाद की निर्मिति होती है क्योंकि अन्तत: नगर के शिक्षक या श्रमिक संघ पर सक्रियतावादी राजनीति में लगे लोग व्यक्तिगत इतिहास, वर्ग, नस्ल, लिंग, या अनुभव के आधार पर राय या विचार का

एक वंशवृक्ष स्थापित कर लेते हैं—यहाँ राजनीति को 'व्यक्तिगत' तक न्यूनीकृत किया जाता है और किसी की व्यक्तिगत या सांस्कृतिक पहचान के पक्ष में सिद्धान्त को तिलांजलि दे दी जाती है। पीटर मैकलारेन ने इस सन्दर्भ में ठीक ही कहा है—"नि:सन्देह किसी का भोगा हुआ अनुभव, प्रजाति, वर्ग, लिंग और इतिहास किसी की राजनीतिक पहचान के निर्माण में महत्त्वपूर्ण है, मगर किसी को इसके निर्माण की विचारधारात्मक और असम्बद्ध जटिलता के रूप में अपने निजी अनुभव और व्यक्त किये जा रहे विचार की परख के लिए तैयार रहना होगा। इसी परिप्रेक्ष्य में जोआन स्कॉट ने ज्यादा स्पष्ट करते हुए कहा है—"अनुभव एक कर्त्ता का इतिहास है। भाषा इतिहास के प्रदर्शन का स्थल है।"

सो इससे हटकर पीटर मैकलारेन 'आलोचनात्मक एवं प्रतिरोधी बहुल संस्कृतिवाद' (क्रिटिकल ऐंड रिसिस्टेंस मल्टीकल्चरलिज़्म) की अवधारणा पेश करते हैं क्योंकि मात्र 'सुधार' तक सीमित होने के कारण उदारवादी और वाम-उदारवादी सामाजिक परिवर्तन की परियोजना को आगे नहीं बढ़ाते। मैकलारेन उत्तर-संरचनावादी दृष्टिकोण अपनाते हुए कहते हैं कि चिह्न और अर्थ सारत: अस्थिर और खिसकने वाले होते हैं तथा सिर्फ अस्थाई रूप से निश्चित किये जा सकते हैं जो इस पर निर्भर करता है कि उन्हें कैसे विशिष्ट असम्बद्ध और ऐतिहासिक संघर्षों के भीतर अभिव्यक्त किया जाता है। सो इस आलोचनात्मक बहुलसंस्कृतिवाद में नस्ल, वर्ग और लिंग के प्रतिनिधित्वों को, चिह्नों और अर्थों के ऊपर, वृहत्तर सामाजिक संघर्षों के परिणाम के रूप में समझा जाता है तथा प्रतिरोध के प्रकार के रूप में न केवल पाठीय खेल या लाक्षणिक विस्थापन पर जोर दिया जाता है, बल्कि उन सामाजिक, सांस्कृतिक और संस्थागत सम्बन्धों को बदलने के केन्द्रीय कार्य पर भी जोर दिया जाता है जिनमें अर्थ पैदा किये जाते हैं। मैकलारेन के अनुसार 'एकरूपता' पर आधारित पहचान और 'भिन्नता' पर आधारित पहचान दोनों तत्त्ववादी तर्क के रूप हैं—दोनों में व्यक्तिगत पहचान स्वायत्त, स्वत: पूर्ण और स्वत: निर्देशित मान ली जाती है। मगर आलोचनात्मक बहुलसंस्कृतिवाद लोकतन्त्र की तरह संस्कृति को भी असंघर्षमय, समरस और सहमतिजन्य नहीं मानता। यह विविधता को एक लक्ष्य के रूप में नहीं देखता, बल्कि मानता है कि विविधता सांस्कृतिक आलोचना की राजनीति और सामाजिक न्याय के प्रति प्रतिबद्धता के भीतर संपुष्ट होनी चाहिए। इसके अनुसार भिन्नता हमेशा इतिहास, संस्कृति, शक्ति और विचारधारा का उत्पाद है तथा समूहों के बीच और उनके भीतर भिन्नताएँ घटती रहती हैं और उनके उत्पाद की विशिष्टता के रूप में उन्हें समझना चाहिए।

आमूल परिवर्तनकारी राजनीति के सन्दर्भ में यह भिन्नता और पहचान की निर्मिति पर सवाल उठाता है तथा यह नव-साम्राज्यवादी प्रेमाख्यान के विरुद्ध है। अनेकवाद भी शक्ति और विशेषाधिकार की कार्यप्रणाली को नज़रअन्दाज़ करता है।

उदारवादी दृष्टिकोण 'विचारधारात्मक' या 'सर्वसत्तात्मक' बनाने के नाम पर वैश्विक या संरचनात्मक शक्ति-सम्बन्धों को हटा देता है और अवरुद्ध कर देता है। सो चन्द्रा मोहन्ती ने ठीक ही कहा है कि सौम्य विभिन्नता (वैरियेशन) या मान ली गयी सांस्कृतिक समरसता की पृष्ठभूमि के बरक्स सांस्कृतिक रूप से भिन्न-भिन्न समूहों में एक समझौते के रूप में भिन्नता को निरूपित (सूत्रबद्ध) नहीं किया जा सकता। भिन्नता ऐसी मान्यता है कि ज्ञानों को इतिहासों में जालसाजी से शामिल किया गया है जो भिन्न-भिन्न तरीकों से निर्मित शक्ति-सम्बन्धों से विदीर्ण हैं—अर्थात् ज्ञान, व्यक्तिनिष्ठताएँ और सामाजिक व्यवहार 'विषम तथा असमानुपाती सांस्कृतिक क्षेत्रों' के भीतर जालसाजी से शामिल किये गये हैं। भारतीय मूल के दूसरे चिन्तक होमी के. भाभा का भी मानना है कि सांस्कृतिक अन्यत्व की अवधारणा, दक्षिणपन्थियों और वामपन्थियों दोनों में, 'राष्ट्र-केन्द्रित' सांस्कृतिक विमर्शों के एक फलक को आनन्द मनाने के लिए सतही तौर पर ली जाती है।

निःसन्हेद, उदारवादी और रूढ़िवादी बहुलसंस्कृतिवाद संस्कृति को प्रायः एक शामक मरहम के रूप में देखते हैं और मानकर चलते हैं कि पहले से न्याय मौजूद है; सिर्फ़ उसे समान रूप से बाँट देना है। मगर, मैकलारेन के अनुसार, वास्तविकता यह है कि न्याय की जगह सिर्फ़ कानून मौजूद होते हैं और जाहिर है कि कानून मात्र साधन होते हैं न्याय पाने के तथा न्याय को लगातार पैदा किया जाना है और उसके लिए निरन्तर संघर्ष किया जाना है। इस सन्दर्भ में भारतीय शास्त्रों से दृष्टान्त देते हुए अमर्त्य सेन 'नीति' और 'न्याय' में फ़र्क़ स्पष्ट करते हैं जहाँ क्रमशः पहला साधन है और दूसरा साध्य। यह भी जरूरी है कि शिक्षाशास्त्रीय विमर्शों और व्यवहारों के विकास का आलोचनात्मक तरीके से परीक्षण किया जाय जो 'अन्य' को असुर बनाते हैं क्योंकि वे भिन्न होते हैं। इसके लिए हमें श्वेत से भिन्न स्थानिक प्रजातियों को समझने के बजाय स्वयं श्वेतता की संस्कृति पर सवाल उठाने की जरूरत है। जैसा कि कोको फुसको ने ठीक ही कहा है—"श्वेत स्थानिक प्रजाति को नज़रअन्दाज़ करने का तात्पर्य इसके प्रकृतीकरण द्वारा इसके वर्चस्व को दुगना करना है। श्वेत स्थानिक प्रजाति को सम्बोधित किये बिना अन्य की निर्मिति का कोई आलोचनात्मक मूल्यांकन नहीं हो सकता।" कहने का आशय है कि सत्ता में रहने वाले समूह ऐसा आभास देते हैं कि वे कम स्थानिक प्रजातीय हैं अन्य (शासित) की तुलना में उनके विशिष्ट गुण दूसरों से बेहतर हैं। मगर यह सच नहीं है क्योंकि, डीन मैक कनेल के अनुसार, सत्तारूढ़ प्रबल समूह बहुत बड़ा सर्वसत्तावादी है जो दूसरे स्थानिक प्रजाति-समूहों को प्रतिनिधित्व करने का दम्भ भरता है। इसी को ध्यान में रखकर कॉर्नेल वेस्ट ने उचित ही कहा है—" 'अश्वेतता' पर परजीवी के रूप में टिकी 'श्वेतता' एक राजनीतिक रूप से निर्मित श्रेणी है।" इसीलिए "कोई अश्वेतता की छवियों के युग्मी

विपरीतमूलक तर्क का विखंडन नहीं कर सकता, स्वयं अश्वेतता/श्वेतता की विपरीत दशा तक इसको विस्तारित किये बिना।''

अश्वेत लेखिका बेल हुक्स ने ठीक ही पहचाना है कि जब अश्वेत लोग आलोचनात्मक तरीके से श्वेतों का मूल्यांकन इस दृष्टि से करते हैं कि 'श्वेतता' विशेषाधिकार-प्राप्त संकेतक है, तो श्वेत लोग चौंक उठते हैं क्योंकि—''नस्लीय सोच इस कल्पना को स्थायी बनाती है कि अन्य, जो अधीनस्थ है, जो अमानवीय (सबह्यूमन) है, में शक्तिशाली को समझने, विवेचित करने और देखने की क्षमता नहीं है।'' इस तरह बेल हुक्स अश्वेत समुदायों में श्वेतता के प्रतिनिधित्व को एक प्रकार का आतंक मानती हैं। सो मैकलारेन ज्ञान-पद्धति में आमूल परिवर्तन पाँच तरीके से चाहते हैं—पहला, महान कृतियों में एक या दो लातीनी-अमेरिकी या अफ्रीकी-अमेरिकी किताबों से ज्यादा किताबें शामिल करना चाहिए—''हमें ज्ञान की बहुल परम्पराओं को वैधानिकता देनी चाहिए।'' दूसरा, पाठ्यक्रम-सुधार में जरूरी है कि शिक्षक असम्बद्ध मान ली गयी चीजों (नस्ल, वर्ग, लिंग, और यौनिकता) पर सवाल उठाये और यूरोकेन्द्रवाद से सम्बन्धित आत्मसन्तोष को तोड़े। तीसरा, श्वेतता और पश्चिमी विवेकशीलता की अन्तर्निहित उच्चता को हटाया जाय। उदाहरणार्थ, अफ्रीकी-अमेरिकी लेखिका टोनी मोरिसन को 'ग़ैर-पश्चिमी' कहकर क्यों खारिज किया जाता है? इस तथ्य को यह कहकर जटिल बना दिया जाता है कि पश्चिमी संस्कृति पर कोई हमला अमेरिकी होने के ख़िलाफ़ होगा। वास्तव में, अमेरिका का मायने सिर्फ पश्चिमी संस्कृति या पश्चिमी संस्कृति का मायने अमेरिका नहीं है। चौथा, पाठ्यक्रम-सुधार का अर्थ इस बात को मानना है कि पश्चिमी उच्च स्तर के ज्ञान के उत्पादन में विभिन्न समूह भिन्न-भिन्न तरीके से स्थित हैं। कुछ समूहों का प्रतिनिधित्व पाठ्यक्रम बनाने वाले सरकारी ज्ञान में कैसे किया गया है? क्या तीसरी दुनिया से सम्बन्धित होने के नाते उन समूहों को कलंकित किया जाता है? इसके अलावा पाठ्यक्रम-सुधार का यह भी अर्थ होता है कि उत्पीड़ितों की आवाजें सुनी जाएँ। शिक्षकगण वंचितों/हाशिये के विद्यार्थियों को प्राथमिकता दें। पाँचावा, पाठ्यक्रम-सुधार का तात्पर्य यह है कि कक्षाओं में आवाजों की बहुलता के लिए उत्साहवर्धक जगह हो और संवादात्मक शिक्षाशास्त्र हो जिसमें कर्तागण अन्यों को 'कर्ताओं' के रूप में देखें, न कि कर्म के रूप में। ऐसा होने से विद्यार्थी इतिहास में (पीड़ित बनने के बजाय) भागीदार बनेंगे।

वास्तव में, आलोचनात्मक बहुलसंस्कृतिवाद चाहता है कि सामाजिक न्याय का लक्ष्य ऐतिहासिक रूप से, सांदर्भिक रूप से और आकस्मिक रूप से बौद्धिकता की पद्धतियों तथा संस्थागत व सामाजिक व्यवहारों के बारे में भौतिक संघर्षों के रूप में स्थित होना चाहिए। कहने का आशय यह है कि बहुल सांस्कृतिक शिक्षा की

परियोजना न सिर्फ 'मूर्त अन्य' बल्कि 'साधारणीकृत अन्य' की दृष्टि से भी स्थित होनी चाहिए। सभी सार्वभौमिक अधिकार दोनों को मान्यता दें। सेला बेन हबीब ने इसे ज्यादा स्पष्ट करते हुए लिखा है—"प्रतिस्थापनवादी सार्वभौमिकवाद विवेकशील प्राणियों के रूप में सबकी पारिभाषिक पहचान के मुखौटे के पीछे मूर्त अन्य को खारिज कर देता है, जबकि अन्तःक्रियात्मक सार्वभौमवाद स्वीकार करता है कि प्रत्येक साधारणीकृत अन्य एक मूर्त अन्य भी है।" दूसरे शब्दों में कहा जा सकता है कि आलोचनात्मक बहुलसंस्कृतिवाद वचनबद्धता, मुकाबला और संवाद की नैतिकता, तथा सरहदों के बीच और उनके पार सामूहिक नैतिक बहस पर आधारित है। यह वृहत् और सूक्ष्म दोनों सिद्धान्तों तथा कुछ हद तक विकल्पों के आदर्शपरक औचित्य एवं न्याय-निर्णय को समाहित करता है। इसलिए यह वांछनीय है कि हमें प्रतिरोध के शिक्षाशास्त्र (जिसमें 'स्व' एवं 'अन्य' के द्वैतवाद को फिर से बल मिलता है) को 'परिवर्तन की राजनीति' के पक्ष में त्याग देना चाहिए। जैसा कि हाउस्टन बेकर ने कहा है, हमें भाषाई क्षेत्रों के भीतर 'अति साक्षरता' (सुप्रालिटरेसी) या 'छापामार कार्रवाई' (गुरिल्ला एक्शन) करने की जरूरत है—अर्थात् पारम्परिक अकादमीय ज्ञानानुशासनों के प्रबल भाषाई क्षेत्र में हमला करने की जरूरत है। आलोचनात्मक शिक्षा शास्त्र देसी भाषा की ओर ज्यादा ध्यान देगा तथा असाहित्यिक-सांस्कृतिक रूपों को कक्षाओं में स्थान दिया जाएगा—वीडियो, फिल्म, लोकप्रिय कथा और रेडियो तथा व्यक्तिनिष्ठता और अभिकर्ता के उत्पादन में उनकी भूमिका को समझने में आलोचनात्मक साधनों का उपयोग किया जाएगा; सामान्य/सहज बुद्धि को कभी नहीं त्यागा जाएगा। निःसन्देह, सीमा की ज़मीनों पर 'विउपनिवेशीकृत स्थान' बन रहे हैं जो भविष्य में कक्षाओं का हिस्सा बनेंगे जिससे मुक्तिकामी शिक्षा परिलक्षित होगी। कहने का आशय यह है कि तब आज का यह भ्रम मिट जाएगा कि 'सर्वोत्तम सोचा गया और लिखा गया' यूरोपीय लोगों द्वारा ही था, तब इतिहास का अर्थ महज यूरोपीय इतिहास नहीं होगा, तब सिर्फ पश्चिमी सभ्यता ही अध्ययन का क्षेत्र नहीं होगा, तब 'यूरोप बनाम अन्य सभी' (वेस्ट वर्सेज द रेस्ट) का सतही द्विभाजन इस तरह नहीं होगा—हमारे 'राष्ट्र', उनकी 'जनजातियाँ', हमारे 'धर्म', उनके 'अन्धविश्वास', हमारी 'संस्कृति' उनकी लोकवार्ता; हमारी 'प्रतिरक्षा', उनका 'आतंकवाद'। इस प्रकार आलोचनात्मक बहुलसंस्कृतिवाद एक मुक्तिकामी विमर्श और परिवर्तनशील कार्रवाई साथ-साथ बनेगा।

प्रति-संस्कृति

मानव सभ्यता और संस्कृति कभी भी एकरूपी, एकपक्षीय और एकाधिकारी नहीं रही। समय-समय पर 'प्रबल संस्कृति' का प्रतिरोध आम लोगों, ख़ासकर युवाओं ने किया है। चूँकि संस्कृति हमारी सम्पूर्ण जीवन-शैली का पुंज होती है, इसलिए इसमें परिवर्तन धीरे-धीरे मगर निरन्तर होता रहता है। उन्नीसवीं-बीसवीं सदी में पश्चिमी यूरोप और अमेरिका में औद्योगीकरण की प्रक्रिया तेजी से बढ़ती रही जिसका प्रभाव वहाँ की संस्कृति पर तो पड़ा ही, अन्य देशों की संस्कृतियों पर भी पड़ा। 'प्रति संस्कृति का निर्माण' (1970) नामक पुस्तक में थियोडोर रोस्जाक ने लिखा है कि समूचे पश्चिम तथा जापान में एवं आंशिक रूप से लातीनी अमेरिका में अपने-अपने समाज में युवा वर्ग ने अपने को प्रभावकारी मौलिक प्रतिपक्ष में पाया है। हालाँकि इस प्रतिपक्षी युवा वर्ग में सारे युवक शामिल नहीं रहे हैं। मेरा मानना है कि रूस एवं चीन की क्रान्तियों में किसानों-मजदूरों ने अग्रणी भूमिका निभायी थी तथा फ्रांस और ब्रिटेन की क्रान्तियों में मध्यवर्ग ने अहम भूमिका निभायी थी। शायद इसलिए रोस्जाक ने भी स्वीकार किया है—"विद्यार्थीगण अपने समाज को झकझोर सकते हैं; मगर वयस्क सामाजिक ताक़तों के समर्थन के बिना वे स्थापित सत्ता को उलट नहीं सकते।" दुर्भाग्यवश उन्हें वयस्क सामाजिक ताक़तों का समर्थन नहीं मिलता क्योंकि प्राय: वे (जिनमें पारम्परिक वामपन्थी भी शामिल हैं) 'यथास्थिति की शीशे के तल वाली रोड़ी' होते हैं। वह मानते हैं कि पश्चिमी समाजों में, ख़ासकर अमेरिका में, तकनीकीतन्त्र (टेक्नोक्रेसी) हावी है जहाँ औद्योगिक समाज अपने संगठनात्मक एकीकरण के चरम पर पहुँच गया, सो जब वहाँ लोग आधुनिकीकरण करने, अद्यतन करने, विवेकीकरण करने, योजना बनाने आदि की बात करते हैं तो उनके दिमाग में तकनीकीतन्त्र ही रहता है। दक्षता, सामाजिक सुरक्षा, मानव एवं संसाधनों के वृहत्तर समन्वय, अमीरी के उच्चतर स्तर तथा सामूहिक मानव-शक्ति के अंकनीय दिखावों के लिए तकनीकीतन्त्र औद्योगिक समाज के कालदोषी अन्तरालों और दरारों को पाटने/भरने का काम करता है। इसके परिणामस्वरूप हम सामाजिक इंजीनियरिंग के ऐसे युग

में पहुँच गये हैं जहाँ उद्यमकारी निपुणता इस तरह फैल गयी है कि उसने अपने तहत औद्योगिक परिसर के इर्द-गिर्द के समूचे मानव-सन्दर्भ को समाहित कर लिया है— अर्थात् राजनीति, शिक्षा, अवकाश, मनोरंजन, सम्पूर्ण संस्कृति, अचेत आवेग तथा तकनीकीतन्त्र की जाँच का विषय बना लिया गया है। अस्तु, ऐसे माहौल में मानव स्वायत्तता ख़त्म हो जाती है। तकनीकीतन्त्र में कुछ भी छोटा या आसान नहीं होता या ग़ैर-तकनीकी व्यक्ति की सीधी पहुँच में नहीं रहता। मनुष्य के सारे क्रिया-कलाप राजनीतिक, आर्थिक, सांस्कृतिक सामान्य नागरिक की क्षमता के शहर के मान लिए जाते हैं जिनके लिए अलग-अलग विशिष्ट रूप से प्रशिक्षित विशेषज्ञ तय कर दिये जाते हैं। इसके पास एक 'विचार-टंकी' (थिंक-टैंक) होती है जो हर समस्या का पूर्वाभास करती है और उस पर गहन चिन्तन-मनन करके सुलझाती है। सो, रोस्ज़ाक ठीक ही मानते हैं, सामान्य लोग बड़ी व जटिल समस्याओं को बिना प्रयास किये झटपट विशेषज्ञ को सौंप देते हैं जो 'ज्यादा और बेहतर जानने वाला माना' जाता है। सो रोस्ज़ाक के अनुसार "तकनीकी तन्त्र एक ऐसा समाज है जिसमें शासक तकनीकी विशेषज्ञ से अपील करके अपना औचित्य सिद्ध करते हैं और ये विशेषज्ञ स्वयं ज्ञान के वैज्ञानिक रूपों से अपील करते हैं और विज्ञान के प्राधिकार से परे कोई अपील नहीं होती।"

माना कि विज्ञान चीजों को सुव्यवस्थित तरीक़े से समझता है मगर विज्ञान के बाहर तमाम कलाएँ हैं, मौखिक परम्पराएँ हैं, लोक वार्ताएँ हैं और विज्ञान को मुँह चिढ़ाते दैनिक मानव-व्यवहार एवं कार्यकलाप होते हैं। एक माँ अपने कपूत से भी प्यार करती है, अपने निठल्ले बेटे को भी रोटी देती है। एक बहन अपने गरीब भाई को भी राखी बाँधती है और उसके बदले में वह भाई प्यार-स्नेह देता है। कोई कम खाकर भी चोरी नहीं करना चाहता। कोई अच्छी-ख़ासी नौकरी छोड़कर भी साहित्य-कला-संगीत में जुट जाता है। पटना में डॉ. शिव नारायण सिंह बहुत कम पैसे में इलाज करते थे, किन्तु मरीजों की भीड़ को छोड़कर अचानक तबला बजाने भी चले जाते थे। एक मतदाता किसी नेता के पैसे को ठुकराकर उसके ख़िलाफ़ मतदान करता है जबकि वह गरीबी से तबाह है और दहेज़ का जुगाड़ न कर पाने के कारण अपनी बेटी की शादी नहीं कर पाता। औद्योगिक समाज में इस तकनीकी तथ्य की खोल में वास्तविक यौन-सम्बन्ध सबसे महँगी शराब पीकर और सबसे महँगे कपड़े-जूते पहनकर स्थापित करना माना जाता है। यहाँ 'प्लेबॉय' यौन-सम्बन्ध की संस्कृति वफ़ादारी नहीं सिखाती और निजता नहीं दिखाती। यहाँ औरत सिर्फ एक खिलाड़ी होती है जो परिधानों से लदी होती है। यहाँ जीवन के हर क्षेत्र में छविनिर्माता और जनसम्पर्क विशेषज्ञ ज्यादा महत्त्वपूर्ण होते हैं। रोस्ज़ाक के अनुसार चीज़ों के अर्थ वे नहीं हैं जो उनके नाम हैं। जिसे हम शिक्षा कहते हैं, वह बच्चों को नौकरशाही, निगम,

सरकार, सेना, श्रमिक संघ, शिक्षण संस्थाओं आदि के लिए औज़ार में बदलने का ज़रिया है। 'मुक्त उद्यम' असल में कमतर बाज़ार के जोड़-तोड़ की प्रतिबन्धित व्यवस्था है जो संस्थागत भ्रष्टाचार से बँधी है तथा जो जनता को मूर्ख बनाकर 'बाध्यकारी उपभोक्ता' में तब्दील कर देती है। इसी प्रकार जिसे हम 'सर्जनात्मक अवकाश' कहते हैं—अँगुली से चित्र बनाना, मूर्तिकला, खेल आदि—वह असल में 'स्वार्थजीवी उच्च-उपलब्धि' का महँगा गौण कार्य है और इसमें उसे ही पुरस्कार मिलता है जो 'निर्भरयोग्य किराये का नौकर' होता है। जिसे 'बहुलता' कहा जाता है, वह सार्वजनिक प्राधिकारों की रायों को सम्पुष्ट करने वाला प्रत्येक व्यक्ति का अधिकार होता है। यहाँ आलोचनात्मक दृष्टिकोण सिर्फ निजी प्रार्थनाएँ बनकर रह जाते हैं जो स्वतन्त्र अभिव्यक्ति की अपरिणामी अवधारणा की बेदी पर अर्पित की जाती हैं। फिर 'लोकतन्त्र' ऐसे जनमत संग्रह मात्र का सूचक है जो 'बेतरतीब नमूने' (रेंडम सैम्पल) पर आधारित होती है जहाँ पूर्वनिर्धारित विकल्पों में से एक चुनना होता है। ये विकल्प नीति निर्धारकों या निर्णायकों की स्वार्थ-सिद्धि के लिए होते हैं। उदाहरण के तौर पर, यदि किसी जनमत संग्रह में 80% अमेरिकी नागरिक कहते हैं कि अफगानिस्तान, इराक, आदि पर आक्रमण करना ग़लत था, मगर 51% कहते हैं कि वहाँ से फौज की वापसी अमेरिकी स्वाभिमान और प्रतिष्ठा को नुकसान पहुँचाएगा, तो विशेषज्ञ यह निष्कर्ष निकालते हैं कि जनता की 'सलाह' ले ली गयी और युद्ध उनके 'अनुमोदन' से जारी रहे। इसी प्रकार वाद-विवाद में समान रूप से अप्रतिबद्ध उम्मीदवारों के बीच मंचीय आमना-सामना होता है जिसका समय निर्धारण होता है और इस अभ्यास का उद्देश्य क्षमता की 'छवि' स्थापित करना होता है। यदि इस कार्यक्रम में कुछ प्रश्नकर्त्ता होते हैं, तो वे पहले से ठोंक-बजाकर चुने गये होते हैं और उनके सवालों के कई पूर्वाभ्यास होते हैं। इसी प्रकार जिसे हम 'शासितों की सहमति से बनी सरकार' कहते हैं, उसमें कोई सेना का क्षेत्र-विशेषज्ञ किसी 'समस्याग्रस्त क्षेत्र वाले' नये देश पर आक्रमण की रणनीति तैयार करता रहता है। ऐसे पश्चिमी समाज को हम 'स्वतन्त्र', 'खुशहाल' और 'महान समाज' कहते हैं, मगर व्यवहार में ऐसा नहीं है क्योंकि ऐसे पूँजीवादी समाज में मुनाफ़ाखोरी केन्द्रीय उद्देश्य होता है जो समाज को भ्रष्ट भी बनाती है और उपभोक्तावादी भी। रोस्ज़ाक मानते हैं कि तकनीकी तन्त्र पुराने राक्षस पूँजीवादी का अनन्य उत्पाद नहीं है, बल्कि यह 'परिपक्व एवं बढ़ते औद्योगिकतावाद का उत्पाद' है। मुनाफ़ाखोरी खत्म कर देने के बावजूद तकनीकीतन्त्र कायम रहेगा क्योंकि विशेषज्ञता का पितृसत्तावाद कायम रहेगा और अन्तत: उससे छुटकारा पाना जरूरी है।

आजकल पश्चिमी औद्योगिक समाज में मध्यवर्गीय युवाओं के चिर शैशव की प्रक्रिया उन्हें भ्रष्ट बनाती है क्योंकि उनमें लम्बे अरसे तक बाल-सुलभ कल्पनाओं

को ठूँसा जाता है, सो वे वास्तविक दुनिया के कटु यथार्थ से नहीं टकराते। रोस्जाक का मानना है कि हिप्पी के श्रम को आज की अर्थव्यवस्था नहीं चाहती, क्योंकि काम और मजदूरी का सम्बन्ध-विच्छेद हो चुका है। सो बीट पीढ़ी और हिप्पियों के बारे में यह कहना कि वे 'उपभोग करते हैं मगर योगदान नहीं करते' सही नहीं है। उनके बारे में जनसंचार माध्यमों और विशेषज्ञों, ख़ासकर 'किशोरावस्था के समाज शास्त्रियों' ने भ्रम फैलाए हैं—वास्तव में, सन्तृप्ति आवरण के द्वारा असहमति पर दोषदर्शी धुन्ध कायम करना है। व्यापारिक अशिष्टता बीसवीं सदी के पश्चिमी जीवन में स्थानिक कीटों में एक है जैसे गर्मी में मिठाइयों पर मक्खियाँ बड़ी तादाद में भिनभिनाती हैं। मगर मक्खियाँ स्वयं मिठाई नहीं बनातीं और न वे गर्मी का मौसम बनाती हैं। इसलिए संख्या की दृष्टि से भी युवाओं द्वारा किये जाने वाले कार्यों का आन्तरिक मूल्य गम्भीरता से आँका जाना चाहिए। वास्तव में, युवाओं ने अपनी क्रान्तिकारी क्षमता से एक आमूलपरिवर्तनकारी असम्बद्धीकरण बनाने में सफलता हासिल कर ली है जिसे हर्बर्ट मारक्यूज 'महान इन्कार' (ग्रेट रिफ्यूजल) कहते हैं। वास्तविक या काल्पनिक हिप्पी ने ऐसी छवि गढ़ी है जिसके लिए युवा आकर्षित होते हैं, बिना बचपन के खिलंदड़ेपन और सम्मोहन को गँवाये—क्योंकि हिप्पी का एक पाँव बचपन में रहता है।

रोस्जाक का मानना है कि नयी पीढ़ी के युवाओं के पास युगीन परिवर्तन (जिसे वे तलाशते हैं) शुरू करने का दम नहीं है, मगर वे ऐसा परिवर्तन चाहते हैं। उनके होठों पर 'पूर्ण अस्वीकृति' जैसे शब्द तुरन्त आते हैं जबकि पुरानी संस्कृति की जगह नयी संस्कृति का धुँधला चित्र भी उनके दिमाग़ में नहीं होता। किसी निरपेक्ष बुराई (जैसे परमाणु बम) की पृष्ठभूमि के विरुद्ध प्रतिसंस्कृति खड़ी होती है—यह बुराई बम की सम्पूर्ण प्रकृति द्वारा परिभाषित होती है जिसमें हमारी राजनीति, सार्वजनिक नैतिकता, आर्थिक जीवन और बौद्धिक प्रयास पटु विवेकीकरण के साथ अन्त:स्थापित होते हैं। दुर्भाग्यवश हमारी सभ्यता नरसंहार और मानव प्रजाति के सार्वभौमिक निर्मूलन के लिए कटिबद्ध है। फिर भी हम कितने अनैतिक और ख़तरनाक़ तरीक़े से अपने मानवता बोध को इस तरह हर्षोन्मत्त होकर दिखाया करते हैं जिससे कि ऐसा भय 'सामान्य' या 'आवश्यक' मान लिया जाय। हम युवाओं के प्रतिरोधों को शर्तों के साथ या संशोधित कर या सावधानी से 'हाँ...मगर' कहकर 'प्रगति के नाम पर' या विवेक के नाम पर इस हद तक टालते हैं कि असोचनीय चीजें सोचनीय बन जाती हैं और असहनीय चीजें सहनशील बन जाती हैं। सो रोस्जाक का निष्कर्ष है कि चूँकि प्रतिसंस्कृति ऐसा स्वस्थ आवेग है जो व्यक्तिगत एवं राजनीतिक दोनों स्तरों पर मानवीय संवेदना का बलात्कार करने से इनकार कर देता है, इसलिए युवाओं एवं वयस्कों के बीच का संघर्ष काफ़ी विशिष्ट एवं दर्दनाक गहराई तक पहुँच जाता है।

उनके अनुसार युवाओं का असम्बद्धीकरण एक सांस्कृतिक परिघटना बन जाता है, न कि सिर्फ राजनीतिक आन्दोलन, क्योंकि यह विचारधारा के आगे चेतना के स्तर पर प्रहार करता है—स्व, अन्य तथा पर्यावरण के हमारे गहनतम बोध को बदलने की कोशिश करता हुआ। यहाँ आर.डी. लैंग का यह कथन समीचीन है—"हमें सिद्धान्तों की उतनी जरूरत नहीं है जितनी अनुभव की जो हमारे सिद्धान्त का स्रोत होता है।" किन्तु दुर्भाग्यवश मनुष्य के स्वभाव, समाज और प्रकृति के बारे में तकनीकीतन्त्र की मान्यताओं से ही हम बौद्धिक और नैतिक निर्णय ले रहे हैं।

यह औद्योगिकतावाद का ही तक़ाज़ा है कि जब हम किसी को 'तर्कसंगत होने', 'सही बात बोलने', 'वास्तविक विवरण देने', 'सरज़मीन पर पैर रखने', 'तथ्यों तक सीमित रहने', 'वास्तविक होने', आदि के लिए कहते हैं, तो हमारा तात्पर्य होता है कि वह 'आन्तरिक' भावनाओं की बात न करे तथा दुनिया को वैसे देखे जैसे एक इंजीनियर निर्माण परियोजना को देखता है अथवा एक भौतिकविज्ञानी परमाणु अंशों को देखता है। ऐसा माना जाता है कि बिना कविताओं और चित्रकलाओं के दुनिया चलती रहेगी जबकि बाँधों, सड़कों, बमों और ठोस नीति के बिना शायद ही दुनिया चल पाएगी। सो कला फुर्सत की चीज़ मानी जाती है—वास्तविकताओं और ज़रूरतों के बाद बचे-खुचे समय की चीज़। समाज को तकनीकी यन्त्र-निर्माण पद्धति का अधीनस्थ अनुलग्नक माना जाता है जिससे बच्चे 'समुदाय' और 'सहभागी लोकतन्त्र' को अव्यावहारिक मानने लगते हैं। इस प्रकार परायापन ने मनुष्य की दूसरे के प्रति संवेदना को मार दिया है। सो नव वामपन्थ की सार्थकता इस तथ्य में है कि वह सुकुमार संवगों को राजनीतिक सम्मान देने को तैयार रहता है। मगर दुर्भाग्यवश नव-वामपन्थ का यह मानवीय भाव घृणा, प्रतिशोध और तूफानी क्रोध की पुरानी राजनीति के आगे नतमस्तक हो जाता है। बीट पीढ़ी और हिप्पी लोग नव-वामपन्थ के लिए सांस्कृतिक आधार तलाशते हैं, समुदाय के नये रूप की भी खोज करते हैं, नये परिवार का रूप, नये यौन लोकाचार, आजीविका के नये प्रकार, नये सौन्दर्य रूप तथा नयी व्यक्तिगत पहचान खोजते हैं जो शक्ति की राजनीति, बुर्जुआ घर और उपभोक्ता समाज के विपरीत होते हैं। जब नव-वामपन्थ शान्ति का आह्वान करता है और वियतनाम युद्ध की गहन विवेचना पेश करता है, तो हिप्पी 'शान्ति, शान्ति, शान्ति' को कार्यरूप दे देते हैं। एलेन गिन्सबर्ग की 'हाउल' कविता प्रतिसंस्कृति का संस्थापक दस्तावेज़ है जिसमें कवि कहता है—"मैंने अपने सारे रुपये-पैसे रद्दी की टोकरी में जला दिये हैं।" ज़ाहिर है, असन्तुष्ट युवाओं के वृहत्तर सांस्कृतिक मूल्य चमक-दमक वाली अच्छी-अच्छी चीजों को प्राप्त करने वाले मध्य वर्ग को विकर्षित करेंगे ही।

रोस्ज़ाक यह भी मानते हैं कि प्रतिसंस्कृति का एक प्रमुख तत्त्व है पुरुषों में स्त्रियोचित नरमी का विकास। प्रतिसंस्कृति में व्यक्तित्व के गैर-प्रज्ञात्मक पक्ष शामिल

होते हैं और 'विक्षिप्त बुद्धिमानी' (मैड रेशनलिटी) का जवाब 'विक्षिप्त धुन' (मैड पैशन) होता है। इसलिए युवाओं पर पूर्वी धर्मों का असर पड़ता है जो विनम्र, शान्त और पूर्णतः सभ्य चिन्तनशीलता की विरासत वाले होते हैं। पूर्वी रहस्यवाद में तर्क-वितर्क शामिल रहता है, मगर यह मौन के लिए उदारतापूर्वक स्थान भी देता है। यह मानता है कि मौन के साथ ही मनुष्य जीवन के महानतम क्षणों से टकराते हैं। दूसरी ओर दुर्भाग्यवश पाश्चात्य विवेक मौन को महज एक शून्य समझता है—शब्दों का अभाव जो अर्थ के नहीं होने का संकेत करता है। कार्ल मार्क्स के लिए तकनीकी एक तटस्थ कारक था जो वर्गहित के आधार पर शोषणकारी या मानवीय हो सकती है। मगर हर्बर्ट मारक्यूज ने पश्चिमी और सोवियत रूस के तकनीकी तन्त्रों का सर्वेक्षण करके यह निष्कर्ष निकाला कि दोनों व्यवस्थाओं में 'प्रतिस्पर्धात्मक पूर्ण औद्योगीकरण की ज़रूरतों के लिए व्यक्तियों का पूर्ण संघटन' (टोटल मोबिलाइजेशन) किया जाता है। इस प्रकार सभी प्रकार की विचारधाराओं में भयानक मशीन अपने अनुसार राह तय करती है। जहाँ मार्क्स के अनुसार राजनीति की बात करना वर्गहित की बात करना है, वहीं मारक्यूज के अनुसर वर्गहित की बात करने का अर्थ मनोविश्लेषण की बात करना है। नार्मन ब्राउन के अनुसार मनोविश्लेषण की बात करने का अर्थ स्थानीय भाषाओं का शब्द-चयन है। अपनी पुस्तक 'लाइफ अगेन्स्ट डेथ' में ब्राउन कहते हैं कि संस्कृति गहनतम आवेग के स्तर पर दमन से उत्पन्न शारीरिक लक्षणों का रुग्ण मूर्त निरूपण है। दूसरी पुस्तक 'लव्स बॉडी' में ब्राउन कहते हैं कि व्याधिकीय संस्कृति से उबरने के लिए आवयविक एकता पर आधारित 'वास्तविकता सिद्धान्त' को तलाशना होगा जो दमन के पहले मौजूद था। उनकी मनो-पुरातत्त्व विज्ञान की यह परियोजना हमें फ्रायड से आगे आदृष्टिमूलक परिकल्पना में ले जाती है जो प्रतीकों का गल्प नहीं, बल्कि 'वास्तविक रूप से वास्तव' (रियली रियल) है। इसे कवि कीट्स ने ठीक की नाम दिया है—'कल्पना का सत्य'। मारक्यूज का मानना है मुक्ति तब शुरू होती है जब हम 'सामाजिक आधिपत्य की गाँठ' खोल देते हैं जबकि नार्मन ब्राउन के अनुसार उस 'गाँठ के भीतर भी गाँठ' है—वैज्ञानिक विश्वदृष्टि की गाँठ जिससे मार्क्स, फ्रायड और मारक्यूज अपने को छुड़ा नहीं सके। ब्राउन के शब्दों में, "द्वन्द्वात्मक दृष्टि में...विरहस्यीकरण (डिमिस्टिफिकेशन) एक नये रहस्य की खोज बन जाता है...नयी पीढ़ी को यह बताने की जरूरत है कि वास्तविक संघर्ष राजनीतिक संघर्ष नहीं है, बल्कि राजनीति को ख़त्म करना है। राजनीति से कविता में जाना...कविता, कला, कल्पना, सर्जक भाव स्वयं जीवन है; विश्व को बदलने की वास्तविक क्रान्तिकारी शक्ति...।" मगर मानव-जीवन से राजनीति ख़त्म नहीं की जा सकती क्योंकि कला-साहित्य और संगीत में भी राजनीति होती है। प्रसिद्ध फिल्मकार गोदार का मानना सही है कि एक कैमरे से कोण तय करना भी राजनीति है। वास्तव में

राजनीति का अर्थ काफ़ी विस्तृत है और यह चुनावी राजनीति के संकीर्ण दायरे से काफ़ी वृहत् है।

मारक्यूज ने अपनी पुस्तक 'रीजन ऐंड रिवोल्यूशन' में अनुभवतीत्व (ट्रान्सेंडेंस) की अवधारणा पेश की है, किन्तु यह धार्मिक उत्कर्ष नहीं है जहाँ इस जीवन और दुनिया से परे दूसरे जीवन और दुनिया की कल्पना की जाती है। उनका उत्कर्ष आनुभविक एवं ऐतिहासिक है जिसमें एक भिन्न प्रकार के समाज की बात की गयी है। उनके अनुसार काव्यात्मक आदृष्टि के प्रतीकों का सिर्फ क्षैतिज व ऐतिहासिक महत्त्व है जो पन्थनिरपेक्ष भविष्य के लिए हमें दिशानिर्देश देते हैं, न कि जीवन के चिरस्थायी पवित्र संस्कारीय पक्ष की ओर। वास्तव में, मारक्यूज आदृष्टिमूलक (विजनरी) कला एवं धर्म में जो 'महान इन्कार' देखते हैं, वह लौकिक अन्याय द्वारा त्रासदीपूर्ण ढंग से निष्फल किये गये आनन्द एवं आजादी के नाम पर सामाजिक आधिपत्य की अस्वीकृति है। उनका यह विचार फ्रायड की कला एवं धर्म की न्यूनीकृत व्याख्या के नजदीक है जहाँ सृजन घाव लगे 'आनन्द सिद्धान्त' के लिए अतिकल्पना की मरहम का काम करता है।

गिन्सबर्ग की कविता में एक प्रकार की धार्मिकता है जो 1930 के दशक की कविता से भिन्न पहचान बनाती है और वह शुरू से प्रतिरोधी कवि हैं, मगर उनका प्रतिरोध मार्क्स के नजदीक नहीं है, बल्कि ब्लैक के भावातिरेक आमूल परिवर्तनवाद के नजदीक है—यह सामाजिक न्याय जैसा सरल मुद्दा नहीं है, बल्कि बीज शब्द और छवियाँ काल एवं शाश्वतता, उन्माद एवं आदृष्टि, स्वर्ग एवं आत्मा की हैं। गिन्सबर्ग की चीख-पुकार क्रान्ति के लिए नहीं, बल्कि हर्षोन्माद के लिए है—जो दैवीय आग की सन्तति है। सो 1940 के दशक में गाँजा के साथ नये प्रयोग होते हैं और नशे में खास तरह की कविताएँ लिखी जाती हैं। गिन्सबर्ग सहित पूरी बीट पीढ़ी की कविताओं में बिना किसी अपवाद के सर्वव्यापकता है, न कि अनुभवातीत्व। उनमें एक ख़ास तरह का रहस्यवाद है जो न तो पलायनवादी है और न संन्यासवादी।

उल्लेखनीय है कि जेनवाद ने मनुष्य एवं प्रकृति की पारम्परिक वैज्ञानिक अवधारणा को नकार दिया था और इसीलिए युवाओं की संस्कृति ने जेनवाद से प्रेरित होकर तकनीकी समाज की आनन्दविहीन, लालची और अहंकारी व्यवस्था को स्वतः स्फूर्त ढंग से नकार दिया। तकनीकी तन्त्र स्वतः स्फूर्ति, आत्म-संयम, आवेगिता को ऐसे नकारता है मानो वे राजनीतिक व्यवस्था में ज़हर हों। वह ऐसे लक्ष्य व्यवहार को तवज्जो देता है जो वृहत्, अमूर्त विस्तार में अभिव्यक्त हो सकें जैसे राष्ट्रशक्ति, उच्च उत्पादकता, दक्ष वृहत् बाज़ारीकरण, अन्तरिक्ष दौड़, प्रशासनिक व्यवस्थाओं की व्याख्या आदि। तकनीकी व्यक्ति के लिए 'ज़्यादा बेहतर मानी जाती है' ज़्यादा निवेश, ज़्यादा उत्पादन।

पॉल गुडमैन ने अपनी पुस्तक 'मेकिंग डू' में मुख्य पात्र से कहलवाया है—''युवक, यदि आपके लिए कोई समुदाय नहीं है, तो आप ख़ुद अपना समुदाय बनाओ।'' युवावर्ग अपना नया समुदाय बनाना चाहता है क्योंकि 'वस्तुगत चेतना' जैसी कोई चीज़ नहीं होती और तकनीकी यथास्थिति अपना आन्तरिक औचित्य पैदा करती है—तकनीकी तन्त्र को वैधता इसलिए मिलती है कि इसे विशेषज्ञों का अनुमोदन मिलता है; विशेषज्ञों को इसलिए वैधता मिलती है कि उनके बिना तकनीकी तन्त्र नहीं होगा। सो ऐसी चक्रीय दलील विद्यार्थियों को विश्वविद्यालयों में प्रशासनिक सर्वोच्चता पर सवाल उठाने पर पेश की जाती है। माइकेल पोलन्यी ने अपनी पुस्तक 'पर्सनल नॉलेज' (1959) में कहा है कि भौतिक विज्ञानों में भी वस्तुगतता जैसी कोई चीज़ नहीं होती। रोस्जाक के अनुसार 'वस्तुगत चेतना' मानने के पीछे तीन बातें काम करती हैं—पहली, बेगाना विभाजन वास्तविकता को 'भीतरी यहाँ' और 'बाहरी वहाँ' नामक दो क्षेत्रों में विभाजित किया जाता है। 'भीतरी यहाँ' में व्यक्ति ज्ञान प्राप्त करने में अपने को शामिल नहीं करता (मानो उसकी भावनाएँ नियन्त्रित रहती हैं) प्राकृतिक विज्ञानों में अवलोकन, प्रयोग, मापन, वर्गीकरण एवं परिमाणात्मक सम्बन्ध। 'बाहरी वहाँ' में अवलोकन करने वाले तथा अवलोकित वस्तु के बीच यान्त्रिक गजटों द्वारा हस्तक्षेप, तकनीकी शब्दों की व्याख्या, विशिष्ट एवं तात्कालिक अनुभव का सांख्यिकीय सामान्यीकरण के अधीन होना, शुद्ध शोध जैसा व्यावसायिक प्रतिमान आदि प्रयुक्त होता है। 'भीतरी यहाँ' में किसी चीज को ऐसे देखा जाता है मानो वह मानवीय, व्यक्तिगत नहीं है—अवलोकन करने वाला आलोकित वस्तु से परे दूर एवं स्वतन्त्र है। वस्तुगत चेतना की अवधारणा मानती है कि 'भीतरी यहाँ' कम से कम हो और 'बाहरी वहाँ' अधिक से अधिक हो। मगर व्यवहार में ऐसा सम्भव नहीं हो पाता। मानव जीवन में 'भीतरी यहाँ' और 'बाहरी वहाँ' आपस में मिले-जुले होते हैं और परस्पर पूरक भी होते हैं।

दूसरी, पक्षपातपूर्ण सोपानक्रम—'भीतरी यहाँ' को वांछित और सुरक्षित स्थान माना जाता है जबकि 'बाहरी वहाँ' को अविश्वसनीय और ख़तरनाक माना जाता है अर्थात् 'भीतरी यहाँ' विश्वसनीय ज्ञान को केन्द्र माना जाता है जबकि 'बाहरी वहाँ' भटकाव, अपूर्वाभासिता एवं मूर्खता का केन्द्र माना जाता है, मगर व्यवहार में ऐसा सम्भव नहीं। अवलोकन का स्थान ऊपर होने और अवलोकित व्यक्ति का स्थान नीचे होने से सोपानक्रम बन जाता है।

तीसरी, यान्त्रिक आदेश—'अविवेकशील' को भगाने का लाख प्रयास करने के बावजूद 'भीतरी यहाँ' आवेगी सम्पर्क, अतिकल्पना, स्वत:स्फूर्ति और व्यक्ति के प्रति सरोकार जैसे क्षेत्र में दख़ल देते हैं। वह नैतिक बनाने, हँसी-मज़ाक़ करने, घृणा या प्रेम करने, चाहने या डरने जैसी चीजों की जरूरत का दबाव महसूस करता है। सो

'भीतरी यहाँ' वस्तुगतता की तलाश में एक उच्चतर आदेश एवं नियन्त्रण केन्द्र की खोज कर लेता है जो 'भीतरी यहाँ' की पूर्ण निर्वैयक्तिकता प्राप्त करने की क्षमता खोने पर काम करने लगता है—अर्थात् यान्त्रिक औज़ार। सो विचार, सृजनात्मकता, निर्णय करना, नैतिक निर्णय, खेल, संगीत आदि को वस्तुगत बनाने के लिए मशीन की खोज की जाती है। इस प्रकार वैज्ञानिक संस्कृति आनन्द को कोई जगह नहीं देती क्योंकि वह गहनतः निजी रूप से शामिल होने का अनुभव होता है। इस प्रकार मशीन, जो मनुष्य की रचना है, अन्ततः कम्प्यूटर प्रक्रिया के रूप में निर्माता का आदर्श बन जाती है। मशीन वस्तुगत चेतना का पूर्ण रूप ग्रहण कर लेता है और उसी प्रतिमान से अन्य चीजें आँकी जाती हैं। इसके फलस्वरूप न्यूनीकरण की प्रक्रिया शुरू होती है। यदि कम्प्यूटर किसी संगीत को भावपूर्ण रूप से कम्पोज नहीं कर पाता, तो हम उस संगीत के 'वस्तुगत' पक्ष की तलाश करते हैं। यदि कम्प्यूटर किसी सामान्य भाषा का अनुवाद नहीं कर पाता, तो हम विशिष्ट, प्रारम्भिक भाषा की खोज करते हैं जिसका कम्प्यूटर अनुवाद कर सके। यदि कम्प्यूटर आदर्श रूप में पढ़ाने में असमर्थ होता है, तो हम शिक्षा का दूसरा रूप तैयार करते हैं जिससे मशीन शिक्षक के रूप में योग्य हो सके। यदि कम्प्यूटर शहरी योजना की आधारभूत समस्याओं (सामाजिक दर्शन और सौन्दर्य बोध) को सुलझा नहीं पाता, तो हम 'शहर' (सिटी) की परिभाषा बदल कर इसे 'शहरी क्षेत्र' (अर्बन एरिया) कहने लगते हैं। और इन समस्याओं को परिमाणात्मक मान लेते हैं। इस प्रकार मशीन चीजों को बेहतर ढंग से सम्पन्न नहीं करती, बल्कि सभी चीजों का ऐसा न्यूनीकरण कर दिया जाता है जिसे करने में मशीन सक्षम हो। इस सन्दर्भ में रोस्जाक का यह विचार सर्वथा उचित है—"जीवन वह नहीं है जो हम विभिन्न व्यावसायिक क्षमताओं में या किसी ख़ास हुनर के अभ्यास में होते हैं। जो सबसे ज्यादा महत्त्वपूर्ण चीज है, वह यह है कि हम में से प्रत्येक व्यक्ति, एक पूर्ण एवं समेकित व्यक्ति बने जिससे सच्चे रूप में अनुभूत मानव प्रकार का बोध प्रकट हो और जिसमें विस्मयकारी विस्तार वाली वास्तविकता स्वीकार करने का बोध हो।" वह मानते हैं कि गोरे व्यक्ति का जादू चल जाता है क्योंकि वह विज्ञान का उत्पाद है। खासकर वह जादू तब जीतता है जब वह बारूद, सशस्त्र उपनिवेशीकरण और वृहद् भौतिक निवेश (जो सभ्यता के प्रतिमान साधन हैं) के रूप में पहुँचता है।

सो युवा वर्ग की प्रति-संस्कृति विज्ञानवाद एवं तकनीकी तन्त्र द्वारा बनाये गये विभिन्न मिथकों को ध्वस्त करती है तथा मनुष्य को सबसे पहले मनुष्य के रूप में, और आत्मनिष्ठता, आवेगों आदि को भी देखने का प्रयास करती है न कि विभाजित रूप में या खंड-खंड में। ज़ाहिर है कि आधिपत्य वाली संस्कृति के प्रतिरोध में युवाओं की प्रतिसंस्कृति विकसित होती है जिसे अपसंस्कृति होने का भ्रम नहीं पालना चाहिए। यह सही है कि इस प्रतिसंस्कृति में प्रभुत्वकारी संस्कृति को चुनौती दी जाती

है, उसे नकार दिया जाता है, किन्तु उसका विकल्प प्रत्यक्ष और समेकित रूप से प्रस्तुत नहीं किया जाता, भले उसका ख़ाका धुँधले रूप में उस नकार में समाहित हो। दूसरे, यह भी सही है कि हिप्पी या बीट पीढ़ी जिस स्वच्छन्दता के साथ मौजूदा औद्योगिकतावाद की आधिपत्यकारी संस्कृति को नकारती है, उसके आर्थिक पक्ष (पूँजीवाद) को खुलकर बेनक़ाब नहीं करती, जिसकी विशेष जरूरत है। वास्तव में, जिस प्रकार प्रति-संस्कृति का सरोकार युवा विद्यार्थी वर्ग से अधिक है, उसी प्रकार आधिपत्यकारी संस्कृति का सरोकार पूँजीपति वर्ग से है जो 'अधिक को बेहतर' घोषित करता है, जो विज्ञापन के जरिये 'अतिरिक्त' को मुफ़्त में देने का लालच देता है—'बाई वन गेट वन फ्री' आदि के चोंचले सिर्फ उपभोक्तावादी संस्कृति के लक्षण नहीं हैं, ये समूची पूँजीवादी व्यवस्था के प्रतीक हैं जो हमें ललचाते हैं, भटकाते हैं, भ्रमित करते हैं, अपने जाल में फँसाते हैं और उपभोक्तावादी संस्कृति में अधिक से अधिक लोगों को समाविष्ट करने के नाना तिकड़म रचते हैं—जो प्रत्यक्ष या परोक्ष दोनों होते हैं जो उग्र आक्रामक और मन्द सुविधाकारक दोनों रूपों में होते हैं। तीसरे, पूँजीवाद और उपभोक्तावादी संस्कृति ने जो परायापन या बेगानापन पैदा किया उससे आर्थिक रूप से कमजोर वर्ग में 'सांस्कृतिक शून्यता' व्याप्त हो गयी क्योंकि वे अधिकाधिक खरीदारी करके पाँच सितारा होटलों, विमानों और महँगी कारों, महँगे टी.वी./वी.सी.आर. आदि का लुत्फ़ नहीं उठा सके और उनमें इन चीज़ों के प्रति भी तृष्णा पैदा हो गयी। इसलिए यह नयी प्रति-संस्कृति एक नयी अस्मिता के रूप में भी उभरी जिसको चाहने वालों की संख्या धीरे-धीरे बढ़ती गयी। इस प्रकार इस प्रतिरोध ने एक अलग पहचान बनायी जिसका स्वप्न बदलाव पर आधारित है, इसमें कोई सन्देह नहीं। मगर यह भी सच है कि प्रति-संस्कृति भी विद्रूपता में बदल सकती है विशेषकर नशा-ख़ोरी के रूप में, समलैंगिक यौन-सम्बन्ध या कॉल गर्ल और जिगोलो के रूप में। निःसन्देह यह समृद्ध संस्कृति नहीं मानी जा सकती।

संस्कृति का समाजशास्त्र : रेमंड विलियम्स

रेमंड विलियम्स ने अपनी पुस्तक 'कल्चर' (संस्कृति) में लिखा है कि संस्कृति की अवधारणा सबसे पहले एक प्रक्रिया के रूप में शुरू हुई जैसे फसलों को खेती या जानवरों का पालना और बाद में उसका विस्तार करके मानव-मस्तिष्क के परिष्कार तक को संस्कृति माना गया। मगर 18वीं सदी के उत्तरार्द्ध में संस्कृति शब्द किसी स्थान विशेष के लोगों की 'पूर्ण जीवन शैली' (होल वे ऑव लाइफ) को सूचित करने वाले 'साधारणीकरण' (जनरलाइजेशन) या 'समाकृति (कन्फिगरेशन) के भाव की संज्ञा के रूप में प्रयुक्त होने लगा। अठारहवीं सदी में जे.जी. हर्डर ने पहली बार 'कल्चर्स' शब्द बहुवचन में प्रयुक्त किया जो एक रेखीय सभ्यता शब्द से हिगराया गया। 19वीं सदी में तुलनात्मक मानवशास्त्र में संस्कृति को एक 'पूर्ण एवं विशिष्ट जीवन-शैली' के रूप में बहुवचन में प्रयोग किया जाने लगा। रेमंड विलियम्स संस्कृति के तीन भिन्न अर्थों का उल्लेख करते हैं—

(क) मस्तिष्क की एक विकसित अवस्था—जैसे 'संस्कृति-व्यक्ति' या परिष्कृत व्यक्ति अर्थ में;

(ख) ऐसे विकास की प्रक्रियाएँ—जैसे 'सांस्कृतिक हित', 'सांस्कृतिक गतिविधियाँ';

(ग) इन प्रक्रियाओं के साधन—'कलाओं का मानवीय बौद्धिक कार्यों' के रूप में संस्कृति। आजकल सबसे ज्यादा इसी अर्थ में संस्कृति शब्द का प्रयोग हो रहा है। यह अर्थ मानवशास्त्रीय या समाजशास्त्रीय अर्थ—'पूर्ण जीवन शैली' के साथ सह-अस्तित्व में है।

मगर मोटे तौर पर भिन्न अर्थों—आदर्शात्मक एवं भौतिक (क्रमशः पूर्ण जीवन शैली के सूचनात्मक भाव तथा पूर्ण सामाजिक व्यवस्था के उत्पाद के रूप में) संस्कृति शब्द का प्रायः प्रयोग होता है। डिल्थे ने 'सांस्कृतिक विज्ञानों' (कल्चरल साइंसेज) और 'प्राकृतिक विज्ञानों' (नेचुरल साइंसेज) में फ़र्क़ किया है। उनके अनुसार सांस्कृतिक विज्ञानों में अध्ययन की चीजें मानव-निर्मित होती हैं। दूसरे, उनमें प्रेक्षक

स्वयं प्रेक्षण की प्रक्रियाओं में भाग लेता है। तीसरे, उनमें साक्ष्य और व्याख्याओं को स्थापित करने की विभिन्न पद्धतियाँ अनिवार्य होती हैं। डिल्थे ने 'सहानुभूतिपरक समझ' (वर्सटेहेन) की पद्धति पर ज़ोर दिया और साथ ही ऐतिहासिक पद्धति पर ज़ोर दिया। इसे बाद में मैक्स वेबर ने विकसित किया। मगर यह पद्धति कम विश्लेषणात्मक है और विश्लेषण के लिए 'सूचनात्मक भाव' (इन्फार्मिंग स्पिरिट) पर यह पद्धति निर्भर करती है। दूसरी ओर वस्तुनिष्ठ अवलोकन या प्रेक्षण पद्धति आँकड़ों को इकट्ठा करते समय कम मूर्त या ठोस सांस्कृतिक प्रक्रियाओं को ठीक में पकड़ नहीं पाती।

रेमंड विलियम्स के अनुसार संस्कृति के समाजशास्त्र में तीन तरह के अध्ययन किये गये हैं—

(क) संस्थाएँ—आधुनिक सम्प्रेषण संस्थाओं का अध्ययन (जैसे लासवेल, लेजर्सफेल्ड एवं मर्टन, लेजर्सफेल्ड एवं स्टैंटन, व्हाइट, सीबर्ट, पीटर्सन एवं स्रैम) आधुनिक समाज को 'वृहत्तर जन समाज' (मास सोसायटी) के रूप में विश्लेषित किया गया जिसमें बहुत बड़े दर्शक, संचारण की अवैयक्तिकता या अभिग्रहण की अज्ञानता, लोकतान्त्रिक एवं वाणिज्यिक समाजों की 'असंगठित विषम जातीयता' को गड्ड-मड्ड कर दिया गया। इस कल्पित मान से 'जनसंचार' शोध की पद्धति विकसित हुई। पूँजीवादी समाज में तुलनात्मक एवं विश्लेषणात्मक विधियों से संस्थाओं की आमूल आलोचना के रूप में समाजीकरण और जनसंचार का अध्ययन किया गया जैसे प्रेस, प्रसारण, सिनेमा आदि।

(ख) अन्तर्वस्तु—'अन्तर्वस्तु अध्ययन' पद्धति जनसंचारों की प्रत्यक्ष अन्तर्वस्तु के वस्तुनिष्ठ, व्यवस्थित एवं परिमाणात्मक वर्णन के लिए अपनाई गयी। जैसे, अन्तर्वस्तु के प्रकारों का विश्लेषण (बेरेलसन, विलियम्स) या कुछ सामाजिक व्यक्तियों का चयन और चित्रण करने के लिए (लोवेनथाल)। पहले में विस्तृत सर्वेक्षण की प्रक्रिया अपनाई जाती है जबकि दूसरे में विशिष्ट व्यक्तियों/नमूनों (पुलिस, डॉक्टर, नर्स, पुरोहित, अपराधी आदि) के बदलते महत्त्व का विश्लेषण किया जाता है। मगर यह पद्धति प्रायः परिमाणात्मक पक्षों को रेखांकित करती है।

(ग) प्रभाव—विज्ञापन, बाज़ार शोध, दर्शक शोध, जनमत आदि। इसके संचालन अध्ययन (ऑपरेशनल रिसर्च) वाले प्रकार में बाज़ार शोध में रुख़ सर्वेक्षण, प्रसारण शोध में कार्यक्रमों की प्रतिक्रियाओं का अध्ययन, कुछ मुद्दों पर राजनीतिक जनमत आदि शामिल हैं। दूसरी ओर इसके समालोचनात्मक शोध वाले प्रकार में हिंसा दिखाने वाले कार्यक्रमों, राजनीतिक प्रसारणों आदि के विशिष्ट या सामान्य सामाजिक प्रभावों का अध्ययन किया जाता है। इस पद्धति की आलोचना करते हुए विलियम्स ने सवाल उठाया है कि जिन तथाकथित आदर्शों के बरक्स 'प्रभाव अध्ययन' किये जाते हैं, वे स्वयं सन्देहास्पद होते हैं।

वैकल्पिक परम्परा

रेमंड विलियम्स 'वैकल्पिक (जर्मन) परम्परा' की बात करते हैं जिसमें प्रेक्षणीय समाजशास्त्र से बाहर संस्कृति के सामाजिक सिद्धान्तों तथा दार्शनिक, ऐतिहासिक, समालोचनात्मक सिद्धान्तों एवं कलाओं के अध्ययन का मेल होता है। इस परम्परा में वीको, हर्डर, रस्किन, बुर्खार्ड, डिल्थे आदि हैं। आधुनिक समाज में कला (साहित्य सहित) और समाज के बीच मौजूद सम्बन्धों को व्यक्त करने वाले अध्ययनों को तीन श्रेणियों में रेमंड विलियम्स ने बाँटा है—

(क) कला की सामाजिक दशाएँ (सोशल कंडीशन्स ऑव आर्ट)

(ख) कला के कार्यों में सामाजिक सामग्री (सोशल मटीरियल इन आर्ट वर्क्स)

(ग) कला के कार्यों में सामाजिक सम्बन्ध (सोशल रिलेशंस इन आर्ट वर्क्स)

कला की सामाजिक दशाएँ—कला की सामाजिक दशाओं वाले कार्य सौन्दर्यशास्त्र, मनोविज्ञान एवं इतिहास की रचनाओं पर अधिव्याप्त होते हैं। सौन्दर्यमूलक और मनोवैज्ञानिक आँकड़ों पर आधारित प्रमुख प्रवृत्तियाँ तो सापेक्षत: स्थिर मानव प्रक्रिया के संशोधकों के रूप में सामाजिक दशाओं को पेश करती हैं अथवा मानव संस्कृति के सामान्य युगों का निर्माण करती हैं जिनके अन्दर कला के कुछ ख़ास रूप फलते-फूलते हैं। पहली श्रेणी में एच.रीड की रचना 'आर्ट ऐंड सोसायटी' (1936) तथा अन्य रचनाएँ आती हैं जिनका उन्मुखीकरण 'सामाजिक फ्रायडियन' होता है। दूसरी श्रेणी में नीत्से, जे.पी.फ्रेजर ('द गोल्डेन बाओ', 1890), जे.एल. वेस्टन ('फ्राम रिचुअल टू रोमांस', 1920), सी.जी. जुंग ('माडर्न मैन इन सर्च ऑव ए सोल', 1933), एवं एन. फ्राई ('एनाटॉमी ऑव क्रिटिसिज्म', 1957) की रचनाएँ शामिल हैं। यद्यपि मार्क्स एवं एंगेल्स ने कला के बारे में व्यवस्थित रूप से बहुत ही कम लिखा, मगर उनके कुछ सैद्धान्तिक सूत्रों को लेकर कई मार्क्सवादियों ने कला की सामाजिक दशाओं की विवेचना की है। उदाहरणार्थ, प्लेखानोव ('आर्ट एंड सोसल लाइफ', 1953) ने कला को 'आदिम सहजवृत्तियों' (प्रिमिटिव इंस्टिक्ट्स') या 'आवेगों' (ड्राइव्स) से जोड़ा है; के.कौत्स्की ('द मटिरियलिस्ट कान्सेप्शन ऑव हिस्ट्री', 1927) ने कला के विकास को 'विकसित पशु-व्यवहार' से जोड़ा है, सी. कॉडवेल ('द कान्सेप्ट ऑव फ्रीडम' 1965) ने कला को 'आनुवंशिक किस्म' (जेनोटाइप) से जोड़ा है, और अर्नेस्ट फिशर (द नेसेसिटी ऑव आर्ट', 1963) ने भी कला को सामाजिक दशाओं से जोड़ा है। बाद में लुकाच और मारक्यूज उस संकीर्ण रूप से भिन्न हैं जिन्हें 'समाजशास्त्रीय सापेक्षतावाद' (सोशियोलॉजिकल रिलेटिविज्म) या 'समाज शास्त्रीयतावाद (सोशियोलॉजिज्म) कहा जाता है (जो मार्क्सवाद से

सम्बद्ध है)। दुर्भाग्यवश, कई मार्क्सवादी और ग़ैर-मार्क्सवादी व्याख्याकार सबूतों की व्याख्या के बजाय प्रागनुभविक (एप्रियोरी) अवधारणाओं के सहारे आगे बढ़ते हैं। ऐसा विशेष रूप से 'जादुई व्यवहारों' या 'आर्थिक प्रेरकों' या 'यौन प्रतीकवाद' के अमूर्तन में ज्यादा दिखता है जो दूसरी संस्कृतियों की कला की सामान्य व्याख्या देते हैं। इन अवधारणाओं को प्राक्-ऐतिहासिक गुफा चित्रों की व्याख्या में प्रयुक्त किया गया है। मगर रेमंड विलियम्स ने ठीक ही कहा है कि 'सौन्दर्यात्मक सहजवृत्ति' के अमूर्तन अपनी दशाओं और अन्य सम्बन्धों से अलग-थलग होने के कारण जुड़े, किन्तु इसने भिन्न व्यवहारों की पूरी समस्या को दबा दिया है। इनका सैद्धान्तिक सुधार काफ़ी हद तक जे. मुकारोव्स्की ('ऐस्थेटिक फन्क्शन, नार्म ऐंड वैल्यू एज सोशल फैक्ट', 1970) तथा एस. मोरास्की ('फंडामेंटल्स ऑव ऐस्थेटिक्स', 1974) द्वारा किया गया है। सो संस्कृति के समाजशास्त्र के रूप में इस क्षेत्र को व्यवहारों की परिस्थितियों और दशाओं के अध्ययन के रूप में पुनर्परिभाषित किया जा सकता है।

कला के कार्यों में सामाजिक सामग्री—इसका अधिकांश ऐतिहासिक है तथा इसका समाजशास्त्रीय आयाम 'आधार एवं अधिसंरचना' का सिद्धान्त है जिसका प्लेखानोव ने संस्कृति के लिए सामान्यीकरण किया है। इस प्रवृत्ति में किसी समाज के आधारभूत 'तथ्यों' या 'संरचना' सामान्य विश्लेषण द्वारा स्थापित की जाती है और वास्तविक कार्यों का 'प्रतिबिम्बन' (रिफलेक्शन) कमोबेश सीधे खोजा जाता है। इस प्रकार 18वीं सदी के यथार्थवादी उपन्यास की अन्तर्वस्तु और रूप दोनों को वाणिज्यिक पूँजीपति वर्ग की बढ़ती सामाजिक महत्ता के पूर्व ज्ञान तथ्यों पर निर्भर होने की बात दिखाई जा सकती है। इस पद्धति का प्रयोग जॉर्ज लुकाच ने ('स्टडीज इन यूरोपियन रियलिज्म'-, 1950) बख़ूबी किया है।

कला के कार्यों में सामाजिक सम्बन्ध—जब प्रतिबिम्बन की अवधारणा की जगह 'मध्यस्थता' (मिडियेशन) ले लेती है, तो कला में सामाजिक सम्बन्धों की जटिलता को समझा जा सकता है। मध्यस्थता किसी ख़ास माध्यम में संयोजन की आवश्यक प्रक्रियाओं को मुख्यतः इंगित करती है—अर्थात् यह सामाजिक और कलात्मक रूपों के बीच व्यावहारिक सम्बन्धों को दिखाती है। दूसरे शब्दों में, मध्यस्थता का तात्पर्य, रेमंड विलियम्स के शब्दों में, 'अनुभव और इसके संयोजन के बीच अप्रत्यक्षता' है। फ्रांज काफ्का के उपन्यास 'द ट्रायल' को विभिन्न तरीक़ों से पढ़ा जा सकता है—पहला, प्रक्षेपण द्वारा मध्यस्थता (मिडियेशन बाई प्रोजेक्शन)—एक स्वेच्छाचारी एवं अविवेकशील समाज व्यवस्था को सीधे इसके नजरिये से वर्णित नहीं किया जाता बल्कि इसे सारतः अजनबी और परायी व्यवस्था के रूप में प्रक्षेपित किया जाता है। दूसरा, 'वास्तुनिष्ठ सह-सम्बन्धी' की खोज द्वारा मध्यस्थता—किसी स्थिति या चरित्र का चित्रण, वस्तुनिष्ठ तरीक़े से, आत्मनिष्ठ या वास्तविक भावनाओं को

व्यक्त करने के लिए किया जाता है जिससे रचना का मौलिक आवेग आया था। तीसरा, चेतना की मौलिक सामाजिक प्रक्रियाओं के कार्य के रूप में मध्यस्थता जिसमें कुछ ख़ास संकटों को जिन्हें अन्यथा सीधे नहीं समझा जा सकता, ख़ास प्रत्यक्ष छवियों और कला रूपों में पारदर्शी बनाया जाता है। ये छवियाँ आधारभूत (सामाजिक व मनोवैज्ञानिक) दशा पर प्रकाश डालती हैं—सामान्य परायापन पर। तीसरे प्रकार की मध्यस्थता में 'आधारभूत दशा' एक समूचे युग की प्रकृति या एक ख़ास समाज की ख़ास समय में प्रकृति या उस समाज के ख़ास समूह की ख़ास समय में प्रकृति होती है। ये सन्दर्भ सम्भावनाशील तरीक़े से समाजशास्त्रीय होते हैं, मगर अन्तर्वस्तु या रूप के सीधे सम्बन्धों की खोज से उनमें काफी भिन्न-भिन्न तरह का विश्लेषण शामिल होता है। इन अवधारणाओं और पद्धतियों का उपयोग डब्लू. बेंजामिन ('इल्युमिनेशन्स', 1969), एल. गोल्डमान ('द हिडेन गॉड', 1964) अडोर्नो (1967) और फ्रैंकफर्ट स्कूल (एम.जे., 'द डायलेक्टिकल इमेजिनेशन', 1973) की सामूहिक रचनाओं में किया गया है।

इस प्रकार सामाजिक सामग्री एवं सामाजिक दशाओं के विश्लेषण और संचार सामग्री के अन्तर्वस्तु विश्लेषण के बीच कुछ हद तक मिलन होता है। लुकाच, गोल्डमान, ग्राम्शी और ब्लोक ने इस मिलन को सैद्धान्तिक रूप भी दिया है।

संस्कृति के समाजशास्त्र में विचारधारा का विशेष स्थान है मगर कभी यह शब्द एक वर्ग के 'औपचारिक एवं सचेत विश्वासों' के रूप में प्रयुक्त होता है, तो कभी एक वर्ग की सामान्य विश्वदृष्टि या सामान्य दृष्टिकोण के रूप में (जिसमें औपचारिक एवं सचेत विश्वासों के अलावा कम सचेत, कम सूत्रबद्ध रुख, आदतें, भावनाएँ और अचेत पूर्वानुमान, व्यवहार और प्रतिबद्धताएँ भी शामिल होती हैं)। दरअसल, संस्कृति के समाजशास्त्र को सिर्फ पहले अर्थ तक सीमित नहीं किया जा सकता।

रेमंड विलियम्स का मानना है कि सांस्कृतिक समाजशास्त्र का सरोकार सभी प्रकार के सांस्कृतिक उत्पादन की प्रक्रियाओं से है जिनमें विचारधाराएँ भी शामिल हैं। संस्कृति का समाजशास्त्र संस्थाओं और सांस्कृतिक उत्पादन के निर्माणों के साथ-साथ संस्कृति के विशिष्ट उत्पादन साधनों के सामाजिक सम्बन्धों से भी सरोकार रखता है। इसके अलावा यह सामाजिक जीवन के भीतर उन तरीकों से भी सरोकार रखता है जिनमें 'संस्कृति' और 'सांस्कृतिक उत्पादन' सामाजिक रूप से पहचाने और हिगराये जाते हैं। अन्ततः संस्कृति के समाजशास्त्र का सरोकार विशिष्ट कलात्मक रूपों, सामाजिक-सांस्कृतिक 'पुनरुत्पादन' की प्रक्रियाओं तथा सांस्कृतिक संगठन की समस्याओं से भी होना अनिवार्य है। इन संगठनों के विश्लेषण में आधुनिक पूँजीवादी सांस्कृतिक संगठन, विशेषकर मीडिया, भी शामिल होते हैं।

वह मानते हैं कि संस्कृति के समाजशास्त्र को ऐतिहासिक समाजशास्त्र होना

पड़ेगा। वह 'संस्थायी कलाकारों' (इन्स्टीट्यूडेट आर्टिस्ट्स) की बात करते हैं। वह इतिहास के गर्भ को टटोलते हुए कहते हैं कि पुरोहित, पैगम्बर और चारण का कार्य शुरुआत में एक ही व्यक्ति या समूह करता था। मगर कालान्तर में प्रत्येक कार्य के लिए अलग दक्षता और समय की जरूरत पड़ी जिसके कारण कार्यों का विभाजन हो गया। मगर ऐसा मुख्यतः सामाजिक संगठन और उत्पादन-पद्धति में सामान्य परिवर्तनों के फलस्वरूप हुआ। किसी भी हालत में इन परिवर्तनों के पहचाने जाने के समय तक 'राजकीय मान्यता' (ऑफिसियल रिकगनीशन) संरचित कुलीन समाज का एक तत्त्व बन गयी। यद्यपि पुरोहितों और पैगम्बरों की भाँति चारण भी एक विशेषाधिकार प्राप्त जाति थी, मगर वह पुरोहितों और पैगम्बरों से एक क्रम नीचे थी। कहा जाता है कि ऐसे में एक ओर वह समाज का प्रवक्ता और उसके प्रति जवाबदेह था, तो दूसरी ओर उसका कर्तव्य शासक वर्ग की अतीत एवं वर्तमान कीर्ति को बढ़ाना था। हम वीरगाथाओं और वंशावलियों का मिश्रित चरित्र देख सकते हैं जो प्रायः सत्ता की वैधता के रूप में कार्य करती हैं, मगर वे इतिहास के कई रूप भी हैं। इसके परे चारणों द्वारा रचित लोकवार्ताएँ, नीतिवचन और अवलोकन महत्त्वपूर्ण रहे हैं जो विस्तारित सामाजिक दायित्व निभाते रहे हैं। प्रत्यक्ष शासकों के बाबत भी उनकी सापेक्ष स्वतन्त्रता के सबूत मिलते हैं। जैसा कि छठी सदी के एक वेल्स कवि अनीरिन ने कहा है— ''विश्व के चारण वीर पुरुषों पर निर्णय देते हैं।'' रेमंड विलियम्स के अनुसार आयरलैंड के ईसाईकरण के बाद पुरोहिती कार्य बिल्कुल भिन्न तरह का और मुख्यतः लिखित रूप में हो गया जबकि चारण का कार्य मौखिक ही रहा तथा कुलीन परिवारों के साथ एक विशिष्ट एवं भिन्न रूप इख़्तियार कर लिया। दसवीं सदी तक वेल्स साहित्य में चारणों की सरकारी हैसियत कई श्रेणियों में सूत्रबद्ध कर दी गयी—मुख्य कवि (राजकवि ?), युद्ध कवि, चारण (गायक)। उनके विषय भिन्न थे, श्रोता भिन्न थे और शिल्प के आन्तरिक नियम भिन्न थे। जैसे-जैसे समाज बदलता गया, ख़ासकर दरबारों (जिसमें कवियों ने आश्रय पाया था) की राजनीतिक स्वतन्त्रता कमजोर होती गयी और अन्ततः उनका अस्तित्व मिट गया, तो सामाजिक सम्बन्ध पुनः बदल गये तथा साहित्यिक संगठन ज्यादा विशिष्टीकृत और सामाजिक रूप से विच्छेदित हो गये। इस प्रकार पहले चरण में पुरोहित, पैगम्बर और चारण के कार्य विभेदित नहीं थे और तब 'साहित्यिक' या 'कलात्मक' कार्य पूर्ण रूप से सामान्य 'सांस्कृतिक' कार्य से अलग-थलग नहीं था। दूसरे चरण में 'विशिष्ट रूप से संस्थायी कलाकारों' का उद्भव हुआ। तीसरे चरण में 'राजकीय मान्यता' या 'संरक्षण' के दौरान सामाजिक चयन सम्भव था—किसी कवि या कवियों को मान्यता देने का निर्णय करना या उनके संरक्षक का काम करने का निर्णय करना। इस प्रकार समाज के परिवर्तन के साथ-साथ कलाकारों की स्थिति में परिवर्तन होता गया।

जहाँ तक कलाकारों के संरक्षण का सवाल है, रेमंड विलियम्स पाँच प्रकार के संरक्षण की बात करते हैं—

(क) संस्था के संरक्षण तक (फ्रॉम इन्स्टीट्यूशन टू पैट्रोनेज)—वेल्स साहित्य में संस्थायी दरबारी कवियों ('राजकुमारों के कवियों') का संक्रमण 'कुलीन वर्ग के कवियों' (पोएट्स ऑव नोबिलिटी') के रूप में हुआ जो अब भी सम्मानित थे, मगर कभी-कभी निर्भर भी थे—एक कवि एक घर या कई घरों से सम्बद्ध था अथवा कई घरों के बीच जाकर अपनी कलाओं का प्रदर्शन करता था तथा सेवा में समर्थन की तलाश में रहता था। यह एक 'स्थायी संस्था के सामाजिक सम्बन्धों' का 'सचेत विनिमय के सामाजिक सम्बन्धों' में संक्रमण था। यह संरक्षण देने वाले घर की सामाजिक स्व-परिभाषा का हिस्सा था जिसमें एक साथ दायित्व और सम्मान को मानता था। विशिष्ट साहित्यिक संगठन-गौण चारण व्यवस्था काफी हद तक साझी श्रेणियों एवं नियमों में स्व-परिभाषी था।

(ख) परिचर एवं अधिकार—पत्र (रिटेनर ऐंड कमीशन) कुछ शक्तिशाली कुलीन घरों द्वारा व्यक्तिगत कलाकारों को रखा जाता था—सामाजिक संगठन के तौर पर नहीं। उन्हें उपाधियाँ दी जाती थीं जो 'राजकीय मान्यता' का द्योतक थीं। विशेषकर चित्रकला और संगीत में ऐसा संरक्षण दिया जाता था। वैटिकन कोर्ट द्वारा कमीशन की गयी कलाएँ इसका अच्छा उदाहरण हैं। दूसरी ओर कुछ कलाकारों ने स्वेच्छा से धार्मिक उद्देश्य से कलाओं की श्रीवृद्धि की, उससे स्वयं की पहचान पाने के लिए।

(ग) सुरक्षा एंव समर्थन (प्रोटेक्शन ऐंड सपोर्ट)—एलिजाबेथ युगीन इंग्लैंड में नाटक कम्पनियाँ इसका सही उदाहरण हैं। वहाँ अनिश्चित सामाजिक व वैधिक दशाओं में सामाजिक समर्थन कलाकारों को मिलता था। इसमें प्रायः आर्थिक विनिमय सम्बन्ध नहीं थे, बल्कि इस वर्गीय विषमता वाले समाज में परस्पर यश और सम्मान का विनिमय होता था।

(घ) प्रायोजन (स्पांसरशिप)—अब कलात्मक रचनाओं की बिक्री आम हो गयी, सो प्रायोजक कलाकारों को प्रारम्भिक समर्थन या प्रोत्साहन देता था जिससे वे बाज़ार में टिक सकें। यह सम्बन्ध पूर्णतः आर्थिक था, मगर प्रारम्भिक चरण में सामाजिक सम्मान तथा यश का थोड़ा अंश भी रहता था। धीरे-धीरे औद्योगिक एवं वाणिज्यिक निगमों ने पहले के दरबारों, कुलीनघरों तथा कला के कमीशन जैसे प्रकारों की तरह कलाओं का स्वामित्व प्राप्त कर लिया। अब औद्योगिक निगमों द्वारा खुलकर कलाओं में निवेश तथा उनका विज्ञापन किया जाता है।

(ङ) संरक्षक के रूप में जनता (पब्लिक एज ए पैट्रॉन)—करों से प्राप्त आय के द्वारा आजकल सार्वजनिक संरक्षण दिया जाता है। यह एक सार्वजनिक नीति के तहत किया जाता है।

आज के भूमंडलीकरण के ज़माने में कलाओं का बाज़ार से घनिष्ठ सम्बन्ध हो गया है। कलाकारों और बाज़ार के बीच चार तरह के सम्बन्ध विद्यमान हैं। पहला, शिल्पकारी (आर्टिजनल) सम्बन्ध जिसमें कलाकार अपनी कृतियों को सीधे बेचता है अर्थात् वह (उत्पादक) तात्कालिक बाज़ार पर निर्भर होता है फिर भी उसकी कृतियाँ सीधे उसके अधिकार एवं निर्देशन में होती हैं। इस प्रकार वह स्वतन्त्र होता है। दूसरा, उत्तर-शिल्पकारी सम्बन्ध-अब कलाकार (उत्पादक) अपनी कृतियाँ सीधे न बेचकर एक 'वितरक' मध्यस्थ के जरिये बेचता है जो अधिकांशत: उस कलाकार अवसरपरक नियोक्ता हो जाता है। इसके दूसरे रूप में उत्पादक (कलाकार) अपनी कृतियाँ एक 'उत्पादक' मध्यस्थ के जरिये बेचता है और इसमें पूँजीवादी सम्बन्ध स्थापित होते हैं। वास्तव में, मध्यस्थ लाभ कमाने के लिए किसी कृति की खरीदारी में निवेश करता है—अब उस निवेशक मध्यस्थ का सीधा सम्बन्ध बाज़ार से होता है। इसका अच्छा उदाहरण पुस्तक विक्रेताओं का प्रकाशक बनना है। तात्कालिक स्थिति में उत्पादक शिल्पकार ही होता है मगर आज की जटिल एवं संगठित बाज़ार की स्थिति में वह व्यवहार में मध्यस्थों पर निर्भर हो जाता है। आज कलाकार, मध्यस्थ और बाज़ार के सम्बन्ध काफ़ी जटिल हो गये हैं। कलाकार की अपने कार्य के प्रति ज़िम्मेदारी के साथ-साथ, उसकी 'जनता' और 'बाज़ार' के प्रति 'ज़िम्मेदारी' या 'बाध्यता' (ऑब्लीगेशन) या 'अधीनीकरण' (सब्जेक्शन) होता है। सभी कलाओं के शिल्पकारी और उत्तर-शिल्पकारी चरण पूर्णत: खत्म नहीं हुए हैं—विशेषकर चित्रकला तथा संगीत में। कला वीथिकाओं में प्रदर्शित चित्रकलाओं में वितरक मध्यस्थ का चरण चल रहा है जबकि आर्केस्ट्रा एवं पारम्परिक संगीत में वितरक मध्यस्थ उत्तर शिल्पकारी चरण में हैं और लोकप्रिय संगीत उत्पादक उत्तर-शिल्पकारी चरण में हैं। साहित्य में यद्यपि शिल्पकारी और वितरक उत्तर-शिल्पकारी चरण भी कुछ हद तक हैं, किन्तु उत्पादक उत्तर-शिल्पकारी चरण का इसमें आधिपत्य है—अधिकतर साहित्य के प्रकाशन में प्रकाशक बाज़ार से बाद के चरण से जुड़ा है। तीसरा, बाज़ार व्यावसायी (मार्केट प्रोफेशनल)—जैसे आधुनिक प्रकाशक का उत्पादक मध्यस्थ के रूप में पूँजीवादीकरण और व्यावसायीकरण हो गया है। कई लेखक उस तथ्य को ध्यान में रखकर व्यावसायिक लेखन भी कर रहे हैं। इन बदलते सम्बन्धों के दो संकेतक कॉपीराइट (स्वत्वाधिकार) तथा पारिश्रमिक (रॉयल्टी) हैं। छापा तकनीकी के विकास के कारण अन्य कलात्मक उत्पादनों की बजाय पुस्तक प्रकाशन काफ़ी आगे हो गया। इसके अलावा लेखक के प्रकाशक से उत्पादक मध्यस्थ सम्बन्ध को घरेलू और विदेशी पुस्तक चोरी (पाइरेसी) ने पीछे छोड़ दिया क्योंकि उन्होंने लेखक को कुछ दिये बिना उसकी कृति को थोक में बेच दिया। पहले घरेलू कॉपीराइट और उसके बाद अन्तरराष्ट्रीय कॉपीराइट से साहित्यिक सम्पत्ति की नयी अवधारणा

बनी और लेखकों के सामाजिक सम्बन्ध भी परिवर्तित हो गये। अब यद्यपि किताब उत्पादक मध्यस्थ को दी गयी, मगर उसका सामान्य स्वत्व लेखक के हाथों में रहा। अब प्रत्येक कृति के लिए भुगतेय 'रॉयल्टी' ने पूर्व की पूरी खरीद की जगह ले ली। इस प्रकार लेखक अपनी कृति की बिक्री की बाज़ारी प्रक्रिया में सीधे भागीदार हो गया और पूरी बाज़ार व्यवस्था में उसे व्यावसायिक आजादी मिली। चौथा, निगमित व्यवसायी सम्बन्ध आज के जनसंचार माध्यमों के युग में तीव्र हो गया है। अब पूँजीवादी बाज़ार में नियोजित बिक्रीयोग्य उत्पाद की कमीशनिंग सीधे होती है। अब लेखकों की प्रस्तावित किताबों के विषयों को व्यावसायिक मध्यस्थ (प्रकाशकों के सम्पादक) सुझाते हैं जिसका दायरा प्रचलित बाज़ार की संरचना होती है और लेखकों को उन विचारों/विषयों को कार्यरूप देने के लिए नियोजित किया जाता है। बड़े पैमाने की पूँजी का निवेश और ज़्यादा जटिल उत्पादन व वितरण के साधनों पर निर्भरता के कारण उनकी जनसंचार या माध्यमों तक उपलब्धता अवरुद्ध हो गयी है और निगतिम रोजगार की अधिपत्यकारी शर्तों को थोप दिया गया है। दूसरी ओर निगमित बाज़ार में विज्ञापन अपने आप में एक सांस्कृतिक उत्पादन बन गया है। यह आश्चर्यजनक है कि विज्ञापन के उत्पादक अपने शीर्षकों के 'सृजनात्मक' होने का दावा करते हैं। सो अब निगमित बाज़ार के ज़माने में प्रेस, प्रकाशन, विज्ञापन, सिनेमा, टी.वी., रेडियो, ऑडियो-वीडियो कैसेट, टेपरिकॉर्डर आदि अन्य उत्पादक संस्थाओं के साथ समूचे आर्थिक-सामाजिक और सांस्कृतिक संगठन के अंग बन गये हैं।

आगे रेमंड विलियम्स का मानना है कि कुछ पूँजीवादी समाजों और अधिकतर उत्तर-पूँजीवादी समाजों में सांस्कृतिक संस्थाएँ राज्य का विभाग बन गयी हैं।

[II]

सांस्कृतिक उत्पादन के साधन

वह मानते हैं कि एक सांस्कृतिक तकनीक के रूप में लेखन पूर्णतः विशिष्टीकृत प्रशिक्षण के रूपों पर निर्भर करता है, न सिर्फ़ उत्पादकों के लिए, बल्कि प्राप्तकर्ताओं के लिए भी। इसलिए लम्बे अरसे तक सांस्कृतिक व्यवहार के सामाजिक सम्बन्धों की सर्वाधिक कठिन समस्याएँ साक्षरता के इर्द-गिर्द घूमतो रहीं। मौखिक परम्परा और लिखित परम्परा के बीच चार चरण थे—

(क) मौखिक परम्परा वाले समाजों में लेखन एक समर्थक और लिपिबद्ध करने का काम था;

(ख) मौखिक प्रदर्शन के लिए लिखित संयोजन ने लेखन के समर्थक और लिपिबद्ध कार्य में श्रीवृद्धि की,

(ग) लिखित संयोजन सिर्फ पढ़ने के लिए लिखा गया;

(घ) लगभग सभी लिखित संयोजन (बिना बोले हुए) चुपचाप पढ़ने के लिए किया गया और 'साहित्य' के रूप में सामान्यीकृत किया गया।

सबसे पहले चीन में लकड़ी के पुनरुत्पादनीय चित्र निरूपण और छपाई के लिए काठ के अक्षर व्यवहार में लाये गये। मगर चौदहवीं सदी में यूरोप में (अरब में 12वीं सदी में) काष्ठ चित्रकला के लिए कागज ज्यादातर उपयोग में लाया जाने लगा। तब धार्मिक और नैतिक चित्रों का पुनरुत्पादन और व्यापार ज्यादा हो रहा था। 15वीं सदी में धातुओं के विकल्प को सभी तरह के प्रेस और स्याही के विकास से जोड़ा गया जिससे किताबों की छपाई सम्भव हो सकी। कालान्तर में छपाई में—साहित्य के अलावा वैज्ञानिक पुस्तकों में भी प्राप्त किये गये और सामाजिक एवं सांस्कृतिक पुनरुत्पादन के सापेक्षतः अनम्य रूपों तथा विविध व गतिशील सांस्कृतिक उत्पादन व वितरण के बीच प्रत्यक्ष विषमता परिलक्षित हुई। ये विषमता तीन प्रकार की थी—

(क) लाइसेंस, अवरोधन (सेंसरशिप) तथा नियन्त्रण के अन्य रूप और उनके विरुद्ध संघर्ष—छपाई तकनीक ने नियन्त्रण के नये रूप भी ईजाद कर दिये जिनमें दंड की अपेक्षा रोकथाम पर ज़्यादा ज़ोर था। इंग्लैंड में 20वीं सदी के मध्य में ही लम्बे संघर्ष के बाद नाट्यमंचन पर से नियन्त्रण हट सका।

(ख) राज्य एवं बाज़ार—अख़बारों में वैधिक एवं वित्तकोषीय (स्टाम्प ड्यूटी) नियन्त्रण—बाज़ार की सर्वव्यापकता के कारण (ख़ासकर टी.वी. व सिनेमा जैसे नये उत्पादन और पुनरुत्पादन के साधनों में) मौन एवं हिंसा के बारे में सत्ता प्रतिष्ठानों की शिकायत। बाज़ार सम्बन्धों के भीतर दो तरह के नियन्त्रण उभरे हैं—पहला, चूँकि काम एक वस्तु बन गया है, तो बाज़ार उत्पादन की आन्तरिक गणनाएँ सीधे सांस्कृतिक नियन्त्रण और सांस्कृतिक चयन की ओर हमें ले जाती हैं। लोगों के विकल्पों के आलोक में उत्पादन के समय लागत में कमी करने का दबाव होता है—चाहे पुनरुत्पादन के तकनीकी साधनों का सुधार करके या काम की प्रकृति बदलकर के या इसे अन्य रूपों में ढालकर। दूसरा, नियन्त्रण और चयन की प्रत्यक्ष वाणिज्यिक पद्धतियाँ प्रभाव में सांस्कृतिक पद्धतियाँ बन जाती हैं। नियोजित बाज़ार संचालन के कुछ प्रकार के कार्यों को अन्य की अपेक्षा विशेष तरजीह दी जाती है जैसे आधुनिक लोकप्रिय अख़बार वाणिज्यिक सिनेमा, लिपिबद्ध करने का उद्योग, कला का पुनरुत्पादन और अजिल्द पुस्तक आदि। ये चीजें पहले से वृहत् पुनरुत्पादन के लिए चुन ली जाती हैं, इसके फलस्वरूप खरीदार के विकल्प पहले से ही सीमित कर दिये जाते हैं।

(ग) पुनरुत्पादित एवं लोकप्रिय संस्कृति—जैसे-जैसे लेखन का महत्त्व बढ़ता है, किन्तु साक्षरता उस गति से नहीं बढ़ती, तो विषमता पैदा होती है। लेखन

की प्रौद्योगिकी न केवल अन्वेषणों की शृंखला है—लिपि, वर्णमाला इसके उत्पादन की सामग्रियाँ, बल्कि काम (इनमें उत्पादित) की वितरण पद्धति भी है। यह वितरण पद्धति न केवल तकनीकी है—पांडुलिपि की नकल और तब छपाई बल्कि वृहत्तर प्रौद्योगिकी, ख़ासकर सामाजिक सम्बन्धों द्वारा मुख्यत: निर्धारित, पर भी निर्भर करती है जिसमें पढ़ने की क्षमता (जो वितरण का सच्चा सार है) स्वयं पैदा की जाती है। छपाई के अन्वेषण ने तकनीकी वितरण को ज्यादा आसान बना दिया, मगर सामाजिक वितरण की दशाएँ सापेक्षत: अपरिवर्तित रहीं। फिर लिखित संस्कृति की महत्ता बढ़ जाने से एक नये प्रकार का स्तरण पैदा हो गया जिसमें मौखिक बहुसंख्यक संस्कृति का सांस्कृतिक एवं सामाजिक महत्त्व घट गया। चयन और पतला करने (सेलेक्शन ऐंड डायल्यूशन) के काफी सबूत उपलब्ध हैं तथा बोलने से पहले के सामाजिक रूप से संवेदनशील संक्रमण के ऊपर कई संघर्ष हुए हैं। इसके अलावा पूर्व के मौखिक सामाजिक रूपों के विभिन्न विचारधारात्मक प्रतिनिधित्वों तथा परिवर्तनों के भी सबूत हैं—गीतों, कहानियों, स्वीकारोक्तियों और गाथा गीतों में। मगर प्रौद्योगिकी की क्षमताएँ कभी भी पूर्णत: नियन्त्रणयोग्य नहीं थीं। फिर भी विस्तार के बावजूद लेखन और छपाई की आधारभूत प्रक्रिया ने मध्यस्थता के कुछ तत्त्वों को अपने में बरकरार रखा। अन्तत: यह एक प्रत्यक्ष व्यवस्था की अपेक्षा जन्मजात रूप में चिह्नांकनीय होती है। इसके आगे सिनेमा, ध्वनि-प्रसारण, कैसेट, टी.वी., टेपरिकार्डर जैसी नयी प्रौद्योगिकियाँ ऐसी उपलब्धता पद्धति अपनाती हैं जो इस अर्थ में सीधी होती हैं कि वे सामान्य सामाजिक विकास में बिना किसी चयनात्मक सांस्कृतिक प्रशिक्षण के किसी रूप में सांस्कृतिक रूप से उपलब्ध होती हैं।

रेमंड विलियिम्स मानते हैं कि विशेषाधिकार प्राप्त साक्षर संस्कृति के ज़माने से लेखक को जो सत्ता प्राप्त है, वह संयोगवश नहीं है। लेखक की अवधारणा एक स्वायत्त स्रोत की है। यद्यपि हम जानते हैं कि लेखक निर्धारित सामाजिक और सांस्कृतिक दशाओं में काम करते हैं, फिर भी हम 'व्यक्तिगत' उत्पादन के तथ्य पर जोर देते हैं। इसके अलावा हम यह भी जानते हैं कि शुरू में और खासकर कुछ रूप-नाटक, नृत्य, सामूहिक गीत-उतादन प्रत्यक्षत: भी व्यक्तिगत नहीं रहा है, बल्कि अनिवार्यत: सामूहिक सृजन था, फिर भी हम जोर देते हैं कि तब 'उत्पादन' या 'लेखक' प्रधान था।

अख़बारों में उत्पादन में छपाई करने वाले और शारीरिक श्रम करने वाले कामगारों का सांस्कृतिक उत्पादन की अन्तर्वस्तु से कोई सरोकार नहीं होता। वास्तव में, वहाँ वर्गीय विभाजन देखने को मिलता है—एक ओर 'लिखने वाले' होते हैं तो दूसरी ओर 'छापने वाले' होते हैं। लिखने वालों का कार्य सांस्कृतिक उत्पादन के रूप में देखा जाता है जबकि छापने वालों का कार्य महज यन्त्रीय (इंस्ट्रूमेंटल)। नयी

कम्प्यूटर तकनीकी (टाइप सेटिंग) के कारण तकनीकी विभाजन अनावश्यक हो जाता है। अन्ततः हर प्रकार का सांस्कृतिक और उत्पादक कामगार, विकसित तकनीकी की अति पूँजीवादी व्यवस्था में, मालिक या प्रबन्धक के कर्मचारी मात्र होते हैं। मालिक या प्रबन्धक सीधे तौर पर सांस्कृतिक उत्पादन से कोई सरोकार नहीं रखता। इतना ही नहीं, भारत में ऐसा देखा जा रहा है कि कई पत्र-पत्रिकाओं ने सांस्कृतिक उत्पादन की अन्तर्वस्तु और रूप दोनों बदल दिये हैं। जहाँ पहले प्रत्येक अख़बार में कहानियाँ, कविताएँ, कला-साहित्य सम्बन्धी लेख, रिपोर्ताज आदि छपते थे, अब उनका स्थान फैशन की चीजों, विज्ञापनों, चटपट व्यंजनों, सिनेमा की उड़ती अफवाहों आदि ने ले लिया है जो प्रायः सतही, फूहड़ और अरुचिकर होती हैं। इसके अलावा पत्र-पत्रिकाओं के मालिकों का इतना दबदबा होता है कि सम्पादकीय की जगह प्रबन्धकीय प्रायः छपता है। फिर व्यवस्थापक/कार्यकारी निदेशक/प्रबन्ध सम्पादक/अध्यक्ष आदि का नाम सम्पादक के पहले छपने लगा है। उदाहरणार्थ, 'जनसत्ता' अख़बार में बोर्ड अध्यक्ष (विवेक गोयनका) के बाद ही कार्यकारी सम्पादक (ओम थानवी) का नाम छपता है।

जहाँ तक कला और ग़ैर-कला का सवाल है, इस भेद के आधार पर अक्सर कहा जाता है कि अमुक उपन्यास 'कला का कार्य है', दूसरा 'वास्तविक कला नहीं है' या 'लुगदी गल्प' या 'वाणिज्यिक कचरा', या 'उप-साहित्य' या 'अतिरिक्त साहित्य' (पैरा लिटरेचर) या 'दस्तूरी' (रूटीन) या 'साधारण गुणवाला' (मिडियॉकर) या 'परिदाय पुस्तकालय चारा' (लेंडिंग लाइब्रेरी फोडर) है। एक 'ख़राब' उपन्यास, 'उपन्यास', द्वारा इंगित सारी चीजें करता है मगर 'सौन्दर्यात्मक प्रक्रिया' में या 'गम्भीरता' के रूप में या 'यथार्थ से सम्बन्ध' जैसी अन्य चीजें पूरी नहीं करता। सो रेमंड विलियम्स का मानना है कि अच्छा, ख़राब और तटस्थ कला-कार्य में पूरी गम्भीरता से तथा बिना विशेषाधिकार प्राप्त वर्गों और आदतों की परिकल्पना के, भेद करना सचेत मानव उत्पादन की केन्द्रीय सामाजिक प्रक्रिया का अनिवार्य तत्त्व है। सामाजिक वर्ग की बदलती सरंचना पर गहन विचार किये बिना 'उच्च संस्कृति' तथा 'लोकप्रिय संस्कृति' में विभेद करना मुश्किल है। 'दरबार' और 'किसान' से 'कुलीन' तथा 'लोक' (फोक) कला तक हुए सुनिश्चित संक्रमण एक निर्धारित प्रकार के सामाजिक संघों को सीधे प्रकट करते हैं जिन्हें 'उच्च' और 'लोकप्रिय' संस्कृतियों ने, काफ़ी हद तक धुँधले रूप में, अभी भी अंशतः सुरक्षित रखा है।

लुकाच ने मानव व्यवहार को तीन चरणों में विभेदित करते हुए कला की विशिष्टता की बात की है—'व्यावहारिक', 'जादुई-धार्मिक' तथा 'सौन्दर्यात्मक'। 'व्यावहारिक' कला अवगम्य मानव जरूरतों, ऐतिहासिक रूप से सीमाबद्ध सामाजिक एवं भौतिक दशाओं के भीतर, को सन्तुष्ट करने से सम्बन्धित हैं। दूसरी, 'जादुई-

धार्मिक' कला अवगम्य मानव सीमाओं और उस विशिष्ट क्षेत्र में छवियों या कहानियों के अनुवर्ती निर्माण से सम्बन्धित हैं। ये 'जादुई-धार्मिक' बनी रहती हैं जब इन्हें वस्तुनिष्ठ रूप से वास्तविक, अनुभवातीत और अतृप्त विश्वास के रूप में पेश किया जाता है। 'सौन्दर्यात्मक' कला मानव जरूरतों की व्यावहारिक सन्तुष्टि नहीं होती है, बल्कि इसकी छवियाँ अपने आप में बन्द तथा वास्तविक होती हैं। रेमंड विलियम्स के अनुसार कई सौन्दर्यात्मक प्रक्रियाएँ विषय व्यवहार 'व्यावहारिक' तथा 'जादुई-धार्मिक' कलाओं के क्षेत्र से मिलते-जुलते रहते हैं। दूसरी ओर 'व्यावहारिक' और 'जादुई-धार्मिक' चरण 'सौन्दर्यात्मक' चरण में शामिल करने की माँग करते हैं। विलियम्स यह स्वीकार करते हैं कि कई कला-कार्य तात्कालिक व प्रत्यक्ष मानव जरूरतों की पूर्ति नहीं करते, वे समाज के लिए भोजन, आवास या औजार मुहैया नहीं कराते, मगर 'मान्यताएँ' जरूर प्रदान करते हैं।

लूसिए गोल्डमान 'आनुवंशिक संरचनावाद' में रूपों के विकास पर जोर देते हैं (निर्माण और विघटन का विवेचन) जो स्थायी रूपों के विचार के विरुद्ध है। वह इन रूपों को सामान्य प्रकार के वास्तविक ऐतिहासिक संक्रमणों से जोड़ते हैं। मगर उनके अनुसार सिर्फ़ 'बड़े' स्तर पर ये सम्बन्ध मौजूद होते हैं और अन्य उपलब्ध कार्य एवं सम्बन्ध 'अल्पकालिक' (एफिमेरल) होते हैं, सो गौण व नगण्य होते हैं। इस प्रकार कुछ रूप अन्यों की अपेक्षा ज्यादा महत्त्वपूर्ण होते हैं। मगर रेमंड विलियम्स का यह कहना बिल्कुल सही है कि किसी संस्कृति के जानने योग्य क्षेत्रों के पूर्व आनुभविक बहिराव का कोई रूप उतना ही अमान्य है जितना 'इतिहास' या अन्य 'परिधीय' सरोकारों का मनमाना बहिराव। संस्कृति का समाजशास्त्र, सिद्धान्त और व्यवहार दोनों में, सभी सम्भावित साक्ष्यों के लिए खुला रहना चाहिए।

[III]

अब कला के विभिन्न रूपों की पुनरावृत्ति होती है क्योंकि उनकी जरूरत बाज़ार को होती है। 'वृहत् पैमाने पर उत्पादित कला' (मास प्रोडयूस्ड आर्ट) तथा 'मौलिक, प्रामाणिक कला' में फ़र्क़ को रेमंड विलियम्स इन्कार करते हैं। उनके अनुसार अधिकतर 'प्रामाणिक' कला (ख़ास महत्त्व की कला) 'मौलिक' (रोमानी अर्थ में) नहीं होती। रेमंड विलियम्स चार स्थितियों की चर्चा करते हैं जिनमें नवाचार की सामाजिक प्रक्रियाएँ हो सकती हैं—

(क) सामाजिक वर्गों या उनके अंशों का उदय जो नये प्रकार के उत्पादक तथा रुचि लाते हैं और नये कला कार्य को समर्थन करते हैं;

(ख) पुन:परिभाषा—किसी मौजूदा सामाजिक वर्ग या अंश द्वारा इसकी दशाओं और सम्बन्धों या सामान्य व्यवस्था की पुन:परिभाषा जिसमें ये स्थितियाँ मौजूद होती हैं और बदल रही होती हैं जिससे नये कला-कार्य जरूरी हों;

(ग) सांस्कृतिक उत्पादन के साधनों में परिवर्तन जो नयी औपचारिक सम्भावनाएँ देते हैं ये शुरू में (क) या (ख) से जुड़े या जुड़े नहीं हो सकते हैं;

(घ) मान्यता-विशिष्ट सांस्कृतिक आन्दोलनों द्वारा (क), (ख) में वर्णित स्थितियों की मान्यता।

मगर अब तक संस्कृति के समाजशास्त्र में पहले प्रकार (क) पर ही ध्यान केन्द्रित किया गया है। उदाहरणार्थ, अँग्रेज़ी पूँजीवादी नाटक का उदय। सिनेमा के उल्लेखनीय नवाचारों का सम्बन्ध (क) और (ख) प्रकार की स्थितियों से है और उसके बाद के चरण स्थिर उत्पादन तथा पुनरावृत्ति में शामिल हैं। पहला प्रकार (क) नवाचार को सामान्यत: प्रगतिशील मानता है, मगर आत्मनिष्ठ अभिव्यक्तिवाद में नवाचार उदित होने वाले वर्ग का नवाचार नहीं है यद्यपि उन्हें विकासशील खंड या अंश से जोड़ा जा सकता है। यह अंश अपने वर्ग के विरुद्ध जाकर स्थितियों और सम्बन्धों को पुन:परिभाषित करता है और नये रूप विकसित करता है। इस प्रकार यह एक अर्थ में प्रगतिशील है, मगर विभिन्न दशाओं से, वर्ग के भीतर व बाहर, यह प्राय: 'पतित लेखन' (डिकेडेंट) भी है। दूसरे प्रकार (ख) में कलात्मक नवाचार तथा प्रकटित सामाजिक सम्बन्धों के बीच सामाजिक सम्बन्ध मुख्यत: अप्रत्यक्ष होते हैं यद्यपि सामान्य पुन:परिभाषा की जरूरत की चेतना भी हो सकती हे। चौथे प्रकार (घ) में यह अप्रत्यक्षता प्रभाव में निरपेक्ष (अबाध) होती है। शेक्सपियर और जैकब के दु:खान्त नाटकों का विभिन्न रूप चौथे प्रकार का उदाहरण है।

एक ओर हमें आधिपत्य एवं अधीनस्थता के सापेक्षत: स्थायी सम्बन्धों को परिभाषित करने की जरूरत है, तो दूसरी ओर ऐसे सम्बन्धों को उनके गतिशील रूपों में भी देखने की जरूरत है। इन गतिशील रूपों की व्यवस्था में रेमंड विलियम्स 'अवशिष्ट' (रेसिडुअल), प्रबल (डॉमिनेट) तथा 'उद्‌गामी' (इमर्जेंट) में भेद करते हैं। आधिपत्य या प्रबलता की दशाएँ प्रबल सामाजिक रूपों में अपने को असम्बन्ध दिखा सकती हैं। अधीनस्थ लोग सामान्यत: प्रबल रूपों को 'प्राकृतिक तथा आवश्यक' देखते हैं जबकि प्रबल लोग इन व्यावहारिक सम्बद्धताओं की विषम रूप से सचेत नियन्त्रण (विस्थापन के जरिये) से लेकर व्यावसायिक व सौन्दर्यात्मक मूल्यों की कल्पित स्वायत्तता के रूप में, जानकारी रख सकते हैं। इसके अलावा सांस्कृतिक

उत्पादन में अवशिष्ट—दूसरे समाजों और पूर्व के ज़मानों में रचे गये कला कार्य जो अब भी उपलब्ध और महत्त्वपूर्ण हैं—कार्य व्यवहारों के रूप में हैं। प्रायः पुराने कला कार्यों को कुछ लोग प्रबल सांस्कृतिक उत्पादन के विस्तार के रूप में अथवा उसके विकल्प के रूप में सँजोए रखते हैं ऐसे भिन्न 'उद्‌गामी' कला रूप-विभिन्न प्रकार के नये कार्य-प्रबल रूपों तथा उनके सामाजिक-औपचारिक सम्बन्धों से आगे जाने का प्रयास करते हैं।

रेमंड विलियम्स यह सही मानते हैं कि सरलतम अर्थ में सांस्कृतिक उत्पादन प्रबल के स्तर पर ही मुख्यतः घटता है। इसके विपरीत अवशिष्ट रूप (यद्यपि उसकी तात्कालिक प्रक्रियाएँ पुनरुत्पादनीय होती हैं) प्रबल (उसके सबसे ताजा पुनरुत्पादित रूपों में) के सांस्कृतिक विकल्प का प्रायः एक रूप होता है। उद्‌गामी रूप नवाचारी से सम्बन्धित होता है, मगर बिल्कुल वही नहीं होता। जिस तरह कुछ नयी सामाजिक शक्तियाँ समाज व्यवस्था को नष्ट करती हैं (न कि उन्हें पुनरुत्पादित या संशोधित करती हैं), ठीक उसी प्रकार कुछ कलात्मक नवाचार प्रबल के किसी रूप को नष्ट करते हैं। मगर नये रूप प्रबल हैं अथवा उद्‌गामी, यह तय करना काफ़ी कठिन होता है क्योंकि कभी-कभी उद्‌गामी उद्‌गमित (इमर्ज्‌ड) हो जाता है (जैसे कि बुर्जुआ नाटक में) और तब प्रायः वह प्रबल बन जाता है।

रेमंड विलियम्स यह भी मानते हैं, कि पारम्परिक एवं अविकसित समाजों में प्रकृति के बरक्स संस्कृति को 'जीने का समूचा ढंग' माना जा सकता है मगर आधुनिक विकसित जटिल समाजों में सामाजिक और भौतिक परिवर्तनों के इतने स्तर होते हैं कि उन्हें सिर्फ प्रकृति बनाम संस्कृति के रूप में सरलीकृत नहीं किया जा सकता। पूँजीवादी समाज में 'जीवन का आर्थिक पक्ष', 'राजनीतिक पक्ष', 'निजी पक्ष', 'आध्यात्मिक पक्ष', 'अवकाश पक्ष' आदि पक्ष होते हैं, इसलिए संस्कृति का सामाजिक संगठन 'अनुभूत संकेतक व्यवस्था' के रूप में विभिन्न गतिविधियों, सम्बन्धों और संस्थाओं के समूचे क्षेत्र में अन्तःस्थापित होता है।

कार्ल मैनहाइम 'सापेक्षतः अप्रतिबद्ध बुद्धिजीवी' (रिलेटिवली अनकमिटेड इंटेलिजेन्सिया) की बात करते हैं। लुई अल्थूसे के अनुसार एक समाज व्यवस्था सामान्य विचारधारा उत्पन्न करती है और बदले में उसके द्वारा पुनरुत्पादित भी होती है। इस विचारधारा के मुख्य उत्पादक और वाहक बुद्धिजीवी (सांस्कृतिक उत्पादक) होते हैं और तब सांस्कृतिक कार्य एक 'विचारधारात्मक राज्य उपकरण' (आयडियोलॉजिकल स्टेट अपैरटस) के व्यवहार के रूप में परिभाषीय होता है।

लोकप्रिय संस्कृति एक स्तर पर अवशिष्ट, स्व-निर्मित तथा बाहर से उत्पादित तथ्यों (आन्तरिक संघर्षों के साथ) का जटिल सम्मिश्रण है। दूसरे स्तर पर यह

पूँजीपति और शासक वर्ग के सांस्कृतिक उत्पादन का वृहत् क्षेत्र है जो आधुनिक जनसंचार संस्थाओं की 'सर्वव्यापकता' की ओर बढ़ती है और जिसमें 'अल्पसंख्यक' क्षेत्र को अवशिष्ट माना जाता है और उस रूप में उसे औपचारिक रूप से 'सुरक्षित' रखा जाता है। इस प्रकार रेमंड विलियम्स के अनुसार, अपेक्षया अविवादित 'उच्च-संस्कृति' अतीत में चली गयी है जबकि सक्रिय और प्रभावकारी 'अल्पसंख्यक' क्षेत्र (सांस्कृतिक उत्पादन के वर्ग-निर्धारित क्षेत्र के भीतर) निर्णायक रूप में 'बहुसंख्यक' क्षेत्र में चला गया है। उनके अनुसार यद्यपि कला और विचार के विभिन्न रूपों में नवाचारी कार्य है, फिर भी प्रामाणिक रूप से उद्‌गामी कला रूप को न केवल परिभाषित किया जाना है, बल्कि प्रबल सामान्य व्यवस्था के विकल्पों को योगदान के रूप में भी मुख्यत: परिभाषित किया जाना है। दूसरी ओर 'विस्तारित बाज़ार' की चर्चा करते हुए वह कहते हैं कि क्या और कब आयात किया जाना है इसके बाबत निर्णय प्राय:, चयनात्मक परम्परा की प्रक्रियाओं के काफ़ी हद तक समान हैं जब अतीत के तत्त्व जानबूझकर पुन:प्रस्तुत या पुनर्जीवित किये जाते हैं। कभी-कभी आयात प्रबल वर्गों द्वारा किये जाते हैं (जैसे इंगलिश रिफार्मेशन कुलीन फ्रांसीसी रूपों को मँगाता है) और कभी-कभी एक वैकल्पिक या विरोधी समूह द्वारा आयात किया जाता है (जैसे इंगलिश न्यू लेफ्ट द्वारा मार्क्सवादी साहित्य)। इसके अलावा सिनेमा और टी.वी. के उत्पादन ने जिसमें सापेक्ष एकाधिकार होते हैं, अन्तरराष्ट्रीय स्तर पर सांस्कृतिक आधिपत्य और सांस्कृतिक निर्भरता की सामान्य प्रक्रियाएँ पैदा कर दी हैं। उनका आमूल-चूल प्रभाव राष्ट्रीय भाषाओं पर पड़ता है। ये विज्ञापन के ज़रिये वाणिज्यिक संचालनों तथा सामान्य राजनीतिक संचालनों से सीधे सम्बन्धित हो सकती हैं। इस प्रक्रिया में वे 'बहुराष्ट्रीय' सांस्कृतिक सम्मिश्रण (राष्ट्रीय रूपों का अधिग्रहण सहित) के नये रूपों की ओर बढ़ते हैं। इसलिए एक समाज-व्यवस्था के लिए सामान्यत: विकसित किये गये संस्कृति के समाजशास्त्र को इस नये सम्मिश्रित एवं विषम सांस्कृतिक उत्पादन (बहुराष्ट्रीय तथा अतिरिक्त राष्ट्रीय स्तर पर) तक आमूल-चूल रूप से विस्तारित किया जाना चाहिए।

इसके अतिरिक्त वह स्पष्ट करते हैं कि सांस्कृतिक उत्पादन की कई तकनीकें और कुछ कौशल अब अनिवार्य रूप से ज्यादा सामान्यत: प्रसारित होते हैं। इसलिए सांस्कृतिक उत्पादन का सामाजिक चरित्र अब ज्यादा प्रत्यक्ष रूप से सक्रिय हो गया है। अब इस केन्द्रीय सामाजिक चरित्र तथा अवशिष्ट रूपों एवं राजनीतिक व आर्थिक नियन्त्रण के निर्धारक रूपों के बीच तमाम विरोधाभास हैं। इसलिए संस्कृति का समाजशास्त्र विश्लेषणात्मक रूप से निर्माणकारी तथा निर्माणकारी रूप से विश्लेषणात्मक होना चाहिए।

रेमंड विलियम्स के उपरोक्त विचार काफ़ी हद तक तार्किक और विश्लेषणात्मक हैं मगर एक मायने में वे पूरी तरह ऐतिहासिक नहीं हैं क्योंकि उन्होंने अँग्रेज़ी साहित्य विशेषकर (उपन्यासों) को सिर्फ और मुख्यत: इंग्लैंड का माना है, जो सही नहीं है क्योंकि मुख्यत: वे साम्राज्य व्यवस्था से सम्बन्धित है जिनमें इंग्लैंड के अलावा उसके अधीन उपनिवेशों का भी इतिहास उनमें शामिल है, यद्यपि वे अधीनस्थ स्थिति में रहे हैं लेकिन उनका आर्थिक, राजनीतिक और सांस्कृतिक शोषण अँग्रेज़ी साम्राज्यवाद का आधार रहा है। दुर्भाग्यवश, रेमंड विलियम्स इस साम्राज्यवादी शोषण को अँग्रेज़ी उपन्यासों में नहीं देख पाते क्योंकि वह उन्हें साम्राज्यवादी व्यवस्था में सापेक्षत: स्वायत्त मानते हैं जो सही नहीं है। इस प्रकार उनका सैद्धान्तिक दृष्टिकोण, अन्यथा समृद्ध होते हुए भी, साम्राज्यवादी (नकारात्मक) अनुभव को नज़रअन्दाज़ करता है, और यह प्रवृत्ति अधिकतर पश्चिमी आलोचकों और साहित्य के समाजशास्त्रियों में पायी जाती है। वे पूर्व के अविकसित समाज को (पश्चिमी स्रोतों पर समूचा विश्लेषण आधारित होने के कारण) पश्चिम के रंगीन चश्में से देखते हैं, इसलिए उनका विश्लेषण एकायामी और एकांगी रह जाता है। फिर भी, इतना तो नि:सन्देह कहा जा सकता है कि विश्लेषण के स्तर पर उन्होंने साहित्य के समाजशास्त्र को काफ़ी हद तक समृद्ध किया है। यदि हम उनके विश्लेषण में साम्राज्यवादी शोषण को भी जोड़ दें, तो सोने में सुहागा हो जाएगा।

संस्कृति और साम्राज्यवाद : एडवर्ड सईद की दृष्टि में

जब एडवर्ड सईद ने 1978 में 'ओरिएंटलिज्म' नामक किताब लिखी, जो मध्य एशिया के सन्दर्भ में थी, तो उसमें आधुनिक केन्द्र के रूप में पश्चिम तथा परिधि के रूप में विकासशील देशों का सांस्कृतिक विषम सम्बन्ध वर्णित किया गया था। उसके बाद उस बहस को आगे बढ़ाते हुए उन्होंने अमेरिका, यूरोप और कनाडा के विश्वविद्यालयों में कई भाषण दिये तथा उन्होंने एक महत्त्वपूर्ण पुस्तक लिखी—'संस्कृति और साम्राज्यवाद' (कल्चर ऐंड इम्पीरियलिज्म)। उन्होंने पश्चिमी देशों की बनायी हुई रुढ़ियों 'रहस्यात्मक पूरब', 'अफ्रीकी दिमाग़', 'हम बनाम वे', आदि पर सवालिया निशान लगा दिया। इस पुस्तक में उन्होंने एक और साम्राज्यवादी संस्कृति के वैश्विक पैटर्न और उसके विरुद्ध प्रतिरोध के ऐतिहासिक अनुभव की विधिवत् चर्चा की है। वह संस्कृति के दो अर्थ प्रस्तुत करते हैं। पहला, वर्णन, सम्प्रेषण और प्रतिनिधित्व की कलाओं का व्यवहार जिसका आर्थिक, सामाजिक और राजनीतिक क्षेत्रों से अलग हटकर स्वायत्त क्षेत्र होता है, जो सौन्दर्यात्मक रूपों में होता है और जिसका मुख्य उद्‌देश्य आनन्द होता है। इसमें विभिन्न क्षेत्रों में मौजूद लोकवार्ताओं का भंडार तथा विभिन्न ज्ञानानुशासनों में उपलब्ध विशिष्ट ज्ञान शामिल हैं। एडवर्ड सईद ने पाश्चात्य साम्राज्यवाद (19वीं और 20वीं सदी में) को समझने के लिए उपन्यास जैसे सांस्कृतिक रूप को ज़रूरी पाया क्योंकि उपन्यासों ने साम्राज्यवादी रुख़ों, सन्दर्भों और अनुभवों को बनाने में महत्त्वपूर्ण भूमिका निभायी है। वह उपन्यास को इस सन्दर्भ में, अन्य विधाओं की अपेक्षा, सर्वाधिक सौन्दर्यात्मक वस्तु मानते हैं जिसका जुड़ाव ब्रिटेन और और फ्रांस के फैलने वाले समाजों में काफ़ी था। उनके अनुसार आदि रूपीय (प्रोटोटिपिकल) आधुनिक यथार्थपरक उपन्यास 'राबिन्स क्रूसो' है जिसमें (संयोगवश नहीं) एक यूरोपीय व्यक्ति एक दूरस्थ ग़ैर–यूरोपीय द्वीप में अपने लिए एक नयी जागीर बनाता है। साम्राज्यवाद में मुख्य युद्ध ज़मीन पर होता है, मगर जब यह सवाल उठा कि जमीन का मालिक कौन है? किसके पास जमीन का बन्दोबस्त करने और उस पर काम करने का अधिकार है, किसने इसे जारी रखा, किसने इसे वापस ले लिया

और कौन इसके भविष्य के बारे में योजना बनाता है, ऐसे युद्धों के बारे में एक वृत्तान्त में चिन्तन, विवाद और निर्णय किया गया। जैसा कि एक आलोचक ने कहा कि राष्ट्र स्वयं वृत्तान्त है। एडवर्ड सईद के शब्दों में, "वर्णन करने या अन्य आख्यानों के बनने और उदित होने को रोकने की शक्ति, संस्कृति और साम्राज्यवाद के लिए बहुत महत्त्वपूर्ण है, और उनके बीच मुख्य संयोजनों में से एक है। यह सर्वाधिक महत्त्वपूर्ण है कि मुक्ति और ज्ञानोदय के भव्य आख्यानों ने उपनिवेशी दुनिया के लोगों को साम्राज्यवादी पराधीनता के विरुद्ध खड़े होने और उखाड़ फेंकने के लिए संगठित किया; इस प्रक्रिया में कई यूरोपीय और अमेरिकी लोग भी इन कहानियों और उनके मुख्य पात्रों द्वारा उद्वेलित किये गये, और समानता तथा मानव समुदाय के नये आख्यानों के लिए उन लोगों ने भी संघर्ष किया।"

एडवर्ड सईद के अनुसार दूसरी ओर संस्कृति की ऐसी अवधारणा भी है जिसमें परिष्कार और उन्नयन करने वाला तत्त्व है, जो हर समाज में सर्वोत्तम का संग्रह होता है। जैसा कि मैथ्यू अर्नोल्ड कहा करते थे कि संस्कृति एक आधुनिक, आक्रामक, व्यापारिक और पाशविक बनाने वाले शहरी अस्तित्व को, यदि पूर्णतः निष्प्रभावी नहीं बनाती, तो हल्का जरूर करती है। कालान्तर में, संस्कृति किसी राष्ट्रीय या राज्य से जोड़ दी जाती है, जो 'हम' को 'वे' से हिगराती है और प्रायः हमेशा विदेशी द्वेष की हद तक चली जाती है। इस अर्थ में संस्कृति अस्मिता का एक स्रोत हो जाती है, और कभी-कभी लड़ाकू मुद्रा में संस्कृति परम्परा की ओर 'वापसी' की हद तक पहुँचती है। ऐसी 'वापसी' के साथ बौद्धिक और नैतिक व्यवहार की कठोर संहिता जुड़ी होती है जो बहुसंस्कृतिवाद और संकरता के अपेक्षया उदार दर्शनों से जुड़ी उन्मुक्तता के विरुद्ध होती है। पूर्व औपनिवेशिक दुनिय में ऐसी 'वापसियों' ने नाना प्रकार की धार्मिक और राष्ट्रीय कट्टरता पैदा कर दी है। एडवर्ड सईद ने अपने शोध में पाया है कि बहुत कम महान ब्रिटिश और फ्रांसीसी कलाकारों ने 'कर्ता' या 'हीनतर' नस्लों का सवाल उठाया है जबकि यह विचार भारत या अल्जीरिया पर शासन करने वाले अधिकारियों में प्रमुखता से व्याप्त रहा है। दुर्भाग्यवश इन धारणाओं को वृहत् पैमाने पर स्वीकार कर लिया गया और इन धारणाओं ने 19वीं सदी के दौरान अफ्रीका के भू-भागों पर साम्राज्यवादी कब्जा करने में मदद की। मगर आलोचकों ने कार्लाइल, रस्किन, डेकिन्स और ठैकरे जैसे लेखकों के औपनिवेशिक विस्तार, हीनतर नस्लों और नीग्रो सम्बन्धी विचारों को संस्कृति के क्षेत्र से अलग रखा। वास्तव में 18वीं सदी के उत्तरार्द्ध में आस्ट्रेलिया की स्थापना सज़ा की बस्ती के रूप में की गयी थी जिससे ब्रिटेन से न सुधरने वाले और अवांछित अतिरिक्त महापराधियों को वहाँ भेजा जा सके। लाभ कमाने, साम्राज्य बनाने और सामाजिक रंगभेद क़ायम करने जैसी चीज़ों ने एक साथ मिलकर आस्ट्रेलिया को जन्म दिया। डिकेन्स के उपन्यास 'डेविड कूपरफील्ड'

(1840) में विलकिन्स मिकाबर खुशी-खुशी आस्ट्रेलिया चला जाता है क्योंकि वहाँ लाभ है और स्वतन्त्र व्यवस्था है जिसके तहत मजदूर बेहतर कर सकते हैं। 'ग्रेट एक्सपेक्टेशन्स' में देशज आस्ट्रेलियाई लोगों के लिए कोई सरोकार नहीं है। एडवर्ड सईद का यह भी मानना है कि कोनराड (नोस्ट्रोमो) में विरोधाभास है—वह बिना भय के समुद्र पार उपनिवेशों में व्याप्त भ्रष्टाचार का खुलकर वर्णन करते समय प्रगतिशील और साम्राज्यवाद-विरोधी है, मगर तब प्रतिक्रियावादी और साम्राज्यवादी है जब अफ्रीका या दक्षिण अमेरिका के स्वतन्त्र इतिहास और संस्कृति का सवाल उठता है। कोनराड यह नहीं समझ सके कि भारत, अफ्रीका या दक्षिण अमेरिका के पास सत्यनिष्ठा वाली जिन्दगियाँ और संस्कृतियाँ थीं जिन्हें पश्चिमी साम्राज्यवादी और सुधारवादी पूर्णतः नियन्त्रित नहीं कर सके। दूसरे, वह यह विश्वास नहीं कर सके कि सारे साम्राज्यवाद-विरोधी स्वतन्त्रता आन्दोलन भ्रष्ट नहीं थे और लन्दन या वाशिंगटन की कठपुतलियाँ नहीं थे।

एडवर्ड सईद ठीक ही मानते हैं—"मैं नहीं मानता कि लेखक विचारधारा, वर्ग या आर्थिक इतिहास द्वारा यान्त्रिक तरीके से निर्धारित होते हैं बल्कि लेखक, मैं यह भी मानता हूँ, अपने समाजों के इतिहास में बख़ूबी होते हैं, जो इतिहास को गढ़ते हैं और उस इतिहास और उनके (साम्राज्यों) सामाजिक अनुभव द्वारा भिन्न-भिन्न परिमाण में गढ़े जाते हैं। संस्कृति और इसमें निहित सौन्दर्यमूलक रूप ऐतिहासिक अनुभव से उत्पन्न होते हैं..."। उनके अनुसार ब्रिटिश, अमेरिकी और फ्रांसीसी साम्राज्यवादी अनुभव में एक अद्‌भुत संगति और विशिष्ट सांस्कृतिक केन्द्रीयता है। निःसन्देह, ब्रिटेन अपने आप में एक साम्राज्यवादी वर्ग है—अन्य से ज़्यादा बड़ा, ज़्यादा शानदार और ज़्यादा प्रभावशाली। क़रीब दो सदियों तक फ्रांस, ब्रिटेन से सीधे स्पर्धा करता रहा। चूँकि आख्यान साम्राज्यवादी जिज्ञासा में उल्लेखनीय भूमिका अदा करता है, इसलिए ब्रिटेन और फ्रांस में उपन्यास-लेखक की बेजोड़ अबाध परम्परा रही है। अमेरिका में 20वीं सदी के उत्तरार्द्ध में यह परम्परा शुरू हुई जब ब्रिटेन और फ्रांस में उपनिवेशों की समाप्ति हो चुकी थी। दूसरे समुद्र-पार उपनिवेशों को क़ायम करना इन तीनों संस्कृतियों की विशेषाधिकारी हैसियत रही है। इसी कारण वहाँ की कला, गल्प और भूगोल में प्रक्षेपणों (प्रोजेक्शंस) का ख़ास स्थान है और यह वास्तविक विस्तार, प्रशासन, निवेश और प्रतिबद्धता के ज़रिये निरन्तर उपस्थिति की माँग करता है। इसे ही सईद 'रुख़ एवं सन्दर्भ की संरचना' कहते हैं। तीसरे, इन्हीं तीनों देशों के परिपथ में सईद जन्में, पले-बढ़े और जीवन-यापन किये, मगर उनका मानना है कि वह अन्ततः अरब और मुस्लिम दुनिया के देशज हैं फिर भी वह पश्चिमी शिक्षा के कारण दूसरी ओर से भी सम्बन्ध रखते हैं—यानी वह दोनों तरफ़ रहते हैं और दोनों के बीच मध्यस्थता करते हैं। उनके अनुसार, "पश्चिमी साम्राज्यवाद और

तीसरी दुनिया का राष्ट्रवाद एक दूसरे को ख़ुराक देते हैं, मगर उनकी सबसे ख़राब अवस्था में भी वे न तो अखंडित हैं और न निर्धारणवादी। इसके अलावा संस्कृति भी अखंडित नहीं होती और यह पूरब या पश्चिम की अनन्य सम्पत्ति नहीं है तथा न ही स्त्रियों व पुरुषों के छोटे समूहों की सम्पत्ति है।''

वह स्पष्टत: मानते हैं कि ''अंशत: साम्राज्य के कारण सभी संस्कृतियाँ एक-दूसरे में शामिल हैं—कोई भी संस्कृति इकहरी और शुद्ध नहीं है, बल्कि सभी संस्कृतियाँ मिली-जुली, विषमजातीय, असाधारण रूप से विभेदित और विखंडित हैं।'' यह समकालीन अमेरिका के बारे में उतना ही सत्य है जितना आधुनिक अरब दुनिया के बारे में, भले क्रमश: 'ग़ैर-अमेरिकावाद' को ख़तरा और 'अरबवाद' को धमकी का हल्ला मचाया जाये। बचावकारी, प्रतिक्रियात्मक और व्यामोही राष्ट्रवाद भी हमारी शिक्षा में बार-बार बुन दिया जाता है जिसमें बच्चों और बड़े विद्यार्थियों को 'अपनी' परम्परा की अद्वितीयता पर श्रद्धा करने और प्रशंसा करने की शिक्षा दी जाती है—मगर दूसरों की क़ीमत पर। यह शिक्षा आलोचनात्मक और अचिन्तनपरक होती है। वह मानते हैं कि इतिहास का दमन करने या इन्कार करने के बजाय उसकी खोज की जानी चाहिए। उदाहरणार्थ, संयुक्त राज्य अमेरिका के कई इतिहास हैं और उनसे नहीं डरना चाहिए। उनके अनुसार मुक्ति और ज्ञानोदय के आख्यान, अपने दृढ़तम रूप में, मुख्यधारा से बहिष्कृत लोगों की कहानियों के एकीकरण (न कि पृथकता) के आख्यान भी हैं। वह टी.एस. इलियट को उद्धृत करते हैं जिसके अनुसार परम्परा में, ऐतिहासिक अर्थ में, ''न केवल अतीत के अस्तित्व का प्रत्यक्ष ज्ञान होता है, बल्कि उसके वर्तमानत्व का भी प्रत्यक्ष ज्ञान होता है—कोई कवि, किसी कला का कोई कलाकार, अकेले अपना पूर्ण अर्थ नहीं रखता।'' सो एडवर्ड सईद भी मानते हैं कि अतीत को सही ढंग से समझने के लिए उसे वर्तमान से पूरी तरह से अलग नहीं रखा जा सकता क्योंकि अतीत और वर्तमान एक-दूसरे को सूचित करते हैं, एक से दूसरा ध्वनित होता है और प्रत्येक दूसरे के साथ सह-अस्तित्व में होता है। हालाँकि वह इलियट की परम्परा की अवधारणा को आदर्शमूलक मानते हैं, फिर भी वह उनके इस केन्द्रीय विचार से सहमत हैं कि हम जिस प्रकार अतीत का सूत्रण या प्रतिनिधित्व करते हैं, वही हमारी वर्तमान की समझ को साकार करता है।

उनके अनुसार 19वीं सदी में ब्रिटेन और फ्रांस ने, और बाद में अमेरिका ने, 'पश्चिम के उत्थान' को प्राप्त किया जैसे 1800 ई. में पश्चिमी शक्तियों ने 35% धरती पर कब्जा कर लिया था। (वैसे उन्होंने 55% का दावा किया था) और 1818 ई. में 67% धरती पर कब्जा कर लिया था—83000 वर्ग मील प्रति वर्ष की दर से और 1914 तक यूरोप ने धरती का 85% कब्जा कर लिया था—2,40,000 वर्ग मील प्रति वर्ष की दर से। ऐसे साम्राज्य समुद्र पार बाज़ार, कच्चे माल, सस्ते श्रम, अति लाभकारी

जमीन, प्रतिरक्षा और विदेशी नीतियों के प्रतिष्ठान बड़े भूभागों और अधीनस्थ लोगों पर कब्जा करने के लिए प्रतिबद्ध थे। माइकेल डोयले ने ठीक ही कहा है—"साम्राज्य औपचारिक या अनौपचारिक सम्बन्ध होता है जिसमें एक राज्य दूसरे राजनीतिक समाज की प्रभावकारी राजनीतिक प्रभुसत्ता पर नियन्त्रण करता है। यह (नियन्त्रण) बल, राजनीतिक मेल, आर्थिक, सामाजिक या सांस्कृतिक निर्भरता से प्राप्त किया जा सकता है। साम्राज्यवाद सामान्यत: एक साम्राज्य स्थापित करने या संधारित करने की प्रक्रिया या नीति है।" एडवर्ड सईद के अनुसार अब प्रत्यक्ष उपनिवेशवाद ख़त्म हो चुका है मगर साम्राज्यवाद अभी भी सामान्य सांस्कृतिक क्षेत्र और विशिष्ट राजनीतिक, विचारधारात्मक, आर्थिक और सामाजिक व्यवहारों में मौजूद है। 19वीं सदी की साम्राज्यवादी संस्कृति के शब्दकोश में 'हीनतर' (इन्फीरियर), 'प्रजा नस्लें' (सब्जेक्ट रेसेज), 'अधीनस्थ लोग' (सबॉर्डिनेट पीपल्स), 'परतन्त्रता' (डिपेंडेंसी), 'विस्तार' (एक्सपैंसन) और 'प्राधिकार' (अथॉरिटी) जैसे शब्दों और अवधारणाओं की भरमार है। सांस्कृतिक अनुभवों से ही संस्कृति के विचारों को स्पष्ट किया गया या फिर से उन पर जोर दिया गया या उनकी आलोचना की गयी या उन्हें ख़ारिज कर दिया गया। साहित्य ने यूरोप के समुद्र पार विस्तार में भाग लिया और, रेमंड विलियम्स के शब्दों में, 'बोध की संरचनाएँ' (स्ट्रक्चर्स ऑव फीलिंग) सृजित की जिन्होंने साम्राज्य का समर्थन, विवेचन एवं दृढ़ीकरण किया। एडवर्ड सईद के अनुसार, न संस्कृति और न साम्राज्यवाद जड़ है, इसलिए उनके बीच संयोजक (जोड़) ऐतिहासिक अनुभवों के रूप में गतिशील और जटिल हैं। सांस्कृतिक रूप संकर, मिश्रित एवं अशुद्ध हैं, इसलिए सांस्कृतिक विश्लेषण में उन्हें वास्तविकता से जोड़ने की जरूरत है। उपनिवेशवाद के फ्रांसीसी समर्थक जूल्स हरमंद ने 1910 में कहा था, "नस्लों और सभ्यताओं का सोपानक्रम है, और हम उच्चतर नस्ल एवं सभ्यता से सम्बन्ध रखते हैं, यह मानते हुए कि यद्यपि उच्चता अधिकार प्रदान करती है, यह उसके बदले कड़े बन्धन भी थोपती है। देशज लोगों पर विजय की आधारभूत वैधता हमारी उच्चता का विश्वास है, यह हमारी सिर्फ यान्त्रिक, आर्थिक और सैनिक उच्चता ही नहीं है, बल्कि हमारी नैतिक उच्चता (भी) है। हमारी गरिमा उस गुणवत्ता पर निर्भर करती है और यह शेष मानवता को निर्देशित करने के हमारे अधिकार के मूल में निहित है। भौतिक शक्ति उस माध्यम को पाने के लिए एक साधन के सिवाय कुछ नहीं है।" इसकी आलोचना करते हुए एडवर्ड सईद कहते हैं कि ऐसे साम्राज्यवादी विचार आज के उत्तर-दक्षिण सम्बन्धों में फिर से परिलक्षित होते हैं। एक ओर वी.एस. नायपॉल जैसे लेखक-विचारक उपनिवेशों के लोगों को ही अपनी वर्तमान अवस्था के लिए दोषी मानते हैं, दूसरी ओर कुछ यूरोपियों को सारी विपत्ति के लिए जिम्मेदार मानते हैं। सो एडवर्ड सईद इन मामलों को 'परस्पर-निर्भर इतिहास' मानते हैं जिन्हें दबाना ग़लत तथा

अज्ञानता होगी, बल्कि उन्हें समझना लाभप्रद और मज़ेदार होगा। उदाहरण के तौर पर पश्चिमी जनसंचार माध्यमों के 'देशजों' का प्रतिनिधित्व इस परस्पर-निर्भरता का सूचक है। सन् 1984 में ('द सेटेनिक वर्सेस' के पहले) सलमान रुश्दी ने ब्रिटिश फिल्मों, टी.वी. सीरियलों (जैसे 'द जेवेल इन द क्राउन' और 'ए पैसेज टू इंडिया' पर डेविड लीन की फिल्म) आदि में भारत में ब्रिटिश राज के गृहविरह को रेखांकित किया है और पश्चिम में इनका प्रदर्शन/प्रसारण फॉकलैंड युद्ध के समय हो रहा था—इस प्रकार यह कलात्मक प्रस्तुति आधुनिक ब्रिटेन में रूढ़िवादी विचारधाराओं के उत्थान का प्रतिपक्ष था। एडवर्ड सईद ने भी 19वीं सदी के उत्तरार्द्ध में ब्रिटेन में होने वाले राज्याभिषेक समारोहों और भारत के राज-दरबारों के बीच कड़ी जोड़ने की जरूरत बतायी है जहाँ विशिष्ट कार्यवृत्तों (एजेंडा), विकास की गति, आन्तरिक संगठन, आन्तरिक संगति और बाह्य सम्बन्धों की व्यवस्था रेखाँकित करने योग्य है। रुडयार्ड किपलिंग के उपन्यास 'किम' का ब्रिटिश उपन्यास के विकास में ख़ास महत्त्व है, मगर इसमें दी गयी भारत की छवि भारत में उस समय चल रहे स्वतन्त्रता आन्दोलन के यथार्थ के प्रतिकूल है। यदि किसी उपन्यास या राजनीतिक आन्दोलन का प्रतिनिधित्व या विवेचन दूसरे के बिना किया जाता है, तो साम्राज्य के वास्तविक अनुभव द्वारा दी गयी दोनों के बीच की महत्त्वपूर्ण विसंगति छूट जाती है। दूसरी ओर सईद पश्चिमी साहित्य में बदलाव के विरोध का उदाहरण देते हैं। जब स्टैनफोर्ड विश्वविद्यालय में विद्यार्थियों और शिक्षकों ने बहुमत से यह प्रस्ताव दिया कि पाठ्यक्रम में ग़ैर-यूरोपीय लेखकों, महिलाओं आदि की रचनाएँ शामिल की जाएँ, तो प्रो. बर्नार्ड लेविस (एक महत्त्वपूर्ण पौर्वात्यवादी) ने द वॉल स्ट्रीट जर्नल (मई 2, 1989) में लिखा—"यदि पश्चिमी संस्कृति निश्चित रूप से चली जाती है तो इसके साथ कई चीज़ें चली जाएँगी और उनकी जगह दूसरी चीज़ें ले लेंगी।" वास्तव में, विद्यार्थियों और शिक्षकों ने पश्चिमी संस्कृति को भगाने की बात ही नहीं की थी। दूसरे, उनका यह कहना कि पश्चिमी संस्कृति की जगह ग़ुलामी, बहुविवाह, बाल-विवाह आदि विषय आ जाएँगे, सही नहीं है। वास्तव में, ग़ुलामी तो साम्राज्यवाद की ही देन थी। बहु-विवाह और बाल-विवाह का सम्बन्ध शिक्षा और आर्थिक पिछड़ेपन से रहा है। तीसरे, लेविस का यह कहना भी ग़लत है कि पाठ्यक्रम में परिवर्तन से पश्चिम में दूसरी संस्कृतियों के बारे में जिज्ञासा ख़त्म हो जाएगी। हर संस्कृति दूसरी संस्कृति को जानने और उससे कुछ लेने और उसे कुछ देने को उद्यत होती है—पश्चिमी संस्कृति ने अबर के जरिये भारत से अन्तरराष्ट्रीय अंक पद्धति, दशमलव आदि ग्रहण किया है; इसी प्रकार अँग्रेज़ी के तमाम शब्द एशियाई, अफ्रीकी और लातीनी अमेरिकी भाषाओं से सीधे या परोक्ष रूप से लिए गये हैं। मैक्समूलर ने शोध करके कहा था कि विश्व की तमाम भाषाओं के अधिकतर शब्द संस्कृत की पाँच सौ धातुओं

से बने हैं। लेविस का यूरोकेन्द्रवाद ग़ैर-पश्चिमी व्यक्ति को दो दिशाओं में ले जाएगा—या तो वह इस 'पश्चिमी अनन्य' के ख़िलाफ़ हिंसात्मक रोष व्यक्त करेगा; अथवा वह ग़ैर-पश्चिमी संस्कृति की उपलब्धियों की डींग हाँकने लगेगा। इसलिए एडवर्ड सईद का यह निष्कर्ष सही प्रतीत होता है—''एक-दूसरे पर विभिन्न इतिहासों की परस्पर निर्भरता और समकालीन समाजों की एक-दूसरे के साथ आवश्यक अन्त:क्रिया पुष्ट करने के बजाय संस्कृतियों के शब्दाडम्बरी अलगाव ने उनके बीच हिंस्र साम्राज्यवादी संघर्ष सुनिश्चित कर दिया—यह दु:खद कहानी बार-बार दुहरायी जाती है।''

एडवर्ड सईद ने एक और उदाहरण दिया है। 1986 में केन्या मूल के प्रो. अली मजरूई ने एक डाक्यूमेंटरी 'द अफ्रीकंस' बनाई जिसे बी.बी.सी. ने निधि देकर कमीशन किया था जिसमें उन्होंने दो बातें उभारी थीं—पहली, अफ्रीका के पश्चिमी प्रतिनिधित्वों के आधिपत्य के इतिहास में पहली बार एक अफ्रीकी स्वयं का तथा अफ्रीका का पश्चिमी दर्शकों के समक्ष प्रतिनिधित्व कर रहा था—ऐसा दर्शक जिसके समाज ने अफ्रीका को लूटा था, उस पर शासन किया था और उसे ग़ुलाम बनाया था। दूसरी, अफ्रीकी इतिहास तीन चीजों या गहन वृत्तों से बना है—देशज अफ्रीकी अनुभव, इस्लाम का अनुभव और साम्राज्यवाद का अनुभव। मगर बी.बी.सी. ने इसका प्रायोजन और निधि देना बन्द कर दिया दूसरी ओर, न्यूयार्क टाइम्स में जॉन कोरी ने इस पर जमकर हमला करते हुए शृंखला में लिखा कि प्रो. अली मजरूई 'विचारधारात्मक' (प्रचारवादी) अधिक हैं और अनन्य हैं; दूसरे उन्होंने इसमें इजरायल का सवाल नहीं उठाया (जबकि अफ्रीका के प्रसंग में मध्य एशियाई देश इजरायल का सवाल उठाने का कोई औचित्य नहीं था); तीसरे, उन्होंने पश्चिमी साम्राज्यवाद की बुराइयों को ज़रूरत से ज़्यादा उभारा था (क्या साम्राज्यवादी शोषण की प्रशंसा करते?); चौथे, उन्होंने इस्लाम की तारीफ़ के पुल बाँधे हैं। इस 'विरोध, विरोध के लिए' प्रसंग में स्पष्ट है कि पश्चिमी संस्कृति के पुरोधा नहीं चाहते कि ग़ैर-यूरोपीय लोग यूरोप और अमेरिका के इतिहास के बारे में अपने विचार व्यक्त करें क्योंकि उन इतिहासों में उपनिवेशों की दास्ताने हैं—यदि वे अपना विचार व्यक्त करेंगे, तो उनका जमकर विरोध होगा। ऐसे साम्राज्यवादी विरोध में परस्परता को असम्भव माना जाता है। उनका यह भी मानना है कि 'तुलनात्मक साहित्य' का उद्‌भव यूरोपीय साम्राज्यवाद के उत्कर्ष के काल में हुआ। 20वीं सदी के पूर्वार्द्ध के तुलनात्मक साहित्यकार मुख्यत: भाषाशास्त्री थे, मगर मुख्यत: उनके लिए शास्त्रीय रचनाएँ यूरोप-केन्द्रित थीं मानो ग़ैर-यूरोपीय साहित्य और समाज हीनतर थे या लोकातीती मूल्य के थे। ऐरिक आयरबाक और कुर्टियस जैसे विद्वानों ने एशियाई, अफ्रीकी और लातीनी अमेरिकी ग्रन्थों के अध्ययन में रुचि नहीं ली और उपनिवेशवाद का जिक्र नहीं किया। गोयथे

का 'महान पुस्तक' (वेल्टलिटरेचर) जिसका अर्थ कुछ लोग विश्व-साहित्य भी लगाते हैं—वाला विचार भी यूरोप-केन्द्रित था। इस प्रकार तुलनात्मक साहित्य का आशय विश्व साहित्यों की एक-दूसरे से अन्तःक्रिया थी, मगर इसका क्षेत्र एक सोपानक्रम के रूप में संगठित था जिसमें सबसे ऊपर और केन्द्र में यूरोप एवं लैटिन ईसाई साहित्य था। एडवर्ड सईद के अनुसार हम लोग ऐसे विश्व में रहते हैं जो उत्पादों के अलावा 'प्रतिनिधित्व' का है और प्रतिनिधित्वों का उत्पादन, परिसंचरण (सर्कुलेशन), इतिहास और व्याख्या संस्कृति के मुख्य तत्त्व हैं। दुर्भाग्यवश, प्रतिनिधित्व की समस्या सैद्धान्तिक रूप से उठाई जाती है मगर पूरे राजनीतिक सन्दर्भ में नहीं रखा जाता—ऐसा सन्दर्भ जो मुख्यतः साम्राज्यवादी है। वास्तव में, सांस्कृतिक क्षेत्र और राजनीतिक क्षेत्र (वास्तविक संघर्ष) न केवल परस्पर जुड़े हैं, बल्कि अन्ततः एक हैं। उनके अनुसार इमानुएल कांट के समय से पश्चिम में सांस्कृतिक और सौन्दर्यात्मक क्षेत्रों की लौकिक क्षेत्र (वर्ल्डली डोमेन) से अलग रखा गया, मगर इन दोनों को जोड़ने का समय आ गया है। पश्चिम में 18वीं सदी के उत्तरार्द्ध से यह अनुभव रहा है कि एक ओर समुद्र-पार उपनिवेशों में आधिपत्य और वर्चस्व को सुदृढ़ किया जाता है और दूसरी ओर संस्कृति और अनुभव के क्षेत्रों को प्रत्यक्षतः अलग-अलग क्षेत्रों में बाँट दिया जाता है। उनके शब्दों में, ''नस्लों और राष्ट्रों जैसे अस्तित्वों, अँग्रेज़पन (इंगलिशनेस) या पौर्वात्यवाद (ओरिएंटलिज्म) जैसे सारतत्त्वों, एशियाई (एशियाटिक) या पाश्चात्य (ऑक्सीडेंटल) जैसी उत्पादन-प्रणालियाँ, मेरी राय में ये सभी एक ऐसी विचारधारा को सिद्ध करते हैं जिसके सांस्कृतिक सह-सन्बन्धी तत्त्व समूचे विश्व में साम्राज्यवादी भूभागों के वास्तविक संचयन के पहले अस्तित्व में आते हैं।''

एडवर्ड सईद ने कतिपय उदाहरणों के साथ सिद्ध किया है कि अधिकतर सांस्कृतिक इतिहासकार और सारे साहित्यिक विद्वान ऐतिहासिक लेखन, समय के दार्शनिक विमर्श और पश्चिमी गल्प के भीतर का भौगोलिक चिह्नांक, सैद्धान्तिक नक़्शा-निर्माण और भूभाग का ब्योरा फिर से अंकित करने में विफल हो चुके हैं। मगर ऐसा क्यों होता है? एडवर्ड सईद इस सवाल का जवाब यों देते हैं—''सबसे पहले यूरोपीय प्रेक्षक-यात्री, व्यापारी, विद्वान, इतिहासकार, उपन्यासकार का प्राधिकार होता है। उसके बाद जगहों को सोपानक्रम' (हायरार्की ऑव स्पेसेज) होता है जिसके द्वारा महानगरीय केन्द्र और धीरे-धीरे महानगरीय अर्थव्यवस्था को भौगोलिक नियन्त्रण, आर्थिक शोषण तथा एक सामाजिक-सांस्कृतिक आदृष्टि की समुद्र पार व्यवस्था पर आश्रित के रूप में देखा जाता है; इनके बिना घर पर स्थिरता और समृद्धि सम्भव नहीं होगी—'घर' शब्द में अत्यन्त तेज़ स्पन्दन है।'' इसका सटीक उदाहरण जेन आन्स्टेन का उपन्यास 'मैन्सफील्ड पार्क' है जिसमें टामस बर्ट्राम का एंटिगुआ में ग़ुलाम भूभाग रहस्यात्मक रूप से 'मैन्सफील्ड पार्क' के सन्तुलन और सुन्दरता के लिए जरूरी है—

ऐसा स्थान, जो नैतिक एवं सौन्दर्यात्मक रूपों में, अफ्रीका के लिए संघर्ष करने या साम्राज्य का ज़माना सरकारी तौर पर शुरू होने के पहले वर्णित है। आस्टेन के लिए ये उपनिवेश एक आराम की जगह से ज्यादा कुछ नहीं हैं। इतना ही नहीं, यूरोपीय भौगोलिक केन्द्रीयता तथा प्रेक्षक का प्राधिकार उस सांस्कृतिक विमर्श से पुष्ट हो जाता हैं जो ग़ैर-यूरोपीय को गौण-नस्लीय, सांस्कृतिक, सत्तामीमांसक दर्जा दे देता है। फिर भी यह गौणपन विरोधाभाषी तरीके से यूरोपीय की प्रमुखता के लिए जरूरी है—इस विरोधाभास को चेसेयर, फैनन और मेम्मी ने बखूबी उद्घाटित किया है। एडवर्ड सईद का स्पष्ट मानना है कि नये इतिहासवाद, विखंडन और मार्क्सवाद ने आधुनिक पश्चिमी संस्कृति के वृहत् निर्धारक-साम्राज्यवाद से बचने की कोशिश की है। इसी बचने की प्रवृत्ति से समावेशन और बहिराव किया है जिसमें रूसो, नीत्से, वड्सवर्थ, डिकेन्स,फ्लाबेयर आदि शामिल हैं जबकि दूसरी ओर साम्राज्य के बढ़ाये हुए, जटिल और रेखांकित कार्य से उनके सम्बन्धों को बाहर कर दिया गया है। मगर दुर्भाग्यवश आलोचनात्मक विमर्श ने विशाल, उत्तेजक और विविधतापूर्ण उत्तर-औपनिवेशिक साहित्य का संज्ञान नहीं लिया जो पिछली दो सदियों में यूरोप और अमेरिका के साम्राज्यवादी विस्तार के प्रतिरोध में लिखा गया था। बिना फैनन और कैब्रल को पढ़े, सिर्फ आस्टेन को पढ़ना आधुनिक संस्कृति को इसकी बचनबद्धता एवं संलग्नता से असम्बद्ध करना है। सो उस प्रक्रिया को उलट देना चाहिए। इसके लिए सईद तीन बातें ज़रूरी मानते हैं—पहली, पन्थनिरपेक्ष (सेकुलर) एवं सम्बद्ध आलोचना के प्रति प्रतिबद्धता होनी चाहिए—इसके लिए यह भी देखना होगा कि किस प्रकार सचेतन रूप से चुने गये ऐतिहासिक मॉडल सामाजिक एवं बौद्धिक परिवर्तन के लिए प्रासंगिक हैं। अर्थात् मौजूदा लेखन नियम को यूरोप के विस्तार के लिए बहुस्वरीय संगति (पोलिफोनिक एकाम्पनीमेंट) के रूप में पढ़ने की जरूरत है—अर्थात् कोनराड और किपलिंग जैसे लेखकों (जिन्हें खेल-कूद की ही तरह पढ़ा गया है न कि लेखक की तरह) को पुनरीक्षित दिशा तथा संयोजकता देने की जरूरत है। दूसरी, सैद्धान्तिक काम संस्कृति एवं साम्राज्य के बीच के सम्बन्धों को सूत्रबद्ध अवश्य करे। बी.जी. किएरनान ('मार्क्सिज्म ऐंड इम्पीरियलिज्म' तथा 'द लार्ड्स ऑव ह्यूमन काइंड') और मार्टिन ग्रीन ने कुछ काम किया है, मगर इस मुद्दे के सरोकार को गहनता से नहीं देखा गया है। ज्यों-ज्यों संस्कृति का अध्ययन जनसंचार माध्यम, लोकप्रिय संस्कृति, लघु राजनीति आदि तक बढ़ता जाएगा, शक्ति एवं वर्चस्व की पद्धतियों पर जोर ज्यादा तीव्र होगा। तीसरी, हमें अतीत के अध्ययन के लिए वर्तमान के विशेषाधिकारों को दिशासूचक पट्टियों और प्रतिमानों के रूप में रखना चाहिए। अतीत और वर्तमान के बीच साम्राज्यवादी और साम्राज्यवाद के शिकार के बीच, संस्कृति और साम्राज्यवाद के बीच की परस्पर निर्भरता को रेखांकित करने की ज़रूरत है। साम्राज्यवाद के विस्तृत

और विवरणात्मक अनुभव के कारण हमें अधिव्यापी (ओवर लैपिंग) भूभागों तथा गुँथे इतिहासों की बात करनी होगी जो स्त्रियों, पुरुषों, श्वेतों और अश्वेतों, महानगरों और परिधियों के निवासियों, अतीत, वर्तमान और भविष्य के लिए समान (साझे) हैं। इन भूभागों और इतिहासों को समूचे पन्थनिरपेक्ष, मानव-इतिहास के दृष्टिकोण से ही देखा जा सकता है।

सईद आगे 'वृत्तान्त और सामाजिक स्थान' (नैरेटिव ऐंड सोशल स्पेस) की चर्चा के दौरान 'सह-पठन' (कांट्रापुंटल रीडिंग) की अवधारणा व्यक्त करते हैं। किसी पाठ को इस समझ के साथ पढ़ना कि उसमें क्या अन्तर्निहित है। जब कोई लेखक रचना में यह दिखाता है कि एक उपनिवेशी चीनी कारखाने को इंग्लैंड में एक खास जीवन-शैली बनाये रखने की प्रक्रिया के लिए महत्त्वपूर्ण माना जाता है। सो उक्त उपनिवेश से केन्द्र में पूँजी लाये जाने का तथ्य तो महत्त्वपूर्ण है ही, दूसरी ओर यह भी जानना उतना ही महत्त्वपूर्ण है कि ऐसे उपनिवेशों को स्थानीय लोगों ने राष्ट्रीय आन्दोलन के ज़रिये चुनौती दी और उस समय अँग्रेज़, फ्रांसीसी पुर्तगाली या जर्मन साम्राज्यवादी सत्ता उन उपनिवेशों में विद्यमान थी। सईद के शब्दों में ''मुद्दा यह है कि सह-पठन दोनों प्रक्रियाओं, साम्राज्यवाद और उसके प्रतिरोध की, का ध्यान रखें; ऐसा हम पाठों के अपने पठन को विस्तारित करके उस चीज़ को शामिल करके कर सकते हैं जो बलात् (पाठ से) निकाल दी गयी थी—उदाहरणार्थ, 'अजनबी' (द स्ट्रेंजर) में फ्रांस के उपनिवेशवाद तथा इसके द्वारा अल्जीरिया राज्य के विनाश का समूचा पूर्व इतिहास, तथा बाद में एक स्वतन्त्र अल्जीरिया का उदय (जिसका कामू ने विरोध किया था)।''

वह यह भी मानते हैं कि विश्व के प्रत्येक भौगोलिक क्षेत्र की तरह, प्रत्येक पाठ की अपनी 'विशिष्ट प्रतिभा' (पार्टिकुलर जीनियस) होती है जिसमें इसके अपने अधिव्यापी अनुभव (ओवरलैपिंग एक्सपीरियंसेज) तथा संघर्ष के परस्पर निर्भर इतिहास (इंटरडिपेंडेंट हिस्ट्रीज) होते हैं। किसी सांस्कृतिक कर्म के बाबत विशिष्टता (पार्टिकुलरिटी) तथा सम्प्रभुता (सॉवरिनिटी) के बीच लाभदायी भेद किया जा सकता है। स्पष्टत: कोई पठन इतना ज्यादा साधारणीकरण का प्रयास न करे कि किसी विशिष्ट पाठ की पहचान ही मिटा दी जाय। इसी प्रकार पठन मौक़ा दे कि किसी लेखक या रचना के लिए जो कुछ निश्चित था या निश्चित प्रतीत होता था, वह बाद में विवाद का विषय बन गया हो सकता है। कोई पाठ पढ़ते हुए किसी को उसमें शामिल चीजों और उससे लेखक द्वारा बाहर की गयी चीजों दोनों को खोलना होगा। कहने का आशय यह है कि कोई भी सांस्कृतिक रचना किसी क्षण की एक आदृष्टि होती है और हमें चाहिए कि हम उस आदृष्टि को और उसके द्वारा बाद में उकसाये गये पुनरीक्षणों को आमने-सामने रखकर विश्लेषण करें—जैसे 'किम' को पढ़ने के

लिए साम्राज्यवाद के साथ-साथ भारतीय राष्ट्रीय आन्दोलन के अनुभवों को।

सईद के अनुसार उपन्यास द्वारा अभिव्यक्त 'रुख एवं सन्दर्भ की रचना' (स्ट्रक्चर ऑव अटीट्यूड ऐंड रिफरेंस) के कई वास्तविक विवेचनात्मक परिणाम होते हैं—पहला, साहित्यिक इतिहास में पूर्व के वृत्तान्तों (जिन्हें सामान्यत: साम्राज्यवाद से सीधे जुड़ा नहीं माना जाता) और बाद के वृत्तान्तों (जो साम्राज्यवाद के बारे में होते हैं) में असामान्य जैविक निरन्तरता होती है। उदाहरणार्थ, किपलिंग और कोनराड को आस्टेन, ठैकरे, डीफो, स्कॉट और डिकेंस के द्वारा तैयार किया जाता है। दूसरा, 'रुख़ एवं सन्दर्भ की संरचना' सत्ता का सवाल खड़ा करती है। आज का आलोचक न तो अचानक किसी उपन्यास को वैधानिक या प्रत्यक्ष राजनीतिक प्राधिकार दे सकता है और न देना चाहिए बल्कि हमें याद रखना चाहिए कि उपन्यास अति धीमी एवं अति सूक्ष्म राजनीति में भाग लेते हैं, या उसके हिस्से होते हैं या उसमें योगदान देते हैं, जो इंग्लैंड और विश्व के बारे में बोधों और रुखों को स्पष्ट करती है या बलवती बनाती है या कभी-कभी उन्हें आगे बढ़ाती है। यह उल्लेखनीय है कि उपन्यास में देशज लोगों को सिर्फ हीनतर और अधीनस्थ देखा जाता है और अँग्रेज़ों की उपस्थिति को नियामक तथा आदर्श माना जाता है। तीसरा, यद्यपि 'वैनिटी फेयर' में भारत के बारे में बहुतेरे संकेत हैं मगर वे बेकी की भाग्य में अथवा डोबिन, जोसेफ या अमेलिया की प्रस्थिति में परिवर्तनों के लिए मात्र आकस्मिक हैं। इसी प्रकार इंग्लैंड तथा नेपोलियन संघर्ष, समुद्रपार के आयाम का चित्रण इसे मुश्किल से 'अन्तर्राष्ट्रीय विषय' (हेनरी जेम्स के शब्दों में) को चित्रित करने वाला बनाता है। उपन्यासकारों ने विदेशों में शक्ति तथा विशेषाधिकारों की प्राप्ति को अपने देश (केन्द्र) में वैसी तुलनीय गतिविधियों से जोड़ दिया है। चौथा, किसी कलात्मक रचना की सत्यनिष्ठा पर ज़ोर देते समय हमें स्वीकार करना होगा कि विभिन्न उपन्यासों का एक-दूसरे से जोड़ने वाली रचना को कोई अस्तित्व स्वयं उपन्यासों के बाहर नहीं होता—अर्थात् हमें 'विदेश' का विशिष्ट और मूर्त अनुभव सिर्फ व्यक्तिगत उपन्यासों में होता है। उदाहरण के तौर पर, सिर्फ व्यक्तिगत उपन्यास इंग्लैंड और अफ्रीका के बीच के सम्बन्ध को अनुप्राणित, अभिव्यक्त और मूर्त रूप दे सकते हैं। सो आलोचक को उपन्यास को पढ़ने एवं विश्लेषित करने की जरूरत है, न कि केवल संक्षिप्त करने और निर्णय देने की।

सईद के अनुसार 19वीं सदी के किसी यूरोपीय व्यक्ति के लिए देशज की अधीनता तथा उत्पीड़न पर आधारित पाँच विकल्प मौजूद थे—पहला, सत्ता के प्रयोग में स्वयं को भूलने की खुशी—अवलोकन करने, शासन करने, कब्ज़ा करने और दूरस्थ भूभागों एवं लोगों से लाभ कमाने की शक्ति। दूसरा, देशज को शासित के रूप में न्यूनीकृत करने तथा पुनर्गठित करने के लिए विचारधारात्मक औचित्य। शासन करने

की कई शैलियाँ हैं जैसा कि थामस होजकिन ने 'नेशनलिज्म इन कोलोनियल अफ्रीका' में दिखाया है—फ्रांसीसी कार्टेजियनिज्म, ब्रिटिश अनुभववाद, बेल्जियन प्लेटोवाद आदि। इन शैलियों को अफ्रीका और एशिया के उपनिवेशी विद्यालयों, महाविद्यालयों, विश्वविद्यालयों तथा सृजित एवं छलयोजित देशज अभिजनों में लागू किया गया था। तीसरा, 'सभ्यातामूलक मिशन' के जरिये पश्चिमी मोक्ष तथा उद्धार का विचार जो हमेशा आधिपत्य से जुड़ा था। चौथा, विजेता की सुरक्षा की स्थिति जो उसके द्वारा की जा रही हिंसा की सफाई को नहीं देखती—जो सोचा और किया जाता है, उसे देश-विदेश में आलोचना से परे माना जाता है। पाँचवा, देशज लोगों को अपनी जमीन से विस्थापित होने के बाद, साम्राज्यवाद के कार्य के रूप में देशज लोगों के इतिहास के पुनर्लेखन की प्रक्रिया। यह प्रक्रिया वृत्तान्त का उपयोग करके विरोधाभासी स्मृतियों को तितर-बितर कर देती है और हिंसा को अवरुद्ध कर देती है—विदेशज शक्ति के महत्त्व की जगह जिज्ञासा का प्रलोभन रख देता है। ऐसे में साम्राज्यवादी उपस्थिति इतनी आधिपत्यपरक होती है कि इसे ऐतिहासिक आवश्यकता से अलग करना असम्भव हो जाता है। ये सारे विकल्प संचित, अधीनस्थ और शासित भूभागों के बारे में विमर्श एवं अवलोकन की कलाओं का पुंज तैयार करते हैं जिनके निवासियों की नियति यूरोपीय इच्छा से कभी पलायन करने की नहीं, बल्कि उसकी कठपुतली की-सी होती है। इसीलिए फ्रैंज फैनन ने ठीक हो कहा है, 'देशज के लिए वस्तुनिष्ठता उसके विरुद्ध निर्दिष्ट होती है।''

कामू के 'अजनबी' उपन्यास तथा अन्य रचनाओं के बारे में एडवर्ड सईद तीन सवाल खड़े करते हैं—पहला, अल्जीरिया को भौगोलिक परिवेश क्यों बनाया जबकि उनके वृत्तान्तों का मुख्य सन्दर्भ फ्रांस रहा है। ओ'ब्रियन के अनुसार कामू का चयन बोध नहीं बल्कि गुप्त या अचेतन रूप से फ्रांसीसी शासन को उचित ठहराना था या उसे सँवारने का विचारधारात्मक प्रयास था। दूसरा, कामू का सामान्य सरोकार फ्रांस-अल्जीरिया का सम्बन्ध था, मगर उनकी दीर्घकालिक नियति में होने वाले नाटकीय परिवर्तन का इतिहास नहीं था। कुछ अपवादों को छोड़कर वह सामान्यत: इतिहास की उपेक्षा करते हैं। अल्जीरियायी राष्ट्रवाद तथा फ्रांसीसी उपनिवेशवाद के संघर्ष की पूरी छवि पाने के लिए कामू की अल्जीरिया के इतिहास की मान्यताओं की तुलना स्वतन्त्रता के बाद अल्जीरियाई साहित्यकारों के द्वारा लिखे गये इतिहासों से करनी होगी। तीसरा, कामू के उपन्यास मानव स्थिति की नीतिकथाओं की तरह पढ़े जाते हैं। जैसे मुरसाल्ट एक अरबी की हत्या कर देता है मगर उस अरबी का नाम नहीं दिया गया है और वह बिना किसी इतिहास के प्रतीत होता है—माँ-बाप की तो बात ही क्या! फिर ओरान में अरबी लोग प्लेग से मर जाते हैं मगर उनके नाम नहीं दिये गये हैं जबकि रिऊ तथा तैरो को आगे की कार्रवाई के लिए बढ़ाया जाता है। 'अजनबी'

तथा अन्य रचना 'ला पेस्टे' में कई अरबों की मृत्यु होती है जो फ्रांसीसी चरित्रों की अन्तरात्मा एवं अभिव्यक्ति की कमी दर्शाती है। फिर उनमें फ्रांसीसी लोक समाज का विशद् वर्णन है जबकि वह अन्ततः ग़ैर-फ्रांसीसी जनसंख्या पर प्रशासन करता है और मुस्लिम आबादी को अपनी जमीन से विस्थापित होने के बाद ठंडा तथा विनष्ट दिखाया गया है। इस प्रकार कामू फ्रांसीसी सम्प्रभुता की पुष्टि करते हैं और अल्जीरियाई मुसलमानों के ऊपर एक सौ साल तक लादी गयी फ्रांसीसी सम्प्रभुता का विरोध नहीं करते। कहने का आशय यह है कि कामू के उपन्यास तथा उसकी कहानियाँ बहुत सूक्ष्मता से अल्जीरिया पर फ्रांस के कब्ज़े की परम्पराओं, मुहावरों तथा असम्बद्ध रणनीतियों का आसवन करती हैं। उनकी रचनाएँ 'अपूर्ण विराम वाले लेखक' (कोलन राइटिंग) का प्रतिनिधित्व करती हैं जो फ्रांसीसी पाठकों के लिए लिखी गयी थीं जिनका निजी इतिहास फ्रांस के इस दक्षिणी विभाग से पूरी तरह बँधा है—वह इतिहास अन्यत्र घटने पर समझने योग्य नहीं रहता।

इसी प्रकार थामस मान की रचना 'डेथ इन वेनिस' में सृजन तथा बीमारी के बीच घनिष्ठ सम्बन्ध दिखाया गया है—जिस प्लेग ने यूरोप में तबाही मचायी, उसका स्रोत एशिया में दिखाया गया है जो मान संकेत करते हैं कि यूरोप, उसकी कला, स्मारक आदि अब अभेद्य एवं अपराजेय नहीं रह गये हैं—विदेशी भूभागों से इसके सम्बन्ध को नज़रअन्दाज नहीं किया जा सकता।

सईद का यह भी मानना सही है कि तीसरी दुनिया के उत्तर-उपनिवेशी लेखक अपना अतीत अपने भीतर जुगाते हैं—अपमानजनक घावों के दागों के रूप में भिन्न रिवाजों के उकसाने के रूप में, उत्तर-उपनिवेशी भविष्य की ओर प्रवृत्त अतीत के सम्भावनाशील पुनरीक्षित व्याख्याओं के रूप में, शीघ्रता से पुनर्व्याख्या योग्य तथा पुनर्नियुक्त करने योग्य अनुभवों के रूप में, जिसमें पहले चुप देशज उपनिवेशक से फिर से प्राप्त भूभाग पर प्रतिरोध के सामान्य आन्दोलन के हिस्से के रूप में बोलते और काम करते हैं इसके बाद वह रवीन्द्रनाथ ठाकुर के हवाले से कहते हैं कि 'राष्ट्र' शक्ति का एक सख़्त और अक्षमाशील पात्र है जो ब्रिटिश, चीनी, भारतीय या जापानी आज्ञापालन के लिए पैदा किया जाता है। मगर रवीन्द्रनाथ ठाकुर के अनुसार भारत का जवाब स्पर्धात्मक राष्ट्रवाद प्रदान करना नहीं, बल्कि नस्लीय चेतना द्वारा उत्पन्न विभाजनात्मक का सृजनात्मक हल प्रदान करना होना चाहिए। वह पश्चिमी संस्कृति को पूरी तरह दोषी करार नहीं देकर 'राष्ट्र की विवेकसम्मत कृपणता' को दोषी मानते हैं जिसने पूरब की आलोचना करने का श्वेत पुरुष का भार अपने ऊपर ले लिया है। एडवर्ड सईद सांस्कृतिक प्रतिरोध के विउपनिवेशन में तीन चीजों को रेखांकित करते हैं—समुदाय के इतिहास को समूचा, अविभाज्य, सुसंगत देखने के अधिकार पर ज़ोर देना अर्थात् क़ैद राष्ट्र को स्वयं को बहाल करना। वास्तव में, स्थानीय ग़ुलामों के

वृत्तान्त, आध्यात्मिक आत्मकथाएँ और जेल संस्मरण पश्चिमी सत्ताओं के स्मारकीय इतिहासों, सरकारी विमर्शों तथा कवचीय अर्द्ध-वैज्ञानिक दृष्टिकोण का प्रति-कथानक रचते हैं। उदाहरण के तौर पर, मिस्र में गिर्गी जेदन के ऐतिहासिक उपन्यास पहली बार अरब वृत्तान्त को एक साथ लाते हैं। दूसरा, प्रतिरोध साम्राज्यवाद के विरुद्ध प्रतिक्रिया मात्र नहीं है, बल्कि मानव-इतिहास को समझने का वैकल्पित तरीक़ा है। इस वैकल्पिक प्रक्रिया में महानगरीय संस्कृतियों को लिखकर जवाब देना ('राइटिंग बैक', बिल एस्क्राफ्ट, जी.ग्रिफिथ्स एवं हेलेन टिफिन के शब्दों में) पूरब और अफ्रीका सम्बन्धी यूरोपीय वृत्तान्तों को विघटित करना, तथा उनकी जगह ज्यादा आनन्ददायक या शक्तिशाली नयी वृत्तान्त शैली को तैयार करना शामिल है। उदाहरण के तौर पर, सलमान रुश्दी का उपन्यास 'मिडनाइट्स चिल्ड्रेन' स्वयं स्वतन्त्रता की मुक्तिपरक छवि की तेजस्वी रचना है। तीसरी, अलगाववादी राष्ट्रवाद से हटकर मानव समुदाय तथा मानव मुक्ति का ज्यादा समेकित दृष्टिकोण अपनाना। पश्चिमी राष्ट्रवाद के मॉडल को ही नये स्वतन्त्र राष्ट्र अपनाएँ, यह विचार जितना संकीर्ण है, उतना ही ग़ैर-पश्चिमी राष्ट्रवाद का अतिराष्ट्रवादी होना क्योंकि, जैसा कि पार्था चटर्जी ने भारत के सन्दर्भ में कहा है, ज्यादातर भारतीय राष्ट्रवादी विचार उपनिवेशी सत्ता की वास्तविकताओं पर टिके हैं—या तो उसका पूर्णतः विरोध करते हैं या देशभक्तिपूर्ण चेतना की पुष्टि करते हैं। यह "अनिवार्य रूप से बुद्धिजीवियों का अभिजनवाद पैदा करती है जिसकी जड़ राष्ट्रीय संस्कृति के आमूल परिवर्तनमूलक पुनरुत्पादन की आदृष्टि में है।" (पार्था चटर्जी) सो पार्था चटर्जी का कहना कुछ हद तक सही है कि साम्राज्यवाद-विरोधी राष्ट्रवाद कई जरूरी सवालों से नहीं टकराता—जैसे आर्थिक विषमता, सामाजिक न्याय आदि और राष्ट्रवादी अभिजन नये स्वतन्त्र राष्ट्र पर कब्जा करना चाहते हैं। मगर एडवर्ड सईद के अनुसार पार्थां चटर्जी इस तथ्य पर ज्यादा जोर नहीं देते कि साम्राज्यवाद में संस्कृति का योगदान प्रायः राष्ट्रवाद की एक अलगाववादी, संकीर्ण और सत्तावादी अवधारणा का परिणाम होता है किन्तु निस्सन्देह, गैर-यूरोपीय अमेरिकी राष्ट्रों की स्वतन्त्रता तथा राष्ट्रवादी संगठन एक प्रकार की स्थानिक, धार्मिक या सामुदायिक पहचान पर आधारित था और आगे पश्चिमी संस्कृति के द्वारा अतिक्रमण करने के विरुद्ध था। इन राष्ट्रवादियों के सोच में महिलाओं की मुक्ति का सवाल भी शामिल था (जैसे भारत में राजा राम मोहन राय)। वी.एस. नायपॉल का यह भी कहना है कि कई उत्तर-औपनिवेशक देश धार्मिक कट्टरता, राजनैतिक अस्थिरता एवं भ्रष्टाचार या हीनता के शिकार हो गये हैं। दूसरी ओर फ्रैंज फैनन नये युग का आह्वान करते हुए कहते हैं कि राष्ट्रीय चेतना को अति तीव्र परिवर्तन के जरिये 'सामाजिक और राजनैतिक जरूरतों की चेतना' यानी (वास्तविक) मानववाद के रूप में गहरा एवं समृद्ध करना चाहिए। उनके अनुसार वैश्विक परिवर्तन तभी हो सकता

है जब देशज लोग यह तय करते हैं कि उपनिवेशीकरण ख़त्म हो और तभी आन्दोलन हो सकता है। इसी क्षण हिंसा 'एक सफाई करने वाले बल' (क्लीनजिंग फोर्स) के रूप में प्रवेश करती है जो उपनिवेशक और उपनिवेशित को संघर्ष में आमने-सामने कर देती है। फैनन के विचार में मुक्ति एक प्रक्रिया के रूप में है न कि नव-स्वतन्त्र राष्ट्रों द्वारा स्वतः समाविष्ट एक लक्ष्य के रूप में। वह यूरोपीय व्यक्ति और देशज दोनों को एक अशत्रुतापूर्ण जागरूकता एवं साम्राज्यवाद-विरोध के समुदाय में बाँधना चाहते हैं। ऐसी ही सांस्कृतिक ऊर्जा न्गूगी, अचेबे और सलीह के गल्पों में मिलती है। चेसेयर का यह कहना सही है कि अपनी पहचान के रूप में 'नीग्रो सौन्दर्य' (नीग्रीट्यूड) ही पर्याप्त नहीं है क्योंकि 'नीग्रो सौन्दर्य' 'विजय के संकेत-स्थल' (द रेंडेजवस ऑव विक्ट्री) में मात्र एक योगदान है।

राजनैतिक उपनिवेशों के ख़त्म हो जाने के बाद अमेरिका के सांस्कृतिक प्राधिकार में काफ़ी इज़ाफ़ा हुआ है जिसका मूल कारण सूचनाओं का प्रसार एवं नियन्त्रण है। सो जॉक लैंग की 'सांस्कृतिक साम्राज्यवाद' की अवधारणा विश्व स्तर पर सही सिद्ध हो रही है। एन्थनी स्मिथ ('द जियोपॉलिटिक्स ऑव इन्फार्मेशन') ठीक ही कहते हैं—''नये इलेक्ट्रॉनिक्स से बीसवीं सदी के उत्तरार्द्ध में स्वतन्त्रता पर ख़तरा स्वयं उपनिवेशवाद से ज्यादा हो सकता है। ...पश्चिमी तकनीकी के किसी पूर्व विश्वरूप की अपेक्षा नये जन-संचार माध्यम में 'प्राप्त करने वाली संस्कृति' (रिसिविंग कल्चर) में प्रविष्ट करने की ज़्यादा शक्ति निहित है। इसके परिणाम काफ़ी विनाशकारी हो सकते हैं, आज के विकासशील समाजों के भीतर सामाजिक अन्तर्विरोधों के तीव्रीकरण के रूप में।'' ऐतिहासिक रूप से देखा जाय, तो हम पाते हैं कि अमेरिकी, और सामान्य रूप से समूचा पश्चिमी, जन-संचार माध्यम मुख्य सांस्कृतिक सन्दर्भ का संवेदी विस्तार है। अरब के लोग 'अन्यों' के क्षीण ताज़ा उदाहरण हैं जिन्होंने श्वेत पुरुष का ग़ुस्सा मोल ले लिया है—एक प्रकार का विशुद्धतावादी परम अहं (सुपरइगो) जिसकी कोई सीमा नहीं है। मगर एडवर्ड सईद संकीर्णता को भी लक्षित करते हुए कहते हैं कि राष्ट्रवाद के नाम पर जनसंख्या को एकरूपी बनाने तथा अलग-अलग करने का फल बलिदानों और विफलताओं के रूप में हुआ है। अरब के अधिकतर हिस्सों में लोकसमाज (विश्वविद्यालय, जनसंचार माध्यम, संस्कृति आदि) को 'राजनैतिक समाज' (राज्य) ने लील लिया है जिसके कारण सैन्यवाद बढ़ा है, हालाँकि इसके पीछे फिलिस्तीन एक सचाई भी रहा है। मगर सैन्यवाद ही तो विकल्प नहीं था। अमेरिका ने दो पीढ़ियों से मध्यपूर्व एशिया में निरंकुशता एवं अन्याय का समर्थन किया है; वहाँ लोकतन्त्र, महिलाओं के अधिकार, पन्थनिरपेक्षता, अल्पसंख्यकों के अधिकार आदि को अमेरिका ने आधिकारिक तौर पर कभी समर्थन नहीं दिया। अमेरिका ने पूरे क्षेत्र में (अन्य देशों के साथ) हथियारों की

ख़ूब बिक्री की। सो वाल्टर बेन्जामिन ने एक जगह स्पष्ट रूप से कहा है, ''सभ्यता का ऐसा कोई दस्तावेज़ नहीं है जो ठीक उसी समय बर्बरता का दस्तावेज़ न हो।'' सांस्कृतिक विमर्श में प्रयुक्त आदर्शों का आन्तरीकरण, बयान देने के समय नियमों का अनुकरण, 'इतिहास' जिसे सरकारी बनाया जाता है बनाम सरकारी न बनाया गया इतिहास—ये सारे निःसन्देह सभी समाजों में सार्वजनिक वार्तालाप को विनियमित करने के तरीक़े हैं। अन्तर सिर्फ़ इतना है कि अमेरिका की भूमंडलीय शक्ति का महाकाव्यात्मक पैमाना और इलेक्ट्रॉनिक माध्यमों द्वारा बनाई गयी राष्ट्रीय घरेलू सहमति की मेल खाती शक्ति के कोई पूर्वोदाहरण नहीं रहे हैं। सईद के अनुसार 'वर्चस्व' प्रत्यक्ष रूप से थोपा गया अनुपालन की शासन-व्यवस्था नहीं है बल्कि यह दबावों और प्रतिबन्धों की एक व्यवस्था है जिसके द्वारा समूचा सांस्कृतिक संग्रह (कल्चरल कोरपस) अपनी अनिवार्यतः साम्राज्यवादी पहचान और दूसरी दिशा सुरक्षित रखता है। इसीलिए यह कहना सही है कि 'एक मुख्यधारा की संस्कृति की एक निश्चित नियमितता, सत्यनिष्ठा या एक कालखंड में पूर्वानुमेयता होती है।' इसी तथ्य को फ्रेडरिक जेम्सन आधिपत्य के नये क्रम (पैटर्न) कहते हैं—उपभोक्तावादी संस्कृति की मुख्य विशेषताएँ हैं—लेखन की नकल (पास्तिचे) तथा गृह-विरह पर आधारित अतीत से नया सम्बन्ध, सांस्कृतिक शिल्पकृति में सारग्रही बेतरतीबपन, जगह का पुनर्गठन तथा बहुराष्ट्रीय पूँजी की विशेषताएँ। सईद के अनुसार पश्चिम में उत्तर-आधुनिकतावाद ने अनैतिहासिक भारशून्यता, उपभोक्तावाद तथा नयी व्यवस्था के शानदार प्रदर्शन को तुरन्त स्वीकार कर लिया है। इसके साथ उत्तर-मार्क्सवाद और उत्तरसंरचनावाद जैसे विचार सम्बद्ध हो गये हैं जिसे जियन्नी वतिमो 'आधुनिकता के अन्त' के 'कमज़ोर विचार' कहते हैं। मगर तीसरी दुनिया के कई लेखकों-विचारकों ने अभी भी आधुनिकता का दामन नहीं छोड़ा है (क्योंकि आधुनिकता की परियोजना अभी पूरी नहीं हुई है) जिनमें सलमान रुश्दी, कार्लोस फ्युंटेस, गेब्रियल गार्सिया मार्खेज़, मिलान कुंडेरा आदि प्रमुख हैं।

सईद का निष्कर्ष यह है—''आज कोई भी 'एक' चीज़ नहीं है। ...साम्राज्यवाद ने संस्कृतियों और अस्मिताओं को वैश्विक स्तर पर दृढ़ किया। मगर इसका सबसे बुरा तथा सर्वाधिक विरोधाभासी उपहार लोगों को यह विश्वास करने की अनुमति देना था कि वे सिर्फ, मुख्य रूप से, अनन्य रूप से श्वेत का अश्वेत या पश्चिमी या पूरबी हैं। फिर भी जिस तरह मनुष्य अपना इतिहास बनाते हैं, उसी तरह वे अपनी संस्कृतियाँ और अस्मिताएँ भी बनाते हैं। कोई भी व्यक्ति लम्बी परम्पराओं, टिकाऊ वास-स्थलों, राष्ट्रीय भाषाओं और सांस्कृतिक भूगोलों की दृढ़ निरन्तरताओं को इन्कार नहीं कर सकता, मगर उनका अलगाव तथा वैशिष्ट पर जोर देते रहना—मानो मानव-जीवन सिर्फ उसी के बारे में हो। भय एवं पूर्वाग्रह के सिवाय बुद्धिमत्ता प्रतीत नहीं होती।

उत्तरजीविता, वास्तव में, चीज़ों के बीच संयोजनों के बोर में है।'' इलियट ने इसे यों कहा है—वास्तविकता 'बगीचे में रहने वाली अन्य प्रतिध्वनियों' से वंचित नहीं की जा सकती। अन्य के बारे में सोचने का अर्थ उन पर शासन करना नहीं हो सकता या उन्हें सोपान-क्रमों में रखना नहीं हो सकता या अपनी संस्कृति या देश को प्रथम मानना नहीं हो सकता।''

इस प्रकार हम देखते हैं कि एडवर्ड सईद ने संस्कृति के सवाल को राजनैतिक सन्दर्भ (साम्राज्यवाद) से जोड़ा, आर्थिक शोषण में जोड़ा और मानव-रुख़ से जोड़ा। किन्तु जब वे परस्परता, परस्पर-निर्भरता आदि की बात करते हैं, तो ऐसा लगता है कि वह विषम आर्थिक-सांस्कृतिक-राजनैतिक वैश्विक व्यवस्था और उससे उत्पन्न वैश्वीकरण के दंश को कदाचित भूल जाते हैं अथवा कमतर आँकते हैं। शायद इसका कारण यह है कि वह अपने को अमेरिका (विश्व शक्ति और पश्चिम के प्रतिनिधि) और मध्य एशिया (तीसरी दुनिया के प्रतिनिधि) दोनों से जुड़ा हुआ मानते हैं। फिर भी साम्राज्यवाद के साथ संस्कृति को जोड़ने सम्बन्धी उनका विश्लेषण अप्रतिम है।

सांस्कृतिक धक्का

जहाँ पूरी दुनिया को एक गाँव माना जा रहा हो, वहाँ सांस्कृतिक धक्का या प्रघात की बात करना निहायत अप्रासंगिक एवं फ़िज़ूल की बात मानी जा सकती है क्योंकि विभिन्न विकासशील देशों के युवा प्रबन्धक विदशों में रोजगार पाने के लिए जा रहे हैं और बहुराष्ट्रीय कम्पनियों के मालिक या निदेशक अपने कार्यों के सिलसिले में दूसरे देशों में भ्रमण कर रहे हैं। यूँ टेलिकान्फ्रेंसिंग (दूर-बैठक) के जरिये कई बार भौतिक रूप में यात्रा किये बिना व्यावसायिक प्रयोजन सिद्ध हो जाते हैं, फिर भी आमने-सामने होकर बात करने में जिस तरह और जिस हद तक नब्ज़ की पहचान होती है, वैसा अन्य किसी भी तरीक़े से नहीं हो सकता। आमने-सामने रहने पर झिझक ख़त्म होती है, दोनों तरफ आक्रामकता नहीं होती, एक दूसरे से समझौते की कोशिश होती है, दूसरे पक्ष को आसानी से समझा जा सकता है और बात-बात में नयी चीज़ें सीखने को मिलती हैं या नये अवसर दिखाई देते हैं, उस समय संकट को अवसर के रूप में स्वीकार करना आसान लगता है, वरना फ़र्ज़-अदायगी ही रहती है। यहाँ उल्लेखनीय है कि 1999 में अमेरिका स्थित दो सौ चौसठ बहु-राष्ट्रीय कम्पनियों के सर्वेक्षण में पाया गया था कि उनके जो कर्मचारी/अधिकारी दूसरे देशों में काम करने जाते हैं, उन्हें तीन तरह की विफलताएँ झेलनी पड़ती हैं—हिस्सेदारी सम्बन्धी असन्तुष्टि, पारिवारिक सरोकारों को नहीं निभा पाना तथा दूसरी जगहों/संस्कृतियों को नहीं अपना पाना। कहने की ज़रूरत नहीं कि बहुराष्ट्रीय कम्पनियाँ अपने कर्मचारियों/अधिकारियों को विदेश भेजते समय ज़्यादा वेतन-भत्ता, अवकाश, प्रशिक्षण आदि की सुविधाएँ देती हैं, फिर भी उन्हें सन्तोष नहीं मिलता वहाँ।

दूसरे देशों में जाने (पढ़ने, व्यवसाय करने, नौकरी करने, पर्यटन करने आदि उद्देश्यों हेतु) पर सबसे पहली समस्या जलवायु और मौसम की होती है। गरम देश वाले लोग ठंडे देशों में जल्दी से समायोजित नहीं हो पाते और न ठंडे देशों के लोग गरम देशों में। हो सकता है, दोनों देशों के समय में काफ़ी फ़र्क़ हो जैसे जब भारत में रात होती है, तो संयुक्त राज्य अमेरिका में दिन होता है—बारह घंटे का फ़र्क़। यूँ

स्वयं संयुक्त राज्य अमेरिका के पूर्वी और पश्चिमी तटों के समय में कई घंटों का फ़र्क़ होता है। जब आप दिन में केलिफोर्निया के क्षेत्र में होते हैं और न्यूयार्क/वाशिंगटन में बैठा टी.वी. समाचार वाचक समाचार पढ़ लेने के बाद गुडनाइट कहता है, तो आप चौंक उठते हैं। इसी प्रकार कम वर्षा वाले देश में ज़्यादा वर्षा वाले देश में जाने पर भी धक्का लगता है। यों पश्चिमी भारत के राजस्थान के जैसलमेर इलाक़े का आदमी असम/मेघालय जाने पर विपरीत वर्षा-स्थिति देखकर चौंकता है। चूँकि एक देश के विभिन्न हिस्से के मौसम की जानकारी अख़बार/टी.वी. आदि से बराबर मिलती रहती है, इसलिए उतना धक्का नहीं लगता जितना दूसरे देश में जाने पर लगता है। जलवायु-मौसम का सामाजिक वातावरण में भी हाथ रहता है। ज़्यादा वर्षा वाले इलाक़े में लोग छाता लेकर निकलते हैं।

मगर दूसरी महत्त्वपूर्ण बात होती है नये चेहरों की। विदेशों में बहुत कम मामलों में समान चेहरे देखने को मिलते हैं और मनुष्य स्वभावत: जिन चेहरों से ज़्यादा परिचित रहता है, उन्हीं पर ज़्यादा विश्वास करता है। नये या भिन्न चेहरे देखकर हम सशंकित हो जाते हैं कि वह विश्वसनीय नहीं है, वह ठग सकता है, वह मुझे मार सकता है, वह मुझे ग़लत सूचना दे सकता है और वह मेरे देश का शत्रु हो सकता है। हमें उसकी पृष्ठभूमि नहीं मालूम होती, न जानना अविश्वास का पहला चरण होता है। सो एकरूपता विश्वास पैदा करती है जबकि भिन्नता अविश्वास। इसका कारण एकरूपता वाले माहौल में पलना-बढ़ना और सामाजीकरण होना है।

तीसरी समस्या आती है कि क्या चीज़ कहाँ मिलेगी, इसकी सही जानकारी न होना। इसलिए आदमी को विदेश में दैनिक चीज़ों को ख़रीदने, सही गुणवत्ता और सही दाम में ख़रीदने, में काफ़ी दिक़्क़त होती है। यह सम्भव है कि नज़दीक में उसे महँगा, घटिया और जल्दी ख़राब होने वाला सामान मिल जाय। मैंने अमेरिका के केलिफोर्निया राज्य में जाने पर कई स्टोरों पर चावल खोजा, मगर नहीं मिला। फिर फ़ोन करने के लिए उपयुक्त फ़ोन कार्ड पाने में एक हफ़्ता लग गया। किराये पर टैक्सी के बारे में सही जानकारी नहीं होने से परेशानी हो सकती है। यहाँ तक कि विदेश में जाने पर व्यक्ति को वहाँ कहीं भारतीय पी.सी.ओ. जैसा कुछ नहीं मिलेगा। भारत से ले जाया गया मोबाइल वहाँ काम नहीं करेगा क्योंकि दोनों की कम्पनियाँ अलग हैं और उनमें परस्पर व्यावसायिक सम्बन्ध नहीं हैं। अमेरिका में किसी बड़े स्टोर से टेलिफ़ोन कार्ड ख़रीदना पड़ेगा और फिर उससे होटल के नम्बर पर या बिना व्यक्ति/ दुकानदार के चौराहों पर बने मशीनी बूथों से फ़ोन करना पड़ेगा। शुरू में प्राय: सभी महँगे कार्ड रखना पसन्द करते हैं क्योंकि वे पूरे विश्वसनीय होते हैं। दूसरी ओर छोटी कम्पनियों के सस्ते कार्ड सब जगह उपलब्ध नहीं होते और कभी-कभी (कुछ देशों

में अधिकतर) काम नहीं करते। लेकिन दोनों तरह के कार्डों में छिपी हुई क़ीमत वसूलने की पद्धति होती है (प्रोसेसिंग चार्ज के रूप में)।

चौथी समस्या यह होती है कि लम्बे अरसे से एक माहौल में रहने के कारण आदमी का जीवन दैनिक रुटीन से बँध जाता है और रोज़ाना वैसा करने का अभ्यस्त होने के कारण बिना सोचे-विचारे वह दैनिक कार्य सम्पादित करता है जबकि विदेश में पहुँचने पर उसका रुटीन भंग हो जाता है और क्रम टूटने से उसे कठिनाई होती है। आदमी नित्य क्रियाओं में भी बदलाव पाता है। यह भी सही है कि अपने देश में आदमी अपने परिवार द्वारा बनाया हुआ खाना खाता है, परिवार के साथ रहता है और कुछ हद तक उनकी सहायता पर निर्भर रहता है जबकि विदेश में जाने पर उसे किसी होटल, आवास आदि के स्टाफ के ऊपर निर्भर रहना पड़ता है जिनका व्यवहार प्राय: भिन्न होता है जो विदेश गये व्यक्ति के माफ़िक़ प्राय: नहीं होता। अथवा नयी जगह पर उसे स्वयं खाना बनाना पड़ सकता है, या अपनी पसन्द का बना भोजन अन्यत्र से लाना पड़ सकता है। अपने कपड़े धुलने पड़ सकते हैं, उन पर इस्तरी चलानी पड़ सकती है, कमरे की सफ़ाई करनी पड़ सकती है वग़ैरह। इसकी वजह से उसका अन्य निर्धारित कार्यक्रम थोड़ा प्रभावित हो सकता है।

पाँचवी समस्या यातायात की हो सकती है। पहले वह व्यक्ति ख़ुद गाड़ी चलाता रहा हो अथवा कोई ड्राइवर गाड़ी चलाकर उसे रोज़ाना पहुँचाता हो, यह स्थिति विदेश में नहीं हो सकती। उसे पैदल चलना पड़ सकता है, उसे सार्वजनिक यातायात साधन (रेल, बस, ट्रॉम, केबुल कार, नाव आदि) में सफ़र करना पड़ सकता है। इसकी वजह से उसकी दूसरों पर निर्भरता बढ़ेगी, उसका ज़्यादा समय लगेगा। फिर यातयात में सफ़र के दौरान दूसरे लोगों से नयी जगह/स्टेशन आदि के बारे में पूछना पड़ेगा। उसे फिर वार्तालाप करना होगा, झिझक मिटानी होगी और अपने स्वभाव में बदलाव लाना होगा। उसे इसका अहसास रहेगा कि उसकी बात-व्यवहार-चलने के अन्दाज़ आदि से कोई व्यक्ति अपने को आहत न महसूस करे अन्यथा थोड़ी-सी बात पर बतंगड़ हो सकता है। भारत, यूरोप आदि में लोग सड़क पर बायें चलते हैं मगर अमेरिका में दायें चलते हैं। भारत, यूरोप आदि में बस, ट्रक, कार आदि में ड्राइवर दायीं तरफ़ बैठकर चलाता है जबकि अमेरिका में वह बायीं ओर बैठकर चलाता है। अचानक नयी जगह पर आने पर ऐसा बदलाव असहज लगता है और आदमी भूल पर बैठता है, जिससे दुर्घटना भी होती है।

छठी समस्या कार्य-व्यवहार, समय की पाबन्दी, अनुशासन, विनम्रता आदि होती है। हम भारतीयों की आदत होती है कि हम समय के पक्के नहीं होते। दस बजे का मतलब साढ़े दस तक हो सकता है। आज का सारा कार्य पूरा न होने पर हम उसे अगले दिन के लिए छोड़ देते हैं या इतना धीरे-धीरे करते हैं कि वह दिन भर

में निपट सके। पश्चिमी देशों और जापान में कार्य के प्रति ज़्यादा निष्ठा होती है, समय की पाबन्दी होती है। फिर भारत में कमरे से बाहर निकलते समय हम दरवाज़े को ऐसे ज़ोर से छोड़ देते हैं कि वह आवाज़ करता है और दूसरे के पीछे आने की परवाह नहीं करते जबकि अमेरिका, यूरोप आदि में यदि व्यक्ति देखता है कि पीछे कोई आ रहा है, तो वह हाथ से दरवाज़े को पकड़े रहेगा। यदि कोई व्यक्ति दूसरे किसी व्यक्ति के लिए दरवाज़ा थामे रखता है, तो वह धन्यवाद देता है। फिर भारत में सामान्यत: ऊँची आवाज़ में अपनी बात कहने की परम्परा है जबकि विदेशों में, ख़ासकर पश्चिमी देशों में, लोग धीमे स्वर में अपनी बात कहने के आदी होते हैं।

इस प्रकार नये देश की नयी जगह पर नयी-नयी समस्याएँ सामने आती हैं जिन्हें धैर्य से समझना और हल करना पड़ता है। यदि कोई व्यक्ति अपना धीरज खो देगा, तो समस्या और जटिल बन जाएगी। थोड़ी-सी लापरवाही या नासमझी या कुबोल मारपीट की नौबत ला सकता है। बाहर गये व्यक्ति को न केवल व्यक्तिगत रूप से बल्कि सामूहिक रूप से कई प्रकार के समायोजन करने पड़ते हैं जिसके कारण मन पर ज़्यादा ज़ोर पड़ता है जिससे तनाव पैदा होता है। इसके परिणामस्वरूप कभी-कभी कोई बीमार भी होता है क्योंकि शरीर की ऊर्जा व्यवहार-समायोजन के प्रयास में ख़र्च होती रहती है। इसके अलावा बाहर गये व्यक्ति के स्वभाव में चिड़चिड़ापन बढ़ जाता है, वह अपने को अक्षम समझने लगता है और छोटी-छोटी चीज़ों के लिए अशान्त हो उठता है। कभी-कभी वह अपने अस्तिव को खोता-सा लगता है, अति कुतूहल से सामान्य चीज़ों को देखता है, थोड़ी-सी उपेक्षा में अपना अपमान समझता है और अपने आपको मूर्ख समझने लगता है। कहने का आशय यह है कि वह अपना आत्मविश्वास तथा आत्मशक्ति खोने लगता है या उसे ऐसा प्रतीत होता है। यह सांस्कृतिक धक्का एक तरह से देशीय धक्का हो जाता है।

ऐसे धक्के का कारण यह होता है कि बचपन में हमें 'हम, हमारा और हमारे लिए' बनाम 'वे उनका और उनके लिए' का फ़र्क़ आत्मसात कराया जाता है। जो भिन्न दिखाई दें, जिनके विश्वास अलग हों, जिनके कर्मकांड अलग हों, जिनका चीज़ों के प्रति दृष्टिकोण और रूख़ भिन्न हो, जिनका खान-पान अलग हो, वे विरोधी मान लिए जाते हैं जबकि भिन्न और विरोधी होने में, ज़मीन-आसमान का फ़र्क़ है। इन सब चीज़ों के कारण सोचने की प्रक्रिया इतनी भिन्न हो जाती है कि जो एक संस्कृति में स्वाभाविक, सामान्य, सही और अच्छा माना जाता है, वही दूसरी संस्कृति में अस्वाभाविक, असामान्य, ग़लत और बुरा माना जा सकता है। जब मज़ाक़ में दूसरे देश के व्यक्ति को राजा, सम्राट आदि कहा जाय, तो वह उसे बुरा मान सकता है क्योंकि उसके देश में राज्य का पारम्परिक परिवार है और वह उस परिवार से नहीं आता। वह सोचता है कि ऐसा कहना राजा का अपमान है अथवा उसके परिवार को

संकर बताने का प्रयास। यानी तिल का ताड़। अमेरिका में एक साथ जुटे विभिन्न देशों के प्रतिनिधियों में से जब मैंने जॉर्डन के प्रतिनिधि को मज़ाक़ में कहा—'हेलो, किंग ऑव जॉर्डन।' तो उसने इसे बुरा मान लिया। बाद में उसने कहा कि मैं राजा के ख़ानदान से नहीं हूँ। अधिक से अधिक मुझे रक्षा मन्त्री कहिए! क्रैग स्तोर्ती ने अपनी पुस्तक 'द आर्ट ऑव क्रासिंग कल्चर्स' में लिखा है कि जब दो या अधिक संस्कृतियों के आमने-सामने होने पर कुछ ग़लत हो जाता है, कोई भ्रम पैदा होता है, कोई पक्ष दुःखी हो जाता है अथवा हताश हो जाता है, तो 'सांस्कृतिक घटना' घटती है। ऐसी सांस्कृतिक घटनाओं (कल्चरल इन्सीडेंट्स) के बढ़ने से बाहर गये व्यक्ति और स्थानीय लोगों के बीच की अन्तःक्रिया नकारात्मक और विनाशकारी सिद्ध होती है। ऐसा दो तरह से हो सकता है—पहला, स्थानीय संस्कृति के किसी व्यक्ति के व्यवहार से प्रवासी भ्रमित, हताश या दुःखी होता है। विलियम हैजलिट के अनुसार कोई ब्रिटिश नागरिक जब बाहर जाता है, तो वह सबसे पहले हर फ्रांसीसी चीज में नुक़्स निकालने लगता है, क्योंकि वह चीज़ ब्रिटिश नहीं होती। दूसरा, प्रवासी व्यक्ति के व्यवहार से स्थानीय व्यक्ति/समूह भ्रमित, हताश या दुःखी होता है। पहले मामले में प्रवासी व्यक्ति पीड़ित होता है जबकि दूसरे मामले में वह परपीड़क होता है। मान लीजिए, कोई भारतीय प्रोफ़ेसर विदेश में पढ़ाने जाता है और वहाँ के विद्यार्थी उसे पहले नाम से पुकारते हैं अथवा कक्षा में शीतल/गरम पेय या खाद्य पदार्थ लेकर खाने-पीने लगते हैं अथवा पढ़ाते समय आपस में बातें करने लगते हैं अथवा कक्षा के बीच में प्रवेश करते हैं अथवा उठकर चले जाते हैं। उसे ऐसे व्यवहार दुखी कर देंगे। दूसरी ओर यदि वह किसी दुकान में जाता है और सौदा करने के बाद फुटकर (खुदरा) पैसे रख लेने को कहता है, तो वह दुकानदार उसे बुरा मान लेता है। इसी प्रकार यदि कोई विदेशी (अमेरिकी) भारत में आने पर किसी अधिकारी की पत्नी या महिला अधिकारी के गाल पर चुम्बन लेता है, तो उस महिला के साथ-साथ अन्य भारतीय इसे बुरा मान सकते हैं। दूसरी ओर अमेरिका जैसे विकसित देशों में गाल पर चुम्बन लेने का आम प्रचलन है। परन्तु होंठ से चुम्बन लेने का प्रचलन पति-पत्नी या प्रेमी-प्रेमिका के बीच ही होता है।

ऐसा पाया गया है कि सांस्कृतिक धक्के के कारण कई प्रवासी स्थानीय लोगों से मिलना-जुलना, बातें करना, काम के दौरान अन्तःक्रिया करना और नयी चीज़ों को जानने की उत्सुकता पूरी तरह छोड़ देते हैं अर्थात् वह आमना-सामना करने से कतराते हैं, पलायन करते हैं। मगर ऐसा सांस्कृतिक पलायन और ज़्यादा नकारात्मक हो जाता है क्योंकि दूसरे भी उससे मिलना-जुलना बन्द कर देते हैं और वह एकाकीपन का शिकार हो जाता है। एक तरह से वह रेशम के कीड़े की तरह एक बिल के भीतर बन्द हो जाता है। हफ मासिंघम तथा पॉलिन मासिंघम के शब्दों में, "जन्मजात यात्री-ऐसा

व्यक्ति जो बिना पूर्वाग्रह के हो, जो आलोचना की जगह सीखने के लिए रवाना होता है, जो असामान्य से जोश पाता है, जो मानता है कि हर व्यक्ति उसका भाई है, भले वह पहनावा और देखने में अजनबी तथा हास्यास्पद लगता हो, हमेशा से अपेक्षाकृत विरल होता है।'' (द इंगलिशमैन अब्रॉड)

वास्तव में, समायोजन का बेहतर तरीक़ा है कि प्रवासी व्यक्ति स्थानीय संस्कृति को सीखने की कोशिश करे। ऐसा तीन तरह से सम्भव है—पहला तरीक़ा है कि हम स्थानीय लोगों को कोई काम करता हुआ देखें—यथार्थजनक तरीक़े से सीखा जा सकता है उनका व्यवहार और कार्य-शैली। स्थानीय सांस्कृतिक गतिविधियों की जानकारी कुछ हद तक जन-संचार माध्यमों से भी हो सकती है। दूसरा तरीक़ा है स्थानीय लोगों से उनके विशिष्ट व्यवहार-कार्यशैली आदि के बारे में पूछताछ करके जानकारी साहिल की जाय। तीसरा तरीक़ा है कि हम स्थानीय संस्कृति के बारे में लिखी हुई किताबें/पत्रिकाएँ आदि पढ़ें अथवा स्थानीय संस्कृति की कक्षाओं में शामिल हों। पहला तरीक़ा अवलोकन का है, दूसरा तरीक़ा वार्तालाप का है और तीसरा तरीक़ा अध्ययन का है। जब स्थानीय संस्कृति सीखने का जज़्बा हो, तो ये तीनों तरीक़े एक साथ पूरक रूप में भी अपनाये जा सकते हैं जिससे कोई भ्रम दूर हो सकेगा अथवा कोई संशय पुष्ट हो सकेगा। चूँकि भाषा किसी भी संस्कृति का वाहक होती है, इसलिए किसी संस्कृति को जानने के लिए सबसे अच्छा तरीक़ा वहाँ की भाषा सीखना होता है। मगर एक उम्र के बाद नयी भाषा सीखने में कुछ कठिनाई होती है, इसलिए कम-से-कम कुछ प्रचलित शब्दों और वाक्यों को सीखना भी कारगर होता है। नमस्ते, धन्यवाद, फिर मिलेंगे आदि किसी अभारतीय द्वारा कहे जाने पर स्थानीय भारतीय लोग निश्चित रूप से ख़ुश होते हैं। दूसरी और गालियों को भी जानना चाहिए जिससे प्रवासी उनका इस्तेमाल नहीं करे अथवा दूसरों द्वारा प्रयोग किये जाने पर अर्थ समझ सके तथा उसका प्रतिउत्तर उचित तरीक़े से दे सके। कहने की ज़रूरत नहीं कि भाषा एक ओर अनुभवों का पुंज होती है, तो दूसरी ओर आत्मभारित, सृजनशील, प्रतीकात्मक संगठन होती है जो अनुभव को कुछ हद तक प्रभावित भी करती है। मगर सम्प्रेषण सिर्फ़ शब्दों से ही नहीं होता, हाव-भाव से भी होता है। यहाँ तक कि आपके कपड़े को देखकर दर्शक कुछ अर्थ लगा लेते हैं कि कहाँ का पहनावा है। आपके बाल की शैली से कुछ सन्देश जाता है दर्शकों में। फिर सम्प्रेषण सिर्फ़ सहमति से ही नहीं होता, असहमति से भी होता है जिसके कारण उस समय की चर्चा के साथ-साथ आगे की गतिविधि निर्धारित होती है। फिर हम दूसरे व्यक्ति की भूमिका और हैसियत जानकर सम्प्रेषण का विषय, शैली, खुलापन और सीमा निर्धारित करते हैं। कहने का आशय है कि दो व्यक्तियों के सम्प्रेषण में दो भौतिक शरीरों-दिमाग़ों के अलावा दो छवियों के बीच भी सम्प्रेषण होता है। यानी संवाद में वास्तव में चार स्तम्भ हो जाते

हैं। जब कोई चिकित्सक किसी चपरासी का इलाज करत है, तो उसकी प्रस्थिति के अनुकूल उससे आधिपत्यकारी व्यवहार करता है। उसका रोग समझने में, निदान करने में, दवा लिखने में और समय देने में। दूसरी ओर यदि वही डॉक्टर मुख्यमन्त्री, राज्यपाल, प्रधानमन्त्री, राष्ट्रपति आदि का उपचार करता है, तो अधीनस्थ की भूमिका निभाता है विभिन्न स्तरों पर।

इसके अलावा यह भी जानना ज़रूरी है प्रवासी और स्थानीय व्यक्ति दोनों को कि सम्प्रेषण बहुरैखिक प्रक्रिया होती है अर्थात् उसमें से एक हमेशा वक्ता और दूसरा हमेशा श्रोता नहीं होगा, बल्कि वक्ता भी साथ-साथ श्रोता होता है और श्रोता भी साथ-साथ वक्ता होता है। मगर खुला और पारदर्शी सम्प्रेषण के लिए ज़रूरी है कि हम उसे रैखिक के आगे की स्थिति में समझें जैसे किसी नृत्य-समूह में कोई अगुआ या पिछुआ नहीं होता, कोई सन्देश प्रेषक और सन्देश प्राप्तकर्ता नहीं होता—बल्कि ये भूमिकाएँ आपस में मिली-जुली होती हैं क्योंकि सामूहिक नृत्य में बहुत सारी चीज़ें (पद) एक साथ सम्पन्न करनी होती हैं। अन्तर-वैयक्तिक सम्प्रेषण में, जैसाकि ग्रेगोरी बटेसन ने कहा है, प्रत्येक बोला गया 'संवाद' दो स्तरों पर समझा जा सकता है—पहला, क्या कहा जाता है; दूसरा कैसे कहा जाता है। दूसरे में अशाब्दिक व्यवहार भी शामिल होता है जिसके कारण यह कम स्पष्ट होता है। फिर कहने की शैली का समय, परिवेश, सन्दर्भ आदि भी महत्त्वपूर्ण होते हैं। बटेसन के अनुसार प्रत्येक उद्देश्यपरक सम्प्रेषण में दो पक्ष होते हैं—'प्रतिवेदन' (क्या) तथा 'आदेश' (क्यों और कैसे)। प्रतिवेदन मूलतः शाब्दिक होता है और आसानी से पहचाना जा सकता है और उसे छपे हुए पाठ में आसानी से शामिल किया जा सकता है। दूसरी ओर 'कैसे' मूलतः अशाब्दिक कभी-कभी पारा-भाषाशास्त्रीय होता है और अधिकांशतः वर्णन करने में कठिन होता है। यह सम्भव है कि प्रतिवदेन के स्तर पर सम्प्रेषण एक ख़ास अर्थ दे सकता है जबकि आदेश (कमांड) के स्तर पर बिल्कुल भिन्न अर्थ दे सकता है। ऐसा विभेद न तो 'अच्छा सम्प्रेषण' हो सकता है और न 'असम्प्रेषण' हो सकता है, बल्कि 'ग़लत सम्प्रेषण' (मिसकम्युनिकेशन) हो सकता है। यहाँ जो चीज़ सम्प्रेषित की जाती है, उसका इरादा नहीं होता और सम्प्रेषण सोचा भी नहीं गया होता। विभिन्न संस्कृतियों के बीच प्रायः ऐसा ग़लत सम्प्रेषण हो जाता है। कभी-कभी ऐसा भी होता है कि सम्प्रेषण में कार्यकारी द्वन्द्व (टकराव) पैदा होता है ख़ासकर तब जब एक संस्कृति के लोग दूसरे कार्य-व्यवहार की आशा करते हैं और उस ओर चले जाते हैं जबकि दूसरी संस्कृति के लोग सम्प्रेषण के पहले स्तर पर ही रहना चाहते हैं।

यहाँ यह भी उल्लेखनीय है कि दो संस्कृतियों के बीच सिर्फ़ व्यवसाय-सा व्यवहार और सम्प्रेषण नहीं होना चाहिए, बल्कि जैसा कि अरस्तू ने कहा था—विवेक

(लोगोस) और भावना (पैथोस) के बीच समुचित सन्तुलन होना चाहिए। दक्षिण अमेरिका के लोग प्रायः पुष्ट स्नेहमयी भावनाओं (ला रजा) पर ज़ोर देते हैं जबकि पश्चिमी यूरोप और उत्तर अमेरिका के लोग प्रायः विवेक पर ज़्यादा ज़ोर देते हैं। उत्तरी अमेरिका में व्यक्तिवाद का मूल्य ज़्यादा दृष्टिगोचर होता है जबकि यूरोप में 'व्यक्तिता' (इंडिविजुअलिटी) का प्रचलन अधिक है जहाँ व्यक्ति को सामाजिक संरचना द्वारा निर्धारित दायरे में—स्वतन्त्रता मिली है। भारत जैसे विकासशील देशों में अन्तरनिर्भरता (इंटरडिपेंडेंस) का प्रचलन ज़्यादा है, क्योंकि परिवार, समुदाय, जाति, धर्म का महत्त्व ज्यादा है जिसके कारण परस्पर निर्भरता ज़्यादा है। मार्गेरेट मीड के अनुसार ब्रिटिश परिवार में मुखिया पिता होता है और बच्चे उसकी बातें सुनते-मानते हैं और वैसा बनना चाहते हैं जबकि उत्तरी अमेरिका में परिवार बाल-केन्द्रित ज़्यादा होते हैं जो ज़ोर से बोलते हैं, चीजों को बढ़ा-चढ़ाकर पेश करते हैं और उनकी बातों में अनिरन्तरता होती है। उनके सामने पिता की भूमिका अनुकरण करने के लिए नहीं होती जिसके कारण वे उम्र बढ़ने पर भी 'बूढ़े बच्चे' बने रहते हैं। ज़ाहिर है कि इन दो संस्कृतियों के बीच सम्प्रेषण में टकराव, अविश्वास और संघर्ष होना स्वाभाविक है। फिर एशिया में परिवार प्रायः संयुक्त होते हैं जिसका असर बच्चों के सामाजीकरण पर पड़ता है। बच्चों की देख-रेख करने वाले कई वयस्क होते हैं, इसलिए बच्चे सिर्फ़ माता-केन्द्रित या पिता-केन्द्रित नहीं होते। सो इसका ख़याल अन्तर-सांस्कृतिक सम्प्रेषण में रखना चाहिए।

ऐसा भी देखा गया है कि धीरे-धीरे कई प्रवासी नयी संस्कृति और समाज में घुलमिल जाते हैं। चाहे ज़्यादा धन प्राप्ति का लालच हो, या वहाँ शादी करने का तथ्य या भविष्य में प्रोन्नति की ज़्यादा सम्भावना हो अथवा बच्चों की पढ़ाई की दृष्टि से वहाँ रुकने का इरादा बना हो, वे वहाँ बस जाते हैं और वापस लौटना नहीं चाहते। वे या तो मूल देश में रह रहें माँ-बाप को आर्थिक सहायता देते रहते हैं अथवा उन्हें विदेश में बुला लेते हैं अथवा बिल्कुल भूल जाते हैं। कुछ प्रवासी विदेशों में रहते हुए अपनी पुरानी मौलिक संस्कृति के आधारभूत तत्त्वों का दैनिक जीवन में पालन करते हैं, कुछ लोग नयी और पुरानी संस्कृतियों का समायोजन कर लेते हैं और अन्य लोग पूरी तरह विदेशी संस्कृति के अंग बन जाते हैं तथा रोम में रहकर रोमवासियों की तरह खानपान, पहनावा, भाषा, भवन आदि अपना लेते हैं। जहाँ दुनिया तेज़ी से बदल रही है, वहाँ सांस्कृतिक बदलाव होना स्वाभाविक है मगर जो लोग अपनी सांस्कृतिक जड़ों से पूरी तरह कट जाते हैं वे दिखावटी-बनावटी, अस्थायी और अस्थिर चरित्र तथा चिन्तन वाले होते हैं जिनका सांस्कृतिक भविष्य अन्धकारमय होता है, भले वे सोने-चाँदी के सिक्के विदेशों में उगा रहे हों। उनके जीवन में एक तरह से सांस्कृतिक शून्यता व्याप्त हो जाती है।

यह विशेष रूप से उल्लेखनीय है कि लम्बे समय तक प्रवास करने के बाद अपने देश में लौटने पर भी कई तरह की समस्याएँ पैदा होती हैं। सबसे पहली समस्या सांस्कृतिक पुनर्समायोजन की होती है यानी पहचान की समस्या, दैनिक निजी और कार्यगत गतिविधियों के पुनर्समायोजन की समस्या। दूसरी सामाजिक समायोजन की समस्या और विरोधाभासी रुख़ों के फलस्वरूप सामाजिक अजनबीपन, श्रेष्ठता और हताशा की भावनाएँ पैदा होती हैं। तीसरी समस्या भाषाई समायोजन की होती है—जिस शैली, टोन और उच्चारण से प्रवासी अपने देश में बोलता है, उसकी खिल्ली उड़ाई जाती है। चौथी समस्या राजनैतिक समायोजन की होती है जैसे राजनैतिक परिवर्तन, नयी राजनैतिक संस्कृति आदि को अपनाने में समस्या पैदा होती है। पाँचवी समस्या शैक्षिक समायोजन की होती है जैसे शिक्षा के विभिन्न मापदंड, उदाहरण, तकनीक, पाठयक्रम आदि दूसरे परिवेश और प्रकार के होते हैं जिन्हें समझने में कठिनाई होती है। अन्त में व्यावसायिक समायोजन की समस्या होती है जैसे पूर्व में सीखी गयी चीज़ों को सम्प्रेषित करने, सहकर्मियों द्वारा परिवर्तन का प्रतिरोध करने तथा बड़ी आशाओं की समस्या पैदा होती है। इस तरह जैसे वह शुरू में विदेश में पीड़ित था, वैसे ही स्वदेश लौटने पर वह पीड़ित हो जाता है। मगर सबके साथ ऐसा नहीं होता। यूँ ठीक ही कहा गया है कि मनुष्य सारी समस्याओं का समाधान किसी न किसी रूप में अन्ततः ढूँढ़ लेता है—हर समस्या का समाधान होता है। मनुष्य में धक्का सहने, नये समाज-संस्कृति में समायोजित एवं अनुकूलित होने को अपार क्षमता है, भले शुरू में उसे नाना प्रकार की कठिनाई हो।

मौखिक एवं लिखित परम्पराएँ

मनुष्य एक मात्र ऐसा प्राणी है जिसमें किसी भाषा में सम्प्रेषण करने की शक्ति एवं क्षमता होती है, अन्य प्राणी (पशु-पक्षी, कीट-पतंगे) सिर्फ़ आवाज़ निकालते हैं। यह एक साथ विशिष्ट एवं सर्वव्यापी मानव गुण है। एक ओर मनुष्य भाषा की वजह से सामाजिक प्राणी बनता है, तो दूसरी ओर वह सामाजिक प्राणी होने के कारण किसी भाषा या भाषाओं में सम्प्रेषण कर सकता है। किसी भाषा में सम्प्रेषण या संवाद करने का व्यापक अर्थ होता है—मनुष्य कुछ आवाज़ें अपने मुँह से निकालता है, या कुछ चिह्न बनाता है, फिर उनका निर्वचन या व्याख्या करता है कुछ प्रतीकात्मक साझीदारी (समानार्थी शब्द) के साथ। भाषा और सोचने की प्रक्रिया में गहरा सम्बन्ध होता है और दोनों एक साथ घटित होती हैं—हम सबसे पहले किसी भाषा में सोचते हैं और फिर उस सोच-विचार को किसी भाषा में अभिव्यक्त करते हैं तथा प्राय:ऐसी अभिव्यक्ति के दौरान कुछ नया सोचने लगते हैं जो पूर्व की सोच से भिन्न हो सकता है अथवा उसकी गहनता या विस्तार हो सकता है। यहाँ दो उदाहरण देना समीचीन प्रतीत होता है—पहला, जब पंडित जवाहरलाल नेहरू भारत के प्रधानमन्त्री थे, तो अंग्रेज़ी बनाम हिन्दी का मसला काफ़ी गरमा गया था और राम मनोहर लोहिया आदि अंग्रेज़ी हटाओ का आन्दोलन चला रहे थे तथा देशी भाषा, भोजन, भूषा और भवन पर ज़ोर दे रहे थे। सो ऐसे उत्तेजित माहौल में किसी ने नेहरू जी को असमंजस में डालने अथवा हिन्दी या अंग्रेज़ी में से एक चुनने के लिए पूछा था—"आप किस भाषा में सोचते हैं हिन्दी में या अंग्रेज़ी में?" नेहरू जी विद्वान और परिपक्व थे, सो उन्होंने तपाक् से कहा—'अपने दिमाग़ में।' उनका निशाना अचूक था वरना हिन्दी कहने पर अंग्रेज़ीपरस्त नाराज़ होते और अंग्रेज़ी कहने पर हिन्दीपरस्त नाराज़ होते। मगर यह तो वाकपटुता थी—सचाई यह है कि नेहरूजी अंग्रेज़ी में सोच-विचार करते थे और उनकी लिखी पुस्तकें अंग्रेज़ी में ही थीं। दूसरा उदाहरण है फ़िल्म स्टार संजय दत्त का जो प्रतापगढ़ में अप्रैल 2009 में समाजवादी पार्टी की ओर से प्रचार कर रहे थे मगर पूर्व में जो कुछ उन्होंने सोचा-विचारा था, उसकी अभिव्यक्ति के दौरान उन्होंने

अतिरिक्त जोड़ दिया 'मायावती को जादू की झप्पी और पप्पी!' मगर जिला प्रशासन ने इसे आचार संहिता के ख़िलाफ माना और उन्हें नोटिस दी कि स्पष्ट करें कि आपके विरुद्ध क्यों नहीं आपराधिक मामला दर्ज किया जाय, तो उन्होंने बड़ी शालीनता से सोच-विचार कर जवाब दिया कि उनका कहने का आशय सिर्फ़ जादू की झप्पी थी और उन्होंने इस अश्लील अभिव्यक्ति के लिए जिलाधिकारी से माफ़ी भी माँगी। अक्सर ऐसी वृत्ति के लिए अवधी में एक प्रासंगिक मुहावरा है—'चामें की जीभ लामे चली जात है।' इसे ही अंग्रेज़ी बोलने वाले 'स्लिप ऑफ टंग' (जिह्वा फिसलन) कहते हैं।

सारांश यह है कि भाषा के दो रूप होते हैं—मौखिक और लिखित। मौखिक रूप में विस्तार के बाबत कोई प्रतिबन्ध नहीं होता जिसके कारण विषयान्तर से लेकर फिसलन तक सम्भव होता है अर्थात् विद्रूपता पैदा हो सकती है जबकि लिखित रूप में निश्चितता, अनुशासन, विरोध का भय और विस्तार की सीमा होती है जिसके कारण विद्रूपता की सम्भावना बहुत कम होती है। मगर यह भी सही है कि वाद-विवाद की गतिशीलता और संघर्षशीलता के कारण ही संवाद सम्पन्न होता है। जैसाकि भारतीय दर्शन में ठीक ही कहा गया है—'वादे-वादे जायते तत्त्व बोधः।'

ख़ैर, यदि हम मौखिक परम्परा का इतिहास खँगालें, तो मार्शल मैकलुहान (द गुटेनबर्ग गैलेक्सी) के अनुसार पाते हैं कि भाषा का प्रारम्भिक चरण वाक्, बोली, बात या कथन (स्पीच) था। इसी को 'पेरोल' कहा गया है। महाकवि कालिदास ने इसी वाक् और अर्थ की संयुक्त महत्ता को अपने संस्कृत श्लोक में स्पष्ट किया है—

वागर्थाविव सम्पृक्तौ वागर्थ प्रतिपत्तये।
जगतः पितरौ वन्दे पार्वती-परमेश्वरौ।।

दूसरे चरण में चित्रलिपि या चित्रलेख (पिक्टोग्राम) का विकास हुआ। तीसरे चरण में ध्वन्यात्मक वर्णमाला का विकास हुआ। चौथे चरण में मुद्रण कला (छापा) का विकास हुआ। पाँचवे चरण में इलेक्ट्रॉनिक सम्प्रेषण (टी.वी. कम्प्यूटर, इंटरनेट) का विकास हुआ। उपरोक्त चरणों के विकासक्रम में समय का काफ़ी फासला था और विभिन्न समाजों में इनका विकास कई चरणों में भिन्न-भिन्न गति से हुआ। इस विकास-क्रम ने मानव-चेतना के साथ-साथ समस्त मानव-सम्भावनाओं का कमोबेश निर्धारण किया। इस प्रकार कालान्तर में 'मौखिक परम्परा' का विकास 'लिखित परम्परा' में हुआ। मगर विश्व के सारे समाजों को मात्र मौखिक परम्परा या लिखित परम्परा का समाज (स्पष्ट श्रेणी में बाँटकर) नहीं कहा जा सकता। वास्तव में, अधिकतर विकासशील समाजों में मौखिक और लिखित दोनों परम्पराओं का सह-अस्तिव है। यूँ निश्चित रूप से यह कहा जा सकता है कि कुछ मौखिक परम्पराओं

ने सही सन्दर्भ, स्वीकार्यता और पर्याप्त समर्थन के अभाव में स्वयं दम तोड़ दिया जबकि दूसरी मौखिक परम्पराओं ने लिखित परम्पराओं के आधिपत्य के कारण अपनी अधीनस्थता स्वीकार कर ली (जैसे लोकगीतों की फ़िल्मी दुनिया में रिमिक्सिंग) जबकि शेष मौखिक परम्पराओं की स्थिति सन्तोषजनक नहीं है, फिर भी वे अपना वजूद बचाने के लिए संघर्ष कर रही हैं। मगर मौखिक परम्परा और मौखिक इतिहास में फ़र्क़ है। मौखिक इतिहास किसी व्यक्ति, समूह या समुदाय से पूर्व में घटी किसी घटना के बारे में साक्षात्कार, विमर्श आदि के ज़रिये जानकारी को कहते हैं जिससे उस समय के इतिहास को दर्ज किया जा सके।

भारत के सन्दर्भ में मौखिक परम्परा का विशिष्ट उदाहरण वेद हैं जिन्हें श्रुति (जिनका सम्बन्ध सुनने, याद करने से अधिक रहा है) भी कहा जाता है और वैदिक मन्त्रों का सस्वर एवं सही उच्चारण/पाठ करने की अटूट मौखिक परम्परा थी। ये पाठ गुरुओं और उनके शिष्यों की स्मृतियों पर आधारित होते थे (जब तक कि उन्हें भोजपत्र पर लिखने की पद्धति शुरू नहीं हुई थी)। इन पाठों के कई प्रकार थे जैसे संहिता, वाक्य, पद, क्रम, जटा, मल, शिखा, रेखा, ध्वज, दंड, रथ, घन आदि। इस प्रकार मन्त्रोच्चार इन विभिन्न तरीक़ों से किये जाते थे। घन पाठ को उच्चतम स्तर एवं जटिलतम प्रकार माना जाता था और उसका उच्चारण करने वालों को 'घनपाठी' कहा जाता था। घन पाठ में मन्त्रों का सस्वर पाठ (कुछ शब्दों को आगे या पीछे करके लय बनाकर) किया जाता था। उदाहरणार्थ, पहला शब्द; दूसरा शब्द; दूसरा शब्द, पहला शब्द; पहला शब्द, दूसरा शब्द; तीसरा शब्द, तीसरा शब्द, दूसरा शब्द, पहला शब्द आदि। इसी प्रकार गणित, विज्ञान, खगोल आदि के सूत्र मन्त्र ही हुआ करते थे जिसे विद्यार्थी (शिष्य) अपने गुरुओं से सीखकर याद करते थे। मौखिक परम्परा में स्मृति में लयात्मक गीतों/कविताओं को ज़्यादा समय तक सँजोकर रखा जा सकता था, इसीलिए प्रायः सभी समाजों में कहावतों एवं कविता का उद्‌भव गद्य के पहले हुआ (साहित्य की परिधि में)—यूँ तो बोल-चाल में पहले शब्द, फिर शब्द समूह और बाद में वाक्य का विकास हुआ। कई विद्वानों का मत है कि वैदिक मन्त्रों के एक भी अक्षर को ज़रा भी नहीं बदला जाता था। यदि किसी मन्त्र में व्याकरणिक या अर्थ सम्बन्धी दोष भी होता था, तो भी उसे 'ऋषि परम्परा' मानकर उसका पालन किया जाता रहा है (वैसे साधु भाषा, वैदिक संस्कृत, लौकिक संस्कृत आदि में कुछ भेद रहे हैं)। उच्चारण तथा बलाघात की शुद्धता अक्षुण्ण रखने के पीछे यह विश्वास था कि उच्चारण में होने वाली ध्वनि में ही मन्त्रों की शक्ति निहित होती है। यह भी मान्यता रही है कि ऋषियों ने इन मन्त्रों की मौलिक दैवी ध्वनियों को सुना था। यह भी माना जाता है कि समूचे ब्रह्मांड की उत्पत्ति 'नाद' से हुई (वृहदारण्यक उपनिषद् के अनुसार) इसी प्रकार वेदान्त सूत्र मानते हैं कि अन्तिम मुक्ति शब्द से ही होती है—

'अनावृत्ति : शब्दात्'। 'शब्द ब्रह्म है' के साथ-साथ 'नाद ब्रह्म है' की मान्यता भी हिन्दू धर्म ग्रन्थों में रही है। नाद शब्द से नदी का घनिष्ठ सम्बन्ध है जो चेतना के प्रवाह का सूचक है। इसीलिए वैदिक ग्रन्थों में नाद को उच्चतर आध्यात्मिक चेतना प्राप्त करने का प्रमुख साधन माना गया है। वेदों में ॐ शब्द को सबसे ज़्यादा महत्त्व दिया गया है और विभिन्न धार्मिक अनुष्ठानों से लेकर योगाभ्यासों तक में ॐ का उच्चारण आवश्यक माना गया है—यहाँ तक कि शान्ति के आह्वान के पूर्व भी ॐ का प्रयोग होता है—ॐ शान्तिः, शान्तिः शान्तिः। प्राचीन भारत में पूरी पवित्रता के साथ एक पीढ़ी से दूसरी पीढ़ी में मन्त्रों के पाठ के ज़रिये ज्ञान का हस्तान्तरण होता है। मगर यह भी सच है कि द्विजों के अलावा अन्य लोगों (शूद्रों व अछूतों) को इस पवित्र ज्ञान की सत्ता से वंचित रखा जाता था जो तत्कालीन समाज में विद्यमान सामाजिक स्तरण, सोपानक्रम, तथा बहिराव का सूचक है।

विभिन्न उपनिषदों (जिसका अर्थ है गुरु के निकट बैठना) में मौखिक परम्परा का निरन्तर विकास हुआ है और वाद-विवाद-संवाद की परम्परा सुदृढ़ हुई है। इस तथ्य ने सिद्ध किया है कि प्राचीनकाल में सुकरात के 'रिपब्लिक' में ज्ञानार्जन हेतु संवाद की जो परम्परा थी, उसके समान्तर प्राचीन भारत में भी सत्य के अनुसन्धान के लिए संवाद की व्यापक एवं सघन परम्परा थी। नचिकेता और यम के बीच संवाद की गुणवत्ता एवं व्यापकता की सर्वत्र सराहना की गयी है। यह परम्परा आगे चलकर महाभारत के गीता अंश में कृष्ण और अर्जुन के बीच क़ायम रही। मौखिक परम्पराओं में गुरु शिष्य के बीच (लौकिक), मनुष्य-देवता के बीच (इहलौकिक) और योद्धा-ईश्वरीय अवतार के बीच (इहलौकिक) संवाद की नाना मिसालें मिलती हैं जिनमें सृष्टि या जीवन और जगत् से जुड़े सवाल मौजूद रहते हैं। गुरु-शिष्य की मौखिक परम्परा में निम्नलिखित विशेषताएँ प्रायः पाई जाती थीं।

पहली, गुरुकुल में प्रवेश लेना अत्यन्त कठिन था। एक ओर समाज के निम्नतम पायदान पर खड़े शूद्र और अछूत प्रवेश पाने से वंचित रह जाते थे, तो दसूरी ओर द्विजों के बीच से चयन करने की प्रक्रिया मेधा पर आधारित थी। यदि कोई आधारभूत सवालों का जवाब नहीं दे पाता था, तो उसको गुरुकुल में प्रवेश नहीं मिलता था। प्रसिद्ध नालन्दा विश्वविद्यालय में कई प्रवेश द्वारों पर भावी विद्यार्थियों का मौखिक परीक्षण होता था।

दूसरी, शुरुआती जाँच में योग्य पाये जाने पर सुगठित तरीक़े से शिष्य के प्रवेश की प्रारम्भिक दीक्षा का अनुष्ठान होता था जिसमें गुरु-शिष्य सम्बन्ध को मान्यता दी जाती थी और विद्यार्थी को गुरुकुल के नियमों (यथा ब्रह्मचर्य, अनुशासन, त्याग) से अवगत कराया जाता था। दूसरी ओर किसी को शिष्य के रूप में स्वीकार करते समय

गुरु की ज़िम्मेदारी तय हो जाती थी कि वह अपने उक्त शिष्य की जिज्ञासा का शमन करेगा, उसे शस्त्र और शास्त्र की शिक्षा देगा, तथा उसके आध्यात्मिक विकास (साधना) के साथ-साथ उसकी सर्वांगीण प्रगति सुनिश्चित करेगा।

तीसरी, शिक्षा की समाप्ति के बाद शिष्य अपने गुरु को यथा सम्भव गुरु दक्षिणा देता था और उसके साथ ही वह वहाँ से निकलकर अपना गृहस्थ जीवन शुरू करता था।

यह ध्यातव्य है कि ज्ञानार्जन की इस मौखिक गुरु-शिष्य परम्परा में शब्द और कर्म, आध्यात्मिक और लौकिक जीवन, ज्ञान और धर्म, साधना और अनुशासन, चित्त और चरित्र आदि पक्षों पर ध्यान दिया जाता था। भारत में यह प्रचलित है कि बेटे और चेले से हारने में भी जीतने का सुख मिलता है। यूँ यह एक इतिहास सम्मत तथ्य है कि जब एक अवसर पर कुमारिल भट्ट ने खुली सभा में अपने तर्कों और तथ्यों से अपने गुरु को हरा दिया था, तो वह स्वयं अत्यन्त दुःखी हुए थे और अपने को प्रयाग में जलती चिता के हवाले कर दिया था। उनके चिता पर बैठने के पूर्व आदि शंकराचार्य उनसे शास्त्रार्थ करने वहाँ पहुँचे, तो उन्होंने कहा था—'मैं अपना दृढ़ निश्चय अब बदल नहीं सकता। फिर भी यदि आप चाहें तो मेरे शिष्य मंडन मिश्र से शास्त्रार्थ कर सकते हैं।' और फिर शंकराचार्य ने मंडन मिश्र-भारती मिश्र से शास्त्रार्थ किया था। गुरुओं की प्रतिष्ठा का अन्दाज़ इस बात से लगाया जा सकता है कि गुरुओं की चार पीढ़ियों का सम्मान विद्यार्थी विधिवत् करते थे—गुरु (तात्कालिक शिक्षक), परम गुरु (गुरु के गुरु), परापरा गुरु (परम गुरु के गुरु), परमेष्टि गुरु (परापरा गुरु के गुरु)। वैदिक और उत्तर वैदिक काल के बाद बुद्ध के सयम में बौद्ध धर्म में भी गुरु को काफ़ी सम्मान दिया गया और उसे ज्ञानोदय के पथ पर प्रेरणा का स्रोत माना गया। बौद्ध धर्म की तिब्बती परम्परा में भी गुरु को आध्यात्मिक उपलब्धि के लिए आवश्यक माना गया। और उसे बुद्ध के रूप में देखा गया। बौद्ध धर्म की वज्रयान (तान्त्रिक) शाखा में गुरु स्वयं अन्तिम मार्ग माना गया है क्योंकि वह बुद्ध स्वरूप साक्षात् रूप में है। मगर स्वयं बुद्ध ने अपने अनुयायियों को सचेत करते हुए कहा था कि मेरे उपदेशों का गट्ठर सिर पर बोझ के समान मत ढोओ, बल्कि उसे जीवनानुभव से परखो और यदि वे उचित हों, विकेक सम्मत हों, तो उनका पालन करो वरना उन्हें छोड़ दो। सो उन्होंने अपना दीपक स्वयं बनने की भी शिक्षा दी। इसी प्रकार तिब्बत के दलाई लामा ने भी कहा—"किसी गुरु को परखने के लिए उसके उपदेशों पर भरोसा करो : अन्धविश्वास मत करो, मगर अन्ध आलोचना भी नहीं करो।"

मौखिक परम्परा या संस्कृति या साहित्य में मौखिकता (ओरल्टी) दो प्रकार की होती है : 'प्राथमिक मौखिकता' (प्राइमरी ओरल्टी) तथा 'अवशिष्ट मौखिकता' (रेजिडुअल ओरल्टी)। प्राथमिक मौखिकता का आशय ऐसी संस्कृति के अन्तर्गत

विचार तथा उसकी ज़बानी अभिव्यक्ति से है जो, वाल्टर जे, ओंग ('ओरल्टी एंड लिटरेसी') के अनुसार, 'लेखन या छापा के किसी ज्ञान से पूर्णतः अछूती होती है।' उनके अनुसार हम किसी 'पाठ' की उपेक्षा कर सकते हैं क्योंकि यह किसी काग़ज़ पर लिखी गयी चीज़ मात्र है मगर यदि हम किसी भी बात का बोली-बानी (ध्वनि) की उपेक्षा करते हैं, तो वह बुद्धिमत्तापूर्ण नहीं माना जाता है क्योंकि हमारे मानवीय आवेग ध्वनि पर ध्यान देने के लिए हमें मजबूर करते हैं। दूसरी ओर यह सही है कि लिखना हमें नये विचारों को पैदा करने, उन्हें सँजोकर रखने और कालान्तर में उन्हें दुबारा ढूँढ़ लेने की क्षमता देता है जबकि मौखिक परम्परा इस तकनीक के अभाव में हमें पंगु कर देती है—हमें अपनी स्मृति पर भरोसा करना पड़ता है, कठिन विचारों को स्मृति में सँजोकर रखना कठिन होता है। अवशिष्ट मौखिकता का तात्पर्य किसी संस्कृति के अन्तर्गत विचार तथा उसकी ज़बानी अभिव्यक्ति से है। जहाँ लिखना तथा छापा की तकनीक सुलभ हो चुकी है मगर उसने इन तकनीकों का दैनिक जीवन में पूरी तरह से 'आन्तरीकरण' (मैकलुहान का शब्द) नहीं किया है। जैसे-जैसे कोई संस्कृति साक्षरता की तकनीकों (काग़ज़, छापाखाना, लिखने का ज्ञान आदि) का आन्तरीकरण करती है, वैसे-वैसे 'मौखिक अवशिष्ट' या अवशिष्ट मौखिकता ख़त्म होती जाती है। मगर साक्षरता की तकनीकों की उपलब्धता मात्र से ही साक्षरता का विस्तार नहीं हो जाता क्योंकि एक ओर लिखना-पढ़ना सीखने की जिज्ञासा आम लोगों में होनी आवश्यक है, तो दूसरी ओर राजनैतिक सत्ता और धर्म की सत्ता का खुलापन भी ज़रूरी है। यदि हम इतिहास को खँगालें, तो पाते हैं कि प्राचीन यूनानियों ने जब लिखने का अन्वेषण कर लिया, तो एक विशिष्ट प्रकार की 'मुन्शी संस्कृति' (स्क्राइबल कल्चर) का विकास हुआ जो कई पीढ़ियों तक चली क्योंकि कुछ लोगों को छोड़कर आम लोग पढ़ने-लिखने के लिए जिज्ञासु नहीं थे। दूसरी ओर प्राचीन मिस्र और मध्यकालीन यूरोप में साक्षरता का दायरा राजनैतिक और धार्मिक अभिजनों तक ही सीमित रहा। प्राचीन भारत में भी शूद्र और अछूत साक्षरता से (धार्मिक सत्ता के आदेश के कारण) वंचित रहे। मगर इसका यह भी अर्थ नहीं है कि ब्राह्मण, क्षत्रिय और वैश्य जैसे द्विजों के सारे लोग शिक्षित थे—सैद्धान्तिक रूप से अवसर का खुलापन होने के बावजूद शिक्षा व्यवस्था व्यवहार में सबको सुलभ नहीं थी अथवा वे जीविका आदि की खोज में शिक्षा ग्रहण नहीं करते थे।

यह भी उल्लेखनीय है कि साक्षरता तकनीकों को अपनाने का मौखिक समाज के विद्वान लोग भी विरोध कर सकते हैं जैसे, सुकरात ने यहाँ तक कह दिया था कि लिखना अमानवीय होता है क्योंकि यह मानव मस्तिष्क में रह रहे जीवन्त विचारों और भौतिक दुनिया के महज़ पदार्थों में बदलने का प्रयास करता है। क्योंकि जब लोग सिर्फ़ लिखे हुए पर (न कि सोचने की क्षमता वाली चीज़ पर) विश्वास करने के आदी

हो जाते हैं सो उनकी मन और स्मृति की शक्तियाँ कमज़ोर हो जाती हैं। उनके अनुसार वास्तविक ज्ञान सिर्फ़ सक्रिय मानव मस्तिष्कों के सम्बन्धों से पैदा हो सकता है; कोई किताब (मनुष्य की तरह) किसी सवाल का जवाब नहीं दे सकती—यह किसी बात को बार-बार दुहराएगी, भले पहले उसका खंडन हो चुका होगा। मगर सुकरात का यह कथन सच्चाई के निकट नहीं है क्योंकि लिखने की पद्धति के विकास से ज्ञान का जनतन्त्रीकरण हुआ और जो सीमित व संकुचित ज्ञान मात्र कुछ लोगों तक सीमित था और महज़ कुछ समय तक याद रखा जा सकता था, उसका दायरा विस्तृत हुआ और ज्ञान का लम्बे अरसे तक के लिए भंडारण सम्भव हो सका। यह कहना अनावश्यक नहीं होगा कि प्लेटो (सुकरात के शिष्य) के समय में बोले गये शब्द तथा लेखन के बीच सन्तुलन क़ायम होने की वजह से ही प्राचीन यूनान की सांस्कृतिक व बौद्धिक सम्पदा समृद्ध हुई जिसमें प्लेटो ने सुकरात के विचारों को 'द रिपब्लिक' में समाहित किया। उन्होंने संवादों, रूपकों तथा उदाहरणों से दर्शन के गरिष्ठ मुद्दों को समझाने की कोशिश की। मैकलुहान ने यह भी कहा है कि आधुनिकीकरण (ख़ासकर उसकी तकनीकों) के कारण कुछ मौखिक क्षमताएँ क्षीण हो जाती हैं—जैसे, लिखने-पढ़ने की तकनीक विकसित होने से लोग किताबों आदि को चुपचाप पढ़ने लगे यानी बिना ज़ोर से बोले हुए। इसलिए पाठक पाठ के अन्य गुणों (काव्यात्मक एवं श्रवण सम्बन्धी) की ओर ध्यान देने लगे। मैकलुहान और वाल्टर जे.ओंग दोनों का मानना है कि इलेक्ट्रॉनिक युग में 'द्वितीयक मौखिकता' (सेकंडरी ओरल्टी) का पुनः प्रादुर्भाव हुआ है जहाँ लिखित शब्दों को दृश्य-श्रव्य तकनीकी (जैसे रेडियो, टी.वी., टेलीफ़ोन) ने हटा दिया।

प्रायः लिखित परम्परा के समाज मौखिक परम्परा के समाजों को (लेखन के अभाव के कारण) हेय दृष्टि से देखते हैं मगर मौखिक संस्कृतियाँ स्वतः जीवन्त होती हैं। उदाहरणार्थ, 1971 में किये गये एक अध्ययन में पाया गया है कि 3000 भाषाओं में से सिर्फ़ 78 के पास लिखित साहित्य था। यद्यपि यह सही है कि साक्षरता से विचार एवं कर्म दोनों में मानव सम्भावनाओं का विस्तार होता है, मगर यह भी उतना ही सही है कि साक्षरता की सभी तकनीकियाँ अन्ततः मनुष्य की मौखिक भाषाओं को सीखने की क्षमता पर निर्भर करती हैं। ओंग का यह मानना सही है कि विभिन्न देशों के बीच समझ कुछ हद तक मौखिक संस्कृति को समझने पर निर्भर करती है क्योंकि पश्चिमी और ग़ैर-पश्चिमी दृष्टिकोणों के बीच के विरोधाभास अन्ततः गहन रूप से आन्तरीकृत साक्षरता तथा चेतना के कमोबेश अवशिष्ट मौखिकता के बीच के विरोधाभास हैं।

ओंग के अनुसार मौखिक संस्कृति की विशेषताएँ निम्नलिखित होती हैं—

- मौखिक संस्कृति में सूत्र शैली अपनाई जाती है। लय और साँस लेने की क्रमबद्धता में, तथा हाव-भाव एवं मानव-शरीर के दोतरफ़ा सुडौलपन में

घनिष्ठ सम्बन्ध होता है। सो वैदिक मौखिक परम्परा में लयात्मक मन्त्रों की रचना हुई।

- मौखिक संस्कृति योगात्मक होती है, न कि अधीनस्थ बनाने वाली। यह जटिल अधीनस्थ बनाने वाले वाक्यांशों को छोड़ देती है।
- मौखिक संस्कृति सामूहिक होती है, न कि विश्लेषणात्मक। सामान्य सम्प्रेषण में कुछ शब्दों को आदतन एक साथ प्रयोग में लाया जाता है।
- मौखिक संस्कृति मुख्य बिन्दुओं पर ज़ोर देती है—यह प्रवाह और वाचालता को प्रोत्साहित करती है।
- यह रूढ़िवादी या परम्परावादी होती है।
- मौखिक संस्कृति मानव जीवन के तात्कालिक सरोकारों से सम्बद्ध होती है।
- मौखिक संस्कृति में भिड़न्त वाला सुर होता है—यह ज़्यादा हिंसात्मक होती है गाली-गलौज से लेकर युद्ध तक। दूसरी ओर लेखन और छपना मनुष्य को सीधे अन्तर वैयक्तिक-संघर्ष से रोकता है।
- यह परानुभूतिपरक तथा सहभागी होती है क्योंकि सीखने के लिए सबसे कारगर विधि जानकार लोगों के साथ घनिष्ठ परानुभूतिपरक, सामुदायिक संघ बनाने की होती है।
- मौखिक संस्कृति सूचना रखने के लिए अपनी सीमित क्षमता का संरक्षण करती है, इसलिए वह उसी सूचना को रखती है जो वर्तमान सदस्यों के काम की हो। अर्थात् जिनकी महत्ता ख़त्म हो जाती है, उन्हें वे अपनी स्मृतियों से हटा देती है।
- मौखिक संस्कृति स्थितिजन्य होती है, न कि अमूर्त। यह बोलने वाले की जानकारी वाली स्थितियों और पदार्थों पर सबसे ज़्यादा ध्यान देती है। अर्थात् मूर्त चीज़ों (जो दैनिक व्यवहार में लाई जाती हैं) से वे अपनी समझ बढ़ाते हैं। गोला समझने के लिए मौखिक संस्कृति के लोग चन्द्रमा और प्लेट जैसे उदाहरणों को कारगर मानते हैं।

इस प्रकार मेरी समझ है कि मौखिक परम्परा या संस्कृति बोली या लोक गीतों या कहावतों या लोककथाओं या मन्त्रों के ज़रिये कतिपय सन्देशों, विचारों, विश्वासों, व्यवहारों, जीवन-पद्धतियों, नियमों, मूल्यों और क्रिया-कलापों का एक पीढ़ी से दूसरी पीढ़ी में हस्तान्तरण है। उत्तर भारत में घाघ-भड्डरी की खेती सम्बन्धी कहावतें मौखिक परम्परा का सटीक उदाहरण हैं। दूसरे, यह अन्तर-पीढ़ी हस्तान्तरण सामूहिक होता है जिसमें एक समुदाय या कुछ निकटवर्ती समुदायों के लोग साझी विरासत को अगली पीढ़ी को सौंपते हैं और इस हस्तान्तरण के दौरान निरन्तरता और परिवर्तन की

प्रक्रियाएँ एक दूसरे को प्रभावित करती हैं। तीसरे, मौखिक परम्परा में स्थानीयता (कभी-कभी क्षेत्रीयता) का पुट होता है क्योंकि एक ख़ास क्षेत्र के लोग वहाँ की भौगोलिक स्थिति, माटी की गन्ध, परिस्थितिकी आदि के आदी होते हैं तथा ये तत्त्व उनकी मौखिक परम्परा में प्रत्यक्ष या परोक्ष रूप में शामिल होते हैं। चौथे, मौखिक परम्परा में समुदाय का प्रामाणिक अनुभव झलकता है अर्थात् प्रयोगशाला में सम्पन्न तथाकथित वैज्ञानिक ज्ञान (जो सर्वव्यापी माना जाता है और जिसे कहीं भी सिद्ध-असिद्ध किया जा सकता है) के बरक्स यह अनुभवसिद्ध, समय-सिद्ध और विशिष्ट स्थानसिद्ध होता है। पाँचवें, मौखिक परम्परा में तात्कालिकता और सहजता को दीर्घकालिकता एवं जटिलता के बरक्स ज़्यादा महत्त्व दिया जाता है। इसलिए इसमें सहजता तथा प्रत्यक्ष सम्बन्ध का भाव अधिक होता है। यानी लोग अपने दैनिक जीवन के निर्वाह के लिए सरल सम्प्रेषण एवं संवाद (भाषा) स्थापित करते हैं और व्याकरण पर ध्यान कम या बिल्कुल नहीं देते—व्याकरण बनाने का काम बाद में अगली पीढ़ियों द्वारा या बाहरी विशेषज्ञों द्वारा सम्पन्न होता है।

मौखिक परम्परा में पारम्परिक ज्ञान भी शामिल होते हैं जिनमें खेती करने की नाना विधियों, देसी बीजों के संरक्षण की विधियों, किसिम-किसिम के पेड़-पौधे उगाने की विधियाँ, देसी चिकित्सा (योग, जल-मिट्टी से चिकित्सा, जड़ी-बूटियों से चिकित्सा, भस्मों से चिकित्सा, रसायनों से चिकित्सा, पत्थरों-धातुओं से चिकित्सा आदि) की विधियाँ आदि प्रमुख होती हैं। दक्षिण अमेरिका में कयापो जनजाति ने अमेजोनिया के जंगलों-ज़मीनों के परिस्थितिकीय क्षेत्रों का विशद वर्गीकरण विकसित किया है। भारत में कई प्रकार के अन्न, फल, फूल, वनस्पति, जड़ी-बूटी आदि के देशज संरक्षण की मौखिक परम्परा रही है जिसमें विशेषकर महिलाओं का योगदान सराहनीय रहा है। मगर यह भूमंडलीकरण का कुप्रभाव है कि हमारी हज़ारों प्रकार की प्रजातियाँ संकर बीजों—ख़ासकर बहुराष्ट्रीय कम्पनियों द्वारा विकसित 'समापक बीज' (टर्मीनेटर सीड्स) के आधिपत्य और आक्रमण के कारण लुप्त हो गयी हैं। 1970 के दशक तक भारतीय ग्रामीण महिलाएँ अपने पारम्परिक अनुभव के आधार पर अपनी खेती में उपजे अनाजों/तिलहनों/दलहनों से चुनकर बीज संरक्षित करती थीं और हर किसान अगली बुआई के लिए या तो स्वयं सक्षम होता था अथवा गाँव-टोले में दूसरों से वांछित बीजों की अदला-बदली करता था। मगर अब ज़्यादा पैदावार (जिसके लिए ज़्यादा लागत भी लगती है) के लालच में किसान संकर बीजों को महँगी दर पर ख़रीदता है और अन्तत: खेती घाटे का सौदा सिद्ध होती है। सो वैज्ञानिकतावाद ने भूमंडलीकरण की मिलीभगत से मौखिक परम्परा के सहज आनुभविक ज्ञान को हटाकर ग्रामीण किसानों का अहित ही किया है। इस प्रकार बहुधा

मौखिक संस्कृति को लिखित संस्कृति का अधीनस्थ मानने से ज्ञान की 'दूसरी परम्परा' से हम वंचित हो जाते हैं जबकि सहभागी जनतन्त्र का तकाज़ा है कि 'अन्य' (व्यक्ति, समूह, संस्था, संगठन, संस्कृति, समाज) के प्रति हम उदार और सहनशील हों और उसको भी परखने का अवसर दें।

दूसरी बात यह है कि मौखिक परम्परा में नैतिकता, आध्यात्मिकता और दैनिक जीवनानुभव का सख़्त विभाजन नहीं था अर्थात् ज्ञान सकलवादी था जिसके कारण मुनष्य में उदारता और शील भाव अधिक था किन्तु विज्ञानवाद ने नैतिकता, आध्यात्मिकता, पंथनिरपेक्षता, प्रयोग-सिद्ध ज्ञान आदि के दायरों को अलग-अलग कर दिया जिससे ज्ञान (भौतिक पदार्थों के बारे में सिद्ध होने वाला ज्ञान) और अ-ज्ञान (धर्म, नैतिकता, आध्यात्मिकता) का खंड-खंड विखंडन हो गया और उससे मनसा, वाचा कर्मणा, अनुदारता में इज़ाफ़ा हुआ। मगर इसका दूसरा पक्ष भी उल्लेखनीय है कि ज्ञान के पंथनिरपेक्षीकरण के पूर्व मौखिक पारम्परिक ज्ञान में प्रायः कुछ समुदायों/जातियों/वर्णों को ज्ञान से वंचित रखा गया और उसका औचित्य अवैज्ञानिक तरीक़े से धर्म शास्त्रों द्वारा गढ़ा गया।

यह भी उल्लेखनीय है कि विश्व व्यापार संगठन के द्वारा बौद्धिक सम्पदा अधिकार की नीति लागू कर देने से स्थानीय समुदायों के पारम्परिक ज्ञान (मौखिक परम्परा) का बहुत बड़ा नुक़सान हुआ है क्योंकि नया पेटेंट क़ानून लिखित परम्परा को ही मानता है जिसमें नये आविष्कार आदि का विधिवत दस्तावेज़ीकरण हो। अस्तु, भारत में सदियों से प्रयुक्त बासमती चावल, हल्दी, करेला, जामुन तथा कई जड़ी-बूटियों का पेटेंट अधिकार विदेशों के कई नक्कालों ने येन-केन-प्रकारेण प्राप्त कर लिया था जिसके विरुद्ध लम्बी लड़ाई के बाद भारत को उनके पेटेंट अधिकार (फिर से) मिले। भारत में आयुर्वेद के तमाम लिखित प्राचीन ग्रन्थ (चरक संहिता आदि) भी मौजूद हैं, मगर पश्चिमी दुनिया के तथाकथित वैज्ञानिक उन्हें मान्यता नहीं देते क्योंकि वे 'विशिष्ट' ज्ञान नहीं माने जाते हैं। इस प्रकार जैव चोरी धड़ल्ले से हो रही है। अमेरिका में हर साल पेटेंट आवेदनों की संख्या तीन लाख पचास हज़ार होती है जिनमें कई विकासशील देशों के सामुदायिक पारम्परिक ज्ञान पर क़ब्ज़ा करने के प्रयास भी होते हैं। इतना ही नहीं, भारत के अन्दर भी ग़रीब अनपढ़ किसान (विशेषकर दलित, आदिवासी) लिखित परम्परा की त्रासदी से, भूमि क़ानूनों की जटिलता और छलावों से तथा राजस्व व दीवानी अदालतों की अपारदर्शिता एवं दीर्घसूत्रता के कारण प्रायः त्रस्त होते हैं क्योंकि चकबन्दी, हदबन्दी, दख़ल-क़ब्ज़ा, ख़ारिज-दाख़िल आदि मामलों में अनपढ़ किसानों की 'मौखिक परम्परा' (ज़मीनी हक़ीक़त) को तथाकथित अधिकारी कर्मचारी और न्यायालय महत्त्व नहीं देते, बल्कि वे प्रक्रियाओं, लिखित क़ानूनों और महँगी मुक़दमा पद्धतियों को तरजीह देते हैं जिसके फलस्वरूप प्रायः

धनबल, ज़ोर–जबर्दस्ती, संख्या बल और क़ानून की बारीक़ी में निहित छलबल अन्तिम पारी जीतता है। इसीलिए भारत जन आन्दोलन के जनक डॉ. बी.डी. शर्मा आदिवासियों के भू–अभिलेखों में गड़बड़ी के लिए लिखित परम्परा को ज़िम्मेदार मानते हैं। ऐसे विषाक्त माहौल में मौखिक परम्परा या पारम्परिक ज्ञान (जो स्थानीय रूप से उचित, सांस्कृतिक रूप से स्वीकार योग्य तथा पारिस्थितिकीय रूप से टिकाऊ होता है) को सही परिप्रेक्ष्य एवं दिशा में संरक्षित करना हमारा मानवाधिकार है जिसे सुरक्षित रखने के लिए संयुक्त राष्ट्र ने 2007 में देशी लोगों के अधिकारों पर घोषणा (डिक्लेरेशन ऑन द राइट्स ऑव इंडिजेनस पीपल्स) के रूप में पहल की है जिसका कार्यान्वयन करना सभी देशों, व्यक्तियों, समूहों और संगठनों का कर्तव्य है।

भाषाओं का जीवन और मरण

सामान्यत: भाषा का तात्पर्य सम्प्रेषण संवाद की क्रिया से होता है अर्थात् दो व्यक्तियों, समूहों या समाजों के बीच लिखित या मौखिक सम्प्रेषण का माध्यम भाषा होती है। मगर यह प्रारम्भिक चरण होता है। कालान्तर में भाषा सम्प्रेषण (संचार) के अलावा पहचान का काम भी करती है (उदाहरणार्थ ब्रिटेन में मैंने दो श्रीलंकाई नागरिकों से पूछा कि संस्कृत से तमिल का घनिष्ठ सम्बन्ध है कि सिंहली भाषा का? तो एक ने तमिल कहा और दूसरे ने सिंहली कहा क्योंकि उनकी भाषाई पहचान भिन्न थी)। भाषा सामाजिक एकीकरण का भी काम करती है, शिक्षा का भी काम करती है, तथा आर्थिक व्यापार एवं विकास का भी काम करती है। भाषा एक अद्‌भुत सामाजिक अन्त:क्रिया के रूप में वर्ग, जाति, लिंग जैसी संकीर्णताओं का अतिक्रमण करती है और इसकी प्रकृति तथा प्रवृत्ति इतनी खुली और पारदर्शी होती है कि कोई भी व्यक्ति कोई भी भाषा सीख सकता है और अपने सृजन से उसके भंडार को और समृद्ध कर सकता हैं। माँ के दूध के साथ हम मातृभाषा भी सहजता से शीघ्र सीख जाते हैं, बिना किसी औपचारिक शिक्षण व्यवस्था के। भाषा की यह विशिष्टता ही इसे व्यापक और उदार बनाती है। भाषा की मिठास, लोच और सामाजिकता के कारण ईंट-पत्थर या लोहे की दीवारें भी ध्वस्त हो जाती हैं। पूर्वी और पश्चिमी जर्मनी के बीच की 'बर्लिन दीवार' को जर्मन भाषा-संस्कृति ने ही तोड़ा था। दूसरी ओर पाकिस्तान द्वारा पूर्वी इलाक़े (बांग्लादेश) पर थोपी गयी उर्दू को बांग्ला भाषा ने क़तई सहन नहीं किया और अपना स्वतन्त्र वजूद हासिल किया। इस प्रकार भाषा, सम्प्रेषण, पहचान, सामाजिक एकीकरण, शिक्षा, व्यापार और विकास जैसे महत्त्वपूर्ण कार्यों का सम्पादन एक समय अथवा भिन्न-भिन्न कालखंडों में करती है। इस प्रकार भाषा विभिन्न व्यक्तियों, समूहों और समाजों को जोड़कर सांस्कृतिक विविधता के ताने-बाने बुनती है। भाषा से अस्मिता का सवाल सबसे अहम् होता है। जैसा कि क्रिस्टीन जॉनसन ने ठीक ही कहा है—

मैं अपनी मुँहलगी भाषा बोलता हूँ

क्योंकि उसी से मैं हूँ।
हम अपने बच्चों को अपनी मुँहलगी भाषा सिखाते हैं
क्योंकि हम चाहते हैं
कि वे जानें कि वे क्या हैं॥

मगर यह भी सही है कि भाषा अस्मिता का प्रतीक होने के कारण विरोध, संघर्ष और आक्रमण का शिकार भी होती है। पंजाब में खालिस्तान का राग अलापने वाले उग्रवादियों ने भाषाई शुद्धतावाद के नज़रिये से पवित्र गुरु ग्रन्थ साहब में हिन्दी शब्दों की जगह उर्दू शब्दों को घुसेड़ा। जैसे 'पवित्तर' की जगह 'मुक़द्दस'। फिर उन्होंने हिन्दी भाषा के अख़बारों, विभागों, आकाशवाणी, दूरदर्शन केन्द्रों आदि पर तोड़-फोड़ की और हिन्दी भाषियों की पिटाई या हत्या तक कर दी। यही स्थिति उत्तर-पूर्व के असम, मणिपुर, नागालैंड तथा महाराष्ट्र में समय-समय पर रही है जब हिन्दी भाषियों पर हमले हुए और उन्हें भगाया गया हिन्दी के कारण जिसका पर्याय मज़दूरी, मजबूरी और पिछड़ापन रहा है और इसीलिए उन्हें उपेक्षा और अपमान से 'भैया' कहा जाता है 'बाहरी', 'नौकर' और 'नीच' मानते हुए। कई अफ्रीकी देशों में विभिन्न क़बीलों के बीच भाषा-विरोध चलता रहता है। यह गृह युद्ध की-सी स्थिति होती है जब अन्य भाषा बोलने वालों का सिर क़लम कर दिया जाता है। भारत में मुख्यतः चार भाषा परिवारों की भाषाएँ बोली और लिखी-पढ़ी-जाती हैं—

(क) भारोपीय का आर्य भाषाएँ—हिन्दी, सिन्धी, पंजाबी, राजस्थानी, गुजराती, उर्दू, बंगाली, असमिया, उड़िया, मैथिली, मगही, भोजुपरी, अवधी, ब्रज, नेपाली, गढ़वाली, कुमाँऊनी, मराठी, संस्कृत, पालि।

(ख) द्रविड़ भाषाएँ— तेलुगु, तमिल, कन्नड़, मलयालम।

(ग) ऑस्ट्रिक या कोल या निषाद भाषाएँ— संथाली, मुंडारी, हो, बिरहो, भूमिज, कुडुख, सावरा, गड़वा, खासी।

(घ) मंगोल या चीनी-तिब्बती या किरात भाषाएँ— बोड़ो, नागा, कुकी, मेइती, सिक्किमी, लेपचा।

1984-86 में किये गये 'पीपल ऑव इंडिया' सर्वेक्षण के अनुसार भारत में 324 भाषाएँ (बोलियों सहित) थीं और कुल 25 लिपियाँ थीं। किसी भी मानव-सभ्यता का एक महत्त्वपूर्ण आयाम भाषा रहा है क्योंकि मानव विरासत सुरक्षित रखने के लिए दाम के लिए भाषा की विशिष्टता और विविधता दोनों जरूरी हैं। एक ओर भाषा से मनुष्य नाना प्रकार के विकास करता है और दूसरी ओर विभिन्न प्रकार के विकास से नयी भाषा विकसित होती है। जो पुरानी भाषा की समृद्धि एवं संवर्द्धन के रूप में हो सकती है अथवा नयी ज़रूरतों के फलस्वरूप नयी भाषा हो सकती है। जैसे प्राकृत, अपभ्रंश, दक्खिनी, अवधी, ब्रज, बुन्देली, बघेली, मैथिली, भोजपुरी, मगही,

राजस्थानी, हरयाणवी, कुमाँऊनी, गढ़वाली, आदि से हिन्दी (खड़ी बोली) का विकास हुआ और मुग़लकाल में अरबी, फ़ारसी बोलने वालों और हिन्दी की क्षेत्रीय भाषाएँ बोलने वालों ने मिलकर एक नयी भाषा 'उर्दू' ईजाद की। भारत में प्राचीन काल में संस्कृत, मध्यकाल में फ़ारसी, आधुनिक (ब्रिटिश काल) में अंग्रेज़ी और आधुनिक (स्वातन्त्र्योत्तर काल) में हिन्दी राजभाषा रही है, मगर इनके साथ-साथ (और कभी-कभी इनके विरुद्ध) अन्य देसी भाषाएँ आम-बोलचाल के लिए प्रयुक्त होती रहीं, भले उनका लिखित स्वरूप ज़्यादा समृद्ध नहीं था।

भाषा के सवाल के विस्तार में जाने के पहले यह जानना ज़रूरी प्रतीत होता है कि भाषा क्या है? भाषा की उत्पत्ति कैसे हुई? उसके स्वरूप क्या हैं? आदि। भाषा वैज्ञानिकों के अनुसार शब्द को मुख्यतः चार अर्थों में प्रयुक्त किया जाता रहा है जो इसकी प्रमुख विशेषताओं पर आधारित हैं—पहला, भाषा मानव-समाज में एक प्रकार का सम्प्रेषण माध्यम है—दो या अधिक व्यक्तियों या समूहों के बीच मौखिक या लिखित सम्प्रेषण का माध्यम भाषा ही होती है। दूसरा, भाषा का तात्पर्य मानव विचार प्रक्रिया से भी होता है क्योंकि दूसरे व्यक्ति या समूह से कुछ कहने या लिखकर अपनी बात पहुँचाने के पहले मनुष्य अपनी भाषा में ही सोचता-विचारता है। भारत में ऐसा प्रायः कहा जाता है कि आप हिन्दी (या अन्य मातृ भाषा) में सोचते हैं अथवा अंग्रेज़ी में। जो जिस भाषा में सोचता है, प्रायः उसमें अभिव्यक्त करने में ज़्यादा सहज और अनुकूल होता है। और दूसरी भाषा में व्यक्त करते समय उसे अपनी मातृभाषा में सोची गयी बातों/विचारों को उसमें अनूदित करना पड़ता है। इस प्रकार कोई सम्प्रेषण हुए बग़ैर मनुष्य किसी भाषा में सोचता-विचारता है। तीसरा, भाषा विभिन्न प्रतीकों का समूह होती है जिनके सूचकांक, संकेत और मलूरूप पर एक समुदाय सहमति व्यक्त करता है और उसमें कुछ नया जोड़ते हुए अगली पीढ़ी को हस्तान्तरित करता है। यह सम्भव है कि कुछ प्रतीक बोलने और लिखने में ध्वनि (उच्चारण) तथा लिखित (प्रतीक) रूप में भिन्न हों। अंग्रेज़ी में 'टू' उच्चारण समान होने पर भी उसकी तीन तरह की वर्तनी होती है—टी.ओ., टी.ओ.ओ. तथा टी.डब्लू.ओ.। इसी प्रकार हिन्दी में 'सिंह' शब्द के उच्चारण में सिंघ का प्रयोग सिंह से ज़्यादा होता है। इसे अंग्रेज़ी में प्रायः एस.आई.एन.जी.एच. लिखा जाता है, किन्तु बिहार के प्रसिद्ध नेता अनुग्रह नारायण सिंह अंग्रेज़ी में एस.आई.एन.एच.ए. (सिन्हा का उच्चारण) लिखते थे—तभी तो उनके नाम पर बने संस्थान को ए.एन.सिन्हा इंस्टीटयूट ऑव सोशल स्टडीज़ (पटना) कहा जाता है। ख़ैर...अंग्रेज़ी का 'लैंग्वेज़' शब्द लैटिन भाषा के 'लिंगुआ' शब्द से बना है जिसका अर्थ होता है 'ज़बान' बोली—अर्थात् इसका आशय मौखिक भाषा से है (लिंगुआ फ्रैंका जैसे शब्द का प्रयोग भाषा को सही ढंग से एवं गति से बोलना सिखाने वाले संस्थान प्रायः करते हैं)। चौथा, विशेषकर पाश्चात्य दर्शन में

भाषा प्रयोग, विवेक के अर्थ में किया जाता रहा है। प्राचीन यूनानी दर्शन में 'लोगोस' शब्द का प्रयोग भाषा या बोली (स्पीच) और विवेक (रीजन) दोनों अर्थों में होता रहा है। दार्शनिक अरस्तू ने मनुष्य को स्वभावतः भाषा और विवेक से सम्पन्न प्राणी बताया और इसलिए उसे सामाजिक और राजनैतिक प्राणी भी माना।

जहाँ तक भाषा के तत्त्वों का सवाल है, अधिकतर भाषाविदों का मानना है कि किसी भाषा में प्रमुखतः पाँच तत्त्व होते हैं, पहला, इसमें साझे रूप से सहमत कुछ प्रतीकों के समूह होते हैं। दूसरा, इन प्रतीकों के बीच व्याकरण के ज़रिये एक संरचनात्मक सम्बन्ध होता है अर्थात् प्रतीकों के मानक अर्थ, एक दूसरे के साथ जोड़ने के नियम आदि होते हैं। व्याकरण के नियम ही भाषा को अन्य प्रकार के सम्प्रेषण से भिन्न करते हैं। उदाहरणार्थ, संस्कृत विद्वान पाणिनि ने 'अष्टाध्यायी' में व्याकरण के 3959 नियम बनाये थे। मगर उन्होंने विधेयात्मक, वर्णनात्मक और ऐतिहासिक भाषा विज्ञान में कमोबेश सन्तुलन बनाये रखा। तीसरा, इन प्रतीकों के प्रयोग का एक परिवेश या सन्दर्भ (कांटेक्स्ट) होता है। चौथा, उपरोक्त परिवेश से जुड़ने पर प्रतीकों को विशिष्ट अन्तर्वस्तु (कांटेंट) होती है—अर्थात् उनके अर्थ विशेष होते हैं। पाँचवाँ, ये प्रतीक स्वेच्छाचारी होते हैं—अपनी इच्छा के अधीन—अर्थात् विभिन्न ध्वनियों के समूहों का अनिवार्यतः कोई अर्थ नहीं होता अथवा एक ध्वनि के कई अर्थ होते हैं। इस प्रकार स्पष्ट है कि प्रकृति की तरह भाषा और संस्कृति भी परिवर्तनशील होती है। अवधी में ठीक ही कहा गया है—'कोस-कोस पर पानी बदले, पाँच कोस पर बानी।'

अब एक और महत्त्वपूर्ण सवाल उठता है कि भाषा की उत्पत्ति कैसे हुई? इस जटिल सवाल पर विद्वानों में काफ़ी मतभेद रहा है। भाषा में उत्पत्ति के बारे में मुख्यतः छः प्रकार के दृष्टिकोण (भाषा शास्त्र, दर्शन और विज्ञान में) प्रचलित हैं—

पहला, राजनीतिशास्त्र में थॉमस हॉब्स और जॉन लॉक जैसे राज्य के सामाजिक समझौते के सिद्धान्तकारों (तथा अन्य) का मानना रहा है कि भाषा 'वाणी' या 'बोली' (स्पीच) का विस्तार है जो मनुष्यों को स्वभावतः मिली है, जैसे उसे विवेक मिला है।

दूसरा, पहले दृष्टिकोण के विपरीत, कुछ विद्वानों का मानना है कि ज़्यादा जटिल सम्प्रेषण ही ज़रूरत के कारण विवेक का विकास हुआ अर्थात् आवश्यकता आविष्कार की जननी है।

तीसरा, राज्य के सामाजिक समझौते के तीसरे सिद्धान्तकार जे.जे. रूसो का मानना बिल्कुल भिन्न है। उनके अनुसार (जो डार्विन के विकासवादी सिद्धान्त के पूर्व लिख रहे थे) शुरू में मानवों के पास न तो भाषा थी और न विवेक। कालान्तर में लोगों ने भाषा का विकास सबसे पहले किया न कि विवेक का। मगर भाषा के कतिपय सकारात्मक परिणामों के साथ-साथ नकारात्मक परिणाम भी हुए हैं। नकारात्मक

परिणामों में गोपनीयता भंग होने की बात कही जा सकती है।

चौथा, कुछ तन्त्रिका विज्ञानियों जैसे टेरेंस डीकन ('सिम्बॉलिक स्पेसीज') का मानना है कि विवेक और भाषा का 'सह-विकास' हुआ, अर्थात् आगे-पीछे न विकसित होकर दोनों का विकास साथ-साथ हुआ।

पाँचवाँ, मर्लिन डीकन का मानना है कि भाषा का विकास 'अनुकरणात्मक संस्कृति' (मिमेटिक कल्चर) के आधार पर बाद में हुआ। उनके अनुसार भाषा और विवेक का 'सह-विकास' कई लोगों के मेल-जोल और अन्त:क्रिया पर निर्भर था। कहने का आशय यह है कि 'सामाजिक मस्तिष्क' की विकासवादी उत्पत्ति हुई यानी 'सामाजिक मस्तिष्क' या मस्तिष्क की सामाजिकता का महत्त्व रेखांकित किया गया। मर्लिन डीकन के शब्दों में, ''एक साझी सम्प्रेषणात्मक संस्कृति, कुछ हद तक मानसिक प्रतिनिधित्वों को साझा करते हुए, भाषा के पहले आई हुई होगी जिसने एक सामाजिक वातावरण सृजित किया होगा जिसमें भाषा लाभदायक एवं अनुकूल हुई होगी।''

छठवाँ, 'प्रतिबिम्ब तन्त्रिका सिद्धान्त' (मिरर न्यूरॉन्स थियरी) के प्रतिपादकों (यथा रामचन्द्रन) के अनुसार मानव मस्तिष्क में प्रतिबिम्ब तन्त्रिकाएँ स्थित होती हैं जो अपना कार्य पूरा करने पर जलती हैं और जब कोई कार्यकर्ता वैसा ही कार्य करता है तो पुनः जलती हैं। सो भाषा के विकास में इन प्रतिबिम्ब तन्त्रिकाओं का योगदान है।

इस प्रकार विभिन्न दृष्टिकोणों पर विचार करने के बाद इस निष्कर्ष पर पहुँचा जा सकता है कि मानव भाषाओं का निर्माण एक देशकाल के लोग लम्बी अवधि में करते हैं। सबसे पहले भाषा का मौखिक रूप विकसित होता है, उसके बाद लिखित रूप विकसित होता है और उसके बाद ही समझ एवं व्याख्या के ज़रिये व्याकरण का विकास होता है। किसी मानव-समुदाय में जो भाषा बोली जाती है, वह उसकी प्राकृतिक भाषा होती है क्योंकि उसे बोलने के अभ्यस्त हो जाते हैं वे लोग। मगर कभी-कभी कृत्रिम या गढ़ी भाषा किसी समूह द्वारा व्यावहारिक, प्रायोगिक, निजी या विचारधारात्मक कारणों से बनायी जाती है। उदाहरणार्थ, अन्तरराष्ट्रीय सहायक भाषाओं को आसानी से समझने के लिए गढ़ा गया है जैसे, 'लोजबान' कृत्रिम भाषा। कुछ साहित्यकार जैसे जे.आर.आर. टोलकिएन गल्प भाषाओं को भी गढ़ते हैं' जिसमें ज़्यादा साहित्यिक या कलात्मक प्रभाव पड़े। इसके अलावा 'नियन्त्रित भाषा' भी होती है जो प्राकृतिक भाषा का ही अंग होती है। मगर उसमें व्याकरण और शब्दकोश सीमित कर दिये जाते हैं जिससे अस्पष्टता और जटिलता कम की जा सके अथवा पूरी तरह से दूर की जा सके। 'नियन्त्रित भाषा' तैयार करने का उद्देश्य यह होता है कि बाहरी लोग (ग़ैर-मातृभाषा वाले) प्राकृतिक भाषा को आसानी से समझ सकें अथवा उसका कम्प्यूटर प्रसंस्करण कर सकें। जैसे 'सहज अंग्रेज़ी' (सिम्प्लीफाइड इंगलिश)

को पहले-पहल 'अन्तरिक्ष रखरखाव हस्तकों' के लिए बनाया गया था। इसी प्रकार औपचारिक भाषा या कार्यक्रम भाषा का निर्माण एक ख़ास कार्य के लिए कृत्रिम तरीके से किया जाता है। अब तो पशुओं के सम्प्रेषण (या भाषा) की भी बात की जाती है। नोबेल पुरस्कार विजेता (1973) कार्ल वॉन फ्रिश ने शोध करके सिद्ध किया कि मधुमक्खियों की भाषा या उपभाषा (बोली) होती है। कालान्तर में चिम्पैजी, गोरिल्ला, ओरांगउटान आदि प्राणी अमेरिकी चिह्न भाषा को सीखने में सफल हो चुके हैं। इसी प्रकार अफ्रीकी भूरा तोता मनुष्य की वाणी का अच्छा-ख़ासा अनुकरण कर लेता है। भारत में पालतू तोते 'पढ़ो परबत्ते सीताराम' सीखते रहे हैं और मंडन मिश्र, वाणभट्ट आदि संस्कृत पंडितों के घर होते भी संस्कृत के श्लोकों का पाठ करते थे। इस अनुकरण करने की परम्परा के लिए ही हिन्दी में 'तोता रटंत' प्रत्यय प्रचलित है जो बिना गहराई और विस्तार समझे रटने की पद्धति का सूचक है। मगर इतना तो सिद्ध है कि जो चीज़ पश्चिम के विद्वान बाद में खोजते हैं, उनमें से कई चीज़ें भारत में पहले ही कार्यरूप में सिद्ध होती हैं। भारत जैसे बहुभाषी देश में सामाजिक अन्तःक्रिया ज़्यादा ऊर्जावान, जटिल एवं विस्तृत तो होती ही रही है, प्रकृति और ग़ैर-मानव प्राणियों के बीच मेल-जोल की संस्कृति का समृद्ध इतिहास भी रहा है।

इस प्रकार सिद्ध है कि प्रत्येक भाषा का निर्माण उसको बोलने-लिखने वाले मनुष्य करते हैं मगर उसमें काफ़ी समय लगता है। उनका उद्देश्य ख़ास या सामान्य हो सकता है। कहने का आशय यह है कि लम्बी अवधि में आम लोग किसी भाषा को अनगढ़ तरीक़े से रचते-बुनते हैं, जो विविधता या सूचक है। फिर कालान्तर में उसी समुदाय के कुछ बुद्धिजीवी या बाहरी बुद्धिजीवी उसका व्याकरण तैयार करते हैं, जो विशिष्टता या एकरूपता या मानकीकरण या सूचक है। भारत में संस्कृत भाषा कई चरणों में विकसित हुई वैदिक संस्कृत, आर्य संस्कृत, साधु भाषा, लौकिक संस्कृत आदि। ऐतिहासिक रूप से भाषा के कुछ रूप विखंडित और विकृत होते जाते हैं जबकि दूसरे रूप ज़्यादा परिष्कृत और नवीकृत होते हैं। भाषा का सामान्य कार्य सर्वव्यापी होता है, अर्थात् विश्व की अन्य भाषाओं के शब्दों, अर्थों आदि से उनका शब्दार्थ कमोबेश मिलता-जुलता है जबकि विशिष्ट कार्य उसकी विशिष्ट सामुदायिक/सामूहिक धरोहर होती है जो अन्यत्र दुर्लभ होती है। यह विशिष्टता प्राकृतिक या सांस्कृतिक विशिष्टता या दोनों का द्योतक होती है। उदाहरण के तौर पर, भोजपुरी में एक शब्द है 'घुसकना' (तनी घुसकऽ) जिसका पूरा समानार्थी अंग्रेज़ी का 'मूव' (चलना) नहीं हो सकता। इसी प्रकार बंगाली में पीने के लिए कोई शब्द नहीं है। बंगाली लोग सिगरेट, पानी, भूजा सभी कुछ खाते हैं! दूसरी ओर हिन्दी में पानी पिया जाता है, जलपान किया जाता है, और जल ग्रहण (लिया) भी किया जाता है। यह हिन्दी भाषा की समृद्ध शब्द-सम्पाद का सूचक है। इस प्रकार प्रत्येक भाषा, एक

देशकाल के सन्दर्भ में एक मानव-समूह का ख़ास सांस्कृतिक ज्ञान होता है। जब मैं हिन्दी में लिखता हूँ, तो वह मेरी पहचान भी है और हिन्दी के ज्ञान-भंडार का सूचक भी है। विश्व में एक अनुमान के अनुसार करीब छः हज़ार सात सौ भाषाएँ जीवित हैं, मगर पिछली कुछ सदियों में सैकड़ों भाषाएँ लुप्त हो चुकी हैं अथवा लुप्त होने के कगार पर हैं। निस्सन्देह, भाषाएँ यात्रा करती हैं मनुष्यों के साथ। जब उन्नीसवीं सदी के मध्य में भारत के लाखों हिन्दी भाषी लोग 'गिरमिटिया' मज़दूरों के रूप में मॉरीशस, फिजी, सूरीनाम, गुआना, त्रिनिदाद एवं टुबैगो आदि कई देशों में गये तो उनके साथ हिन्दी, भोजपुरी, अवधी, उर्दू आदि कई भाषाएँ भी गयीं और आज वहाँ अच्छा-ख़ासा प्रवासी हिन्दी साहित्य विकसित हो चुका है। मॉरीशस की हिन्दी का रूप-रंग क्रियोल के प्रभाव के कारण भारतीय हिन्दी से भिन्न है। हिन्दी भाषा इन्द्रधनुषी रंगों में समृद्ध हो रही है। वस्तुतः जो भाषा सयम के साथ लगातार बदलती है और खुले दिल से दूसरी भाषाओं से शब्दों का आदान-प्रदान निरन्तर करती रहती है, वही जीवन्त होती है अर्थात् वही आधुनिक भाषा होती है। दूसरी ओर जो भाषा परिवर्तन से विमुख होती है, उसका धीरे-धीरे क्षरण होता है और वह मर जाती है। जीवन्त भाषा को नदी के बहते जल की तरह होना चाहिए। कबीर ने संस्कृत के बदले हिन्दी को ज़्यादा जीवन्त पाया था—'संस्कीरत है कूप जल, भाखा बहता नीर।' दार्शनिकों ने ठीक ही कहा है कि हम नदी के जिस जल में एक बार नहा लेते हैं, उसमें दुबारा प्रवेश नहीं करते क्योंकि तब तक पुराना जल बह जाता है और नया जल उसका स्थान ले लेता है। यह भी सच है कि कभी-कभी पुराने शब्द टकसाल से निकालकर धो-पोंछकर प्रचलन में लाये जाते हैं। जैसे हिन्दी में 'किसिम' शब्द कुछ सयम तक ज़्यादा प्रचलन में नहीं रहा और उसकी जगह 'क़िस्म' शब्द का प्रयोग होता रहा, मगर अब पुनः 'किसिम' शब्द प्रचलन में आ गया है। हिन्दी में एक नया शब्द आया है 'रसरंजन' (अशोक बाजपेयी) जो मदिरा पान के लिए प्रयुक्त होता है और मनोरंजन का जुड़वा भाई लगता है। मदिरापान में जो नकारात्मक संकेत है, वह आश्चर्यजनक तरीक़े से 'रसरंजन' में नहीं है। इसी प्रकार अंग्रेज़ी के 'मिथ' शब्द का कोई उचित पर्याय हिन्दी में नहीं था, सो हजारी प्रसाद द्विवेदी ने मिथ+क से 'मिथक' शब्द बना दिया जो हिन्दी भाषा-साहित्य में पूरी रफ़्तार से दौड़ रहा है।

यूनेस्को ने माना है कि कोई भाषा तब ख़तरे में मानी जाती है जब यह विलुप्ति की राह पर होती है। फिर उसका समुचित दस्तावेज़ तैयार किये बिना उसका पुनरुद्धार नहीं हो सकता। सो जब निम्नलिखित तीन दशाएँ परिलक्षित होती हैं, तो कोई भाषा ख़तरे में पड़ जाती है—

(क) जब इसके बोलने वाले इस भाषा को नहीं बोलते।

(ख) जब इसके बोलने वाले सम्प्रेषण क्षेत्रों में इसका प्रयोग बहुत कम बार

करते हैं।

(ग) जब इसके बोलने वाले इसे अगली पीढ़ी को अन्तरित नहीं करते।

एक भाषाविद् रसेल एच. बर्नार्ड का मानना है कि विश्व के 97% लोग विश्व की चार प्रतिशत भाषाएँ ही बोलते हैं। दूसरी ओर विश्व की 96% भाषाएँ विश्व के महज़ 4% लोगों द्वारा बोली जाती हैं। यह विषमता का सूचक है क्योंकि भाषाओं की संख्या और जनसंख्या में विपरीत अनुपात है। दूसरा महत्त्वपूर्ण तथ्य भी उल्लेखनीय है कि विश्व की कुल भाषाओं की आधी भाषाओं के बोलने वालों की संख्या में कमी हो रही है। यूनेस्कों ने आकलन किया है कि संसार के विभिन्न क्षेत्रों में इक्कीसवीं सदी के अन्त तक 90% भाषाओं की जगह 'प्रबल भाषाएँ' (डॉमिनेंट लैंग्वेज) ले लेंगी। प्रबल भाषा प्रबल संस्कृति का मूर्त रूप होती है और उसे सकारात्मक सम्पत्ति, मूल्य-व्यवस्था या माहौल के रूप में प्रदर्शित किया जाता है क्षेत्रीय, देशज या स्थानीय भाषाओं के बरक्स। प्रबल भाषा एक प्रकाशमान बिम्ब तैयार करती है जिसके ताने-बाने भय, शक्ति और समृद्धि से बुने गये होते हैं जिसके आगे लक्ष्मण-रेखा खिंची होती है जिसे क्षेत्रीय, देशज या स्थानीय भाषाएँ पार न करें। यह प्रत्यक्ष या अप्रत्यक्ष रूप से घोषित किया जाता है कि छोटी-छोटी भाषाओं के विकास से प्रबल भाषा का सम्वर्द्धन संकट में पड़ जाएगा।

सवाल उठता है कि भाषा लुप्त क्यों और कैसे होती है? इसके लिए भीतरी और बाहरी दोनों ताक़तें ज़िम्मेदार होती हैं। बाहरी ताक़तों में सेना, आर्थिक, धार्मिक, सांस्कृतिक या शैक्षिक अधीनस्थता मुख्य होती हैं जबकि भीतरी ताक़त में सम्बन्धित समुदाय का अपनी भाषा के प्रति उदासीनता हो सकती है। मगर भाषा के लोप या क्षरण का सवाल बहुत सरल नहीं होता। कभी-कभी ऐसा भी होता है कि बाहरी ताक़तों के ज़रिये भीतरी ताक़त (समुदाय की उदासीनता) काम करती है यानी सांस्कृतिक उपनिवेशवाद या साम्राज्यावाद कभी तो 'आधिपत्य' के ज़रिये (अर्थात् जबर्दस्ती) और कभी 'वर्चस्व' (सहमति से प्राप्त किया गया प्रभुत्व) के ज़रिये काम करता है कि आपकी भाषा निम्न कोटि की है, कि इसमें बहुत कम शब्द हैं, कि यह आधुनिक समाज के लायक़ नहीं है, कि इसकी लिपि में किताबें नहीं छापी जा सकती हैं क्योंकि तकनीकी उपलब्ध नहीं है, कि उस भाषा को पढ़ने की परीक्षा/शिक्षा बोर्ड मान्यता या स्वीकृति नहीं देता, कि उस भाषा को पढ़ने से रोज़गार और बाज़ार नहीं मिलेगा, कि उस भाषा के बदले वैश्विक भाषा (अंग्रेज़ी, फ्रांसीसी, जर्मन, रूसी, चीनी, स्पैनिश, इतालवी, अरबी) सीखने से रोज़गार मिलेगा, गतिशीलता बढ़ेगी आदि। इन दोनों ताक़तों के कार्यरत रहने से एक पीढ़ी से दूसरी पीढ़ी में मूल भाषाई और सांस्कृतिक परम्पराओं का संचरण नहीं हो पाता। सो धीरे-धीरे भाषा का क्षरण होने लगता है और देशी भाषाओं के बोलने वालों में हीन ग्रन्थि घर कर जाती है।

इसके दो उदाहरण दिये जा सकते हैं—पहला, ब्रिटिश भारत में मैकाले और उनके सदृश नस्लवादी बुद्धिजीवी तथा ईसाई मिशनरियाँ धड़ल्ले से यह प्रचार कर रही थीं कि भारत में जो भी ज्ञान संचित है, उससे अधिक ब्रिटेन की किसी पुस्तकालय की एक अलमारी में है, कि देसी बोलियाँ जिन्हें 'वर्नाकुलर' कहकर लांछित किया गया—आधुनिकता के दौर में बर्बर, असभ्य, पिछड़ी और कमतर हैं जिनकी जगह अँग्रेज़ी ही उपयुक्त होगी। सो वह भारतीयों को अंग्रेज़ी भाषा (विषय और माध्यम के रूप में) के ज़रिये रक्त मांस में भारतीय रहने के बावजूद मानसिक तौर पर (रुख़) अंग्रेज़ बनाना चाहते थे। इस प्रकार की भेदभावपरक भाषाई नीति के कारण भारतीय भाषाओं का पतन तेज़ी से हुआ और उच्च मध्यम वर्ग में अंग्रेज़ी शिक्षा प्राप्त करने की होड़ लग गयी। इसी प्रकार 1954 में नैरोबी में ब्रिटिश गवर्नर सर फिलिप माइकिल ने कहा था, ''हमारा उद्देश्य यहाँ एक सभ्य समाज की स्थापना करना है जिसमें उन्हीं मूल्यों और मानदंडों को जगह मिले जो ब्रिटेन के मूल्य और मानदंड हैं, जिनमें हर व्यक्ति की, चाहे वह किसी भी नस्ल का क्यों न हो, दिलचस्पी और भूमिका है...'' इस प्रकार 'श्वेत पुरुष का भार' (व्हाइटमैन्स बर्डेन) अश्वेतों को अंग्रेज़ी के ज़रिये सभ्य बनाना रहा है। दूसरा उदाहरण स्वतन्त्र भारत का है। झारखंड के सन्थाल परगना क्षेत्र में पहाड़ियाँ जनजाति अपनी भाषा खो रही है। ईसाई मिशनरियों ने, जिन्होंने बहुत सारे पहाड़ियों को ईसाई बना दिया है, रोमन लिपि में उनकी कुछ भाषा पुस्तकें तैयार की हैं जिन्हें जड़ों से कटी हुई और औपनिवेशक सोच का प्रतिफल कहा जा सकता है। ज़ाहिर है कि किसी भाषा का लुप्त होना एक स्थानीय विशिष्टता और सांस्कृतिक पहचान का लुप्त होना है।

किस प्रकार औपनिवेशक शासन और उसकी नीति ने अफ्रीकी भाषाओं (जैसे गिकुयू, ढोलू, किस्वाहिली, लुलह्या, किमासाई, किकम्बा, किंगरी, आमा) को नष्ट किया है, इसका सर्वेक्षण करते हुए न्गुगी वा थ्यांगो ने सटीक उदाहरण दिये हैं। 1966 में उनके गाँव किमिरींथू (लिमरु) से एक लड़की नर्स के प्रशिक्षण के लिए ब्रिटेन गयी। उस समय उसकी उम्र 20 साल थी। जब दो साल के बाद वह गाँव लौटी, तो अपने स्वागत में एकत्रित किसानों के बीच उसने एक दुभाषिये की मदद से भाषण किया—अर्थात् महज़ दो साल में उसने अपनी मातृभाषा का बीस साल का ज्ञान भुला दिया। इस पर चिन्ता व्यक्त करते हुए न्गूगी कहते हैं कि समय बीतने के साथ-साथ लोगों के सामूहिक संघर्षों का स्मृतिकोष बन जाती है जिसे कुछ विद्वानों ने भाषा की 'रहस्यात्मक स्वाधीनता' कहा है। इसी के कारण लोग लुप्त हो रही भाषा के विरुद्ध संघर्ष छेड़ देते हैं। भाषा अलग-अलग पीढ़ियों के उत्तराधिकार के उत्पाद के साथ-साथ जीवन पद्धति (संस्कृति) का कोष भी है। न्गुगी के शब्दों में, ''बिम्बों में सोचने की प्रक्रिया के रूप में साहित्य भाषा का इस्तेमाल करता है और उस भाषा में मूर्त

सामूहिक अनुभव अर्थात् इतिहास से प्रेरणा लेता है। रचना कार्य करते समय लेखक को अतीत की फुसफुसाहटों और चीख़ों और क्रन्दन और प्यार तथा नफ़रत के स्वर चाहिए और ये स्वर किसी लेखक तक एक विदेशी भाषा में कभी नहीं पहुँच सकते। सो न्गूगी ने अंग्रेज़ी भाषा में लिखना छोड़कर अपनी मातृभाषा में लिखना शुरू किया जिसका अनुवाद अंग्रेज़ी सहित विश्व की तमाम भाषाओं में होता है।

ख़तरे में पड़ी भाषाओं के समर्थन के लिए भाषाविद्, शिक्षाविद् और कार्यकर्त्ता सबसे पहली ज़रूरत दस्तावेज़ीकरण की मानते हैं जिसमें आँकड़ों का संग्रह, टीका और विश्लेषण शामिल होते हैं। दूसरा कार्य उन सभी की शैक्षिक कार्यक्रमों में सक्रिय भागीदारी होनी चाहिए। तीसरा कार्य यह होना चाहिए कि शोधों की शर्तों पर सम्बन्धित भाषा बोलने वालों का नियन्त्रण होना चाहिए। चौथे, सम्बन्धित भाषा बोलने वालों का शोधों के परिणामों और प्रयोगों पर अधिकार होना चाहिए। अर्थात् वे समुचित सहमति तथा असहमति का अधिकार चाहते हैं, वे यह भी जानना चाहते हैं कि कैसे परिणाम उन्हें लाभान्वित करेंगे। वे यह भी जानना चाहते हैं कि इन शोध परिणामों का प्रसार कैसे होगा? इस प्रकार ऐसी भाषा बोलने वाले बाहरी शोधकर्त्ताओं के साथ समान सम्बन्ध चाहते हैं—ऐसी प्रक्रिया जो उनकी अपनी हो।

यूनेस्को के अनुसार ख़तरे में पड़ी भाषाओं के टिकाऊपन के लिए पाँच प्रकार की नीतिगत कार्रवाइयाँ की जानी चाहिए—

(क) आधारभूत भाषाई एवं शिक्षाशास्त्रीय प्रशिक्षण—ऐसे भाषा शिक्षक उपलब्ध कराये जाएँ जिन्हें भाषा शास्त्र, भाषा-शिक्षण विधियों, पाठ्यक्रम विकास और शिक्षण-सामग्री विकास में प्रशिक्षण मिला हो।

(ख) साक्षरता तथा स्थानीय दस्तावेज़ीकरण के हुनरों में टिकाऊ विकास—स्थानीय भाषाकर्मियों को वर्ण-विचार तथा शिक्षाशास्त्रीय सामग्री तैयार करने के लिए प्रशिक्षित किया जाना चाहिए। लिखित पाठों (लिप्यंतरित, अनूदित) तथा स्वाभाविक वाणी का टीका सहित दृश्य-श्रव्य रिकॉर्डिंग होनी चाहिए। इसके लिए स्थानीय शोध केन्द्र स्थापित किये जाएँ। इन भाषाओं को पढ़ाने और सीखने के लिए साक्षरता ज़रूरी है।

(ग) राष्ट्रीय भाषानीति को प्रोत्साहन एवं विकास—राष्ट्रीय भाषा नीति विविधता का समर्थन करे जिसमें लुप्तप्राय भाषाएँ भी शामिल हों। ऐसी नीति के बनाने में समाजविज्ञानी, मानववादी और लुप्तप्राय भाषाओं को बोलने वाले शामिल हों।

(घ) शिक्षा नीति को प्रोत्साहन एवं विकास—स्थानीय तथा राष्ट्रीय भाषाओं को शिक्षा के माध्यम के रूप में अपनाया जाय। क्षेत्रीय भाषाओं में पढ़ाई हो, मगर अल्पसंख्यकों की क़ीमत पर नहीं।

(ङ) भाषाई समुदायों की जीवन दशाओं को सुधारना तथा उनके मानवाधिकारों

का सम्मान करना—भाषाई दस्तावेज़ तैयार करने वाले उपेक्षित आबादियों की पहचान करने में शासन की मदद कर सकते हैं। दूसरे, वे वंचित/अल्पसंख्यक भाषाई समाजों द्वारा भाषाई तथा अन्य मानवाधिकारों से सम्बन्धित दावों को तैयार करने में मध्यस्थ की भूमिका निभा सकते हैं। इसके अलावा अवधारणाओं और अन्तर्वस्तुओं को सांस्कृतिक रूप से अर्थपूर्ण तरीक़े से व्यक्त करने की ज़रूरत है। फिर भाषाई विविधता को प्राकृतिक विविधता के साथ जोड़ने की भी ज़रूरत है। पूरे विश्व में नौ सौ पारिस्थितिकीय क्षेत्र हैं जिनमें में 238 पारिस्थितिकीय क्षेत्र पूरे विश्व की पारिस्थितिकीय व्यवहार्यता के संधारण के लिए जरूरी हैं। इन 238 पारिस्थितिकीय क्षेत्र में कई भाषाई समूह रहते हैं जिनके पास पारिस्थितिकीय ज्ञान का लम्बा इतिहास है। इसलिए विशेषज्ञों की राय है कि 'संरक्षण जीवविज्ञान' के समान्तर 'संरक्षण भाषा शास्त्र' भी होना चाहिए तथा दोनों में जुड़ाव होना चाहिए क्योंकि जीवन की विविधता प्रकृति, संस्कृति और भाषा की विविधता से ही बनती है। इसे लुइसा मैफी ने 'जैव-सांस्कृतिक विविधता' की संज्ञा दी है। इसी प्रकार माइकेल क्रास ने 'शब्द क्षेत्र' (जैविक क्षेत्र की तरह) की अवधारणा दी है जो विश्व की भाषाओं को जोड़ने वाले जाल (वेब) को व्यक्त करता है। यूनेस्को के अनुसार भाषाई व्यवहार्यता के प्रमुखतः छः कारक हैं—

(क) अन्तर-पीढ़ी भाषाई-संचरण (इंटर जनरेशनल लैंग्वेज—ट्रांसमिशन)
(ख) बोलने वालों की कुल संख्या (एबसॉल्यूट नम्बर ऑफ स्पीकर्स)
(ग) पूरी जनसंख्या में उक्त भाषा बोलने वालों का अनुपात (प्रोपोर्शन ऑव स्पीकर्स विदिन द टोटल पापुलेशन)
(घ) मौजूदा भाषाई क्षेत्रों में प्रवृत्ति (ट्रेंड्स इन इक्जिस्टिंग लैंग्वेज डोमेन्स)
(ङ) नये क्षेत्रों और माध्यमों पर अनुक्रिया (रिस्पांस टू न्यू डोमेंस ऐंड मीडिया)
(च) भाषा शिक्षा और साक्षरता के लिए सामग्री (मटीरियल्स फॉर लैंग्वेज एडूकेशन ऐंड लिटरेसी)

मगर इनमें से कोई कारक अकेले नहीं देखा जाना चाहिए क्योंकि कोई भाषा एक कारक में उच्च स्थान पर हो सकती है, मगर अन्य कारकों में निम्न स्थानों पर हो सकती है। मगर इतना तो सच है कि अन्तर-पीढ़ी भाषाई संचरण सबसे महत्त्वपूर्ण कारक होता है जिसमें सुरक्षा से ख़तरे तक की छः डिग्रियाँ होती हैं—

(अ) सुरक्षित (जिसमें पाँच अंक मिलते हैं)—जब भाषा सभी पीढ़ियों द्वारा बोली जाती है, इसे किसी अन्य भाषा से कोई धमकी नहीं मिलती।

(ब) स्थायी मगर संकट में (जिसमें पाँच अंक मिलते हैं)—जब भाषा सभी पीढ़ियों द्वारा सबसे ज़्यादा सन्दर्भों में बोली जाती है, फिर भी देशज भाषा तथा एक

या अधिक प्रबल भाषा के बहुभाषावाद ने कुछ महत्त्वपूर्ण संचार सन्दर्भों को छीन लिया है—वैसे अकेले बहुभाषावाद भाषाओं के लिए अनिवार्यतः संकट नहीं होता।

(स) असुरक्षित (जिसे चार अंक मिलते हैं)—एक ख़ास समुदाय के अधिकतर बच्चे और परिवार—मगर सभी नहीं, अपनी भाषा को पहली भाषा के रूप में बोलते हैं, मगर यह ख़ास सामाजिक क्षेत्रों तथा घर तक सीमित रहती है।

(द) निश्चित रूप से संकट में (डेफिनिटिवली इंडैंजर्ड) (जिसे तीन अंक मिलते हैं)—घर में बच्चों द्वारा यह भाषा मातृभाषा के रूप में सीखी नहीं जा रही है यानी यह भाषा बोलने वाली सबसे नयी पीढ़ी माँ-बाप वाली पीढ़ी है। अब भी माँ-बाप अपने बच्चों से इस भाषा में बात करते हैं मगर बच्चा उसी भाषा में अनुक्रिया नहीं करते। झारखंड में पहाड़िया भाषा को इस श्रेणी में रखा जा सकता है।

(य) तीव्र संकट में (सिविअर्ली इंडैंजर्ड) (जिसे दो अंक मिलते हैं)—यह भाषा सिर्फ़ दादा-दादियों और पुरानी पीढ़ियों द्वारा बोली जाती है जबकि माँ-बाप वाली पीढ़ी अब भी इसे समझ सकती है। मगर वे अपने बच्चों से इस भाषा में बात नहीं करते हैं, वेनेजुएला में करीना भाषा बोलने वाले मात्र 650 लोग तथा सनीमा भाषा बोलने वाले मात्र 2500 लोग बचे हैं।

(र) घोर संकट में (क्रिटिकली इंडैंजर्ड) (जिसे एक अंक मिलता है)—इसे परदादा-परदादी ही सबसे नये बोलने वाले होते हैं और यह दैनिक कार्यों में प्रयुक्त नहीं होती। वास्तव में, जो बुज़ुर्ग प्रायः इस भाषा को अंशतः याद किये रहते हैं, वे भी इसका प्रयोग नहीं करते क्योंकि उस भाषा में वार्तालाप के लिए शायद कोई नहीं मिलता। उदाहरणार्थ, अंडमान द्वीप समूह में ग्रेट अंडमानी भाषा बोलने वाले मात्र आठ बुज़ुर्ग बचे हैं। उनके बाद की पीढ़ियाँ उसे नहीं बोलतीं। इसी प्रकार, वेनेजुएला में मपोयो भाषा बोलने वाले मात्र सात बुज़ुर्ग बचे हैं और उनकी नयी पीढ़ियाँ स्पैनिश बोलती हैं। अर्थात् वहाँ के बच्चों की प्रथम भाषा अब स्पैनिश बन गयी है, मपोयो का अस्तित्व नहीं बचा है।

जहाँ तक दूसरे कारक-बोलने वालों की कुल संख्या का सवाल है, कम संख्या के कारण भाषा हमेशा जोखिम में होती है—क्योंकि महामारी, युद्ध या प्राकृतिक आपदा में इसके लुप्त होने की पूरी सम्भावना होती है। कभी-कभी अति छोटा भाषाई समूह अपनी भाषा और संस्कृति खोकर किसी पड़ोसी भाषाई समूह में विलीन हो सकता है।

जहाँ तक तीसरे कारक का सवाल है, पूरी आबादी में अनुपात का भी महत्त्व है— जैसे सभी, लगभग सभी, बहुसंख्यक, अल्पसंख्यक बहुत थोड़े लोग और कोई नहीं बोलने वाला हो।

जहाँ तक चौथे कारक—मौजूदा भाषाई क्षेत्रों में प्रवृत्ति का सवाल है, कहाँ,

किसके साथ और विषयों का विस्तार भाषा के प्रयोग की प्रवृत्ति बनाते हैं। इसका 'सर्वव्यापी प्रयोग तब होता है जब भाषा अन्त:क्रिया, पहचान, सोच, सृजन और मनोरंजन के लिए प्रयुक्त होती है। दूसरे, 'बहुभाषी सममूल्यता' (मल्टीलिंगुअल पैरिटी) में यद्यपि कोई दूसरी भाषा सरकारी क्षेत्रों में प्रबल होती है, मगर यह भाषा धार्मिक संस्थाओं, स्थानीय भंडारों और सामुदायिक क्षेत्र में प्रचलित रहती है। इस प्रकार प्रबल और अप्रबल भाषाओं के सह-अस्तित्व के कारण प्रबल भाषा सरकारी/सार्वजनिक क्षेत्रों में प्रयुक्त की जाती है। जबकि अप्रबल भाषा अनौपचारिक/घरेलू सन्दर्भों में प्रयुक्त की जाती है। प्रबल भाषा को सामान्यत: लोग सामाजिक-आर्थिक अवसर की भाषा मानते हैं फिर भी बुज़ुर्ग लोग अपनी अल्पसंख्यक भाषा का ही इस्तेमाल करते हैं। तीसरे, क्षीण होते क्षेत्र (ड्विंडलिंग डोमेन)—अप्रबल भाषा अपनी ज़मीन खोने लगती है और घर में भी अपने बच्चों के साथ माँ-बाप प्रबल भाषा का प्रयोग करने लगते हैं और बच्चे अपनी भाषा के अर्द्धभाषी हो जाते हैं। माँ-बाप और बुज़ुर्ग प्रबल और देशज भाषाओं दोनों में उत्पादनशील तरीक़े से द्विभाषी बन जाते हैं—वे बोलते और समझते दोनों हैं। चौथे, सीमित या औपचारिक क्षेत्र में अप्रबल भाषा कर्मकांडों, लोकोत्सवों, त्योहारों और घरो में बोली जाती है। अब बहुतेरे लोग भाषा को समझ लेते हैं, मगर बोल नहीं पाते। पाँचवें, अति सीमित क्षेत्र-अप्रबल भाषा समुदाय के पुरोहित द्वारा कुछ उत्सवों पर बोली जाती है। अब अन्य लोग इस भाषा को अंशत: याद रखते हैं। छठवें, लुप्त भाषा किसी भी क्षेत्र में किसी के द्वारा नहीं बोली जाती।

जहाँ तक पाँचवें कारक—नये क्षेत्रों और माध्यमों पर अनुक्रिया का सवाल है, समुदाय की जीवन-दशाओं में परिवर्तन होने के साथ भाषा के नये क्षेत्र पैदा हो सकते हैं। उदाहरणार्थ विद्यालय, टी.वी., इंटरनेट, काम के नये वातावरण आदि से प्रबल भाषा का प्रसार ज़्यादा होता है। (भारत में अंग्रेज़ी में सबसे ज़्यादा उसके बाद हिन्दी में मगर भोजपुरी, अवधी, ब्रज, राजस्थानी आदि क्षेत्रीय भाषाओं का प्रसार इन नये माध्यमों के ज़रिये नगण्य होता है)। यदि कोई समुदाय अपनी भाषा में आधुनिकता की चुनौतियों को पूरी नहीं करता, तो वह अप्रासंगिक हो जाती है। क्षेत्रीय भाषाओं के लिए प्राय: समूचे टी.वी. या रेडियो चैनल नहीं होते, इसलिए उन्हें प्रसारण के लिए कम समय मिलता है। इसी प्रकार क्षेत्रीय भाषाओं में शिक्षा का माध्यम नहीं होने से उनका संवर्द्धन नहीं होता। सो उनकी उपेक्षा उन्हें ख़तरे में डालती है।

जहाँ तक छठवें कारक—भाषाई शिक्षा और साक्षरता हेतु सामग्री का सवाल है, कई समुदायों में लिखित, दूसरे में मौखिक और कुछ में मौखिक एवं लिखित दोनों परम्पराओं का अस्तित्व रहता है। फिर भी साक्षरता सामाजिक-आर्थिक विकास से सीधे जुड़ी होती है। विभिन्न आयु समूहों के लिए पुस्तकें और उनकी शिक्षा-

सामग्रियों की ज़रूरत होती है। जिस भाषा का स्थापित वर्ण-विन्यास व्याकरण के साथ साक्षरता परम्परा, शब्दकोश, पाठ्यपुस्तकें, साहित्य और जन-संचार माध्यम विकसित होते हैं, उसका स्थायित्व और उसकी सुरक्षा सबसे अच्छी होती है। दूसरे स्थान पर वह भाषा होती है जिसमें लिखित सामग्री पर्याप्त होती है, तथा विद्यालय में विद्यार्थी उसमें शिक्षा ग्रहण करते हैं। मगर उस भाषा का प्रयोग प्रशासन के कार्यों में नहीं होता। तीसरे स्थान पर वह भाषा होती है—जिसमें लिखित सामग्री होती है और बच्चे विद्यालय में लिखित रूप से परिचित होते हैं, मगर साक्षरता का संवर्द्धन छापा माध्यम से नहीं किया जाता। चौथे स्थान पर वह भाषा होती है जिसमें लिखित सामग्री तो होती है मगर वह समुदाय के कुछ सदस्यों के लिए ही उपयोगी होती है। साक्षरता शिक्षा, विद्यालय-पाठ्यक्रम का अंश नहीं होती। यह भाषा की खराब स्थिति होती है। पाँचवें में, सिर्फ़ व्यावहारिक वाक्य विन्यास समुदाय में उपलब्ध होता है और कुछ ही सामग्री लिखित रूप में उपलब्ध होती है। यह भाषा की ज़्यादा ख़राब स्थिति होती है। अन्तिम श्रेणी में, समुदाय का कोई भाषाई वर्ण-विन्यास नहीं होता अर्थात् भाषा विलुप्त हो जाती है।

अब सवाल उठता है कि विभिन्न देशों में भाषा रुख़ तथा नीतियाँ क्या होती हैं ? यूनेस्को के अनुसार भाषाओं के प्रति शासकीय रुख़ छः प्रकार के हो सकते हैं—

(क) समान प्रोत्साहन— किसी देश की सभी भाषाओं को समान प्रोत्साहन मिलता है, अर्थात् क़ानून सम्मत तरीक़े से प्रकाशन, पुरस्कार, शब्दकोश-निर्माण, प्रशासन में प्रयोग आदि विभिन्न क्षेत्रों में सरकार की ओर से सभी भाषाएँ बराबर अधिकार और सम्मान पाती हैं। यह सर्वोत्तम स्थिति मानी जाती है।

(ख) विभेदित प्रोत्साहन—अप्रबल भाषाएँ सरकार द्वारा संरक्षण पाती हैं, मगर प्रबल भाषा सार्वजनिक क्षेत्र में प्रयुक्त होती है जबकि स्थानीय (अप्रबल) भाषाएँ निजी क्षेत्रों में (घर से लेकर उत्सव तक)। यह नीति दूसरे दर्जे की होती है।

(ग) निष्क्रिय आत्मसातकरण—प्रबल समूह तब तक इस बिन्दु पर उदासीन रहता है कि अल्पसंख्यक भाषाएँ बोली जाती हैं कि नहीं जब तक प्रबल समूह की भाषा अन्तःक्रिया की भाषा बनी रहती है। बिना प्रत्यक्ष भाषा नीति के भी प्रबल समूह की भाषा वास्तविक शासकीय भाषा होती है। अप्रबल भाषा के अधिकतर क्षेत्रों को ज़्यादा सम्मान नहीं मिलता। यह नीति तीसरे दर्जे की होती है—क्षेत्रीय/स्थानीय भाषाएँ भगवान भरोसे होती हैं, मगर उन्हें कुचलने का समान प्रयास सरकार नहीं करती।

(घ) सक्रिय आत्मसातकरण— शासन की मंशा होती है कि अल्पसंख्यक भाषाई समूह अपनी भाषाओं को त्याग दें तथा प्रबल भाषा के ज़रिये शिक्षा ग्रहण करें। अप्रबल भाषा में में बोलने या लिखने को प्रोत्साहन नहीं दिया जाता है। इस प्रकार

स्थानीय/क्षेत्रीय भाषा का अस्तित्व मिटाने का सरकारी प्रयास किया जाता है। यह शासन की घटिया भाषा नीति का सूचक है। इससे स्थानीय भाषाएँ ख़तरे में पड़ जाती हैं।

(ङ) बलात् आत्मसातकरण— जब सरकार एक स्पष्ट भाषा नीति के ज़रिये प्रबल समूह की भाषा को एक मात्र राष्ट्रीय भाषा घोषित करती है, जबकि वंचित वर्गों की भाषाओं को न तो मान्यता मिलती है और न प्रोत्साहन। यह सरकारी नीति का अधम रूप है जिससे स्थानीय/क्षेत्रीय भाषा का अस्तित्व मिटना अश्वयम्भावी है।

(च) निषेध— अल्पसंख्यक भाषाओं को किसी भी क्षेत्र में प्रयोग करने का निषेध करता है, यूँ निजी क्षेत्र (घर से उत्सव तक) में इनका प्रयोग बर्दाश्त किया जा सकता है। यह नीति स्थानीय/क्षेत्रीय भाषाओं को विलुप्त करती है।

मगर यह भी सच है कि सिर्फ़ शासक वर्ग का भाषाई रुख़ और नीति ही सब कुछ तय नहीं करती। एक हद तक समुदाय का भाषा-रुख़ भी अपना महत्त्व रखता है। कोई समुदाय अपनी भाषा को पाँच नज़रिये में से एक से देख सकता है। दूसरा, वह समुदाय इसका प्रयोग कर सकता है, मगर इसका संवर्द्धन नहीं करता। तीसरे, वह समुदाय अपनी भाषा से शर्मिन्दा हो सकता है, मगर इसका संवर्द्धन नहीं करता। चौथा, वह समुदाय अपनी भाषा को एक कंटक या उपद्रव के रूप देख सकता है और इसलिए सक्रिय रूप से इसके प्रयोग से बचना चाहता है। पाँचवा, यह भी सम्भव है कि कोई समुदाय यह सोचकर अपनी भाषा त्याग सकता है कि उनकी समझ प्रबल भाषा को अपनाने के सिवाय कोई विकल्प नहीं है—रोज़गार पाने के लिए, बाज़ार में सफल क्रेता-विक्रेता होने के लिए अथवा सांस्कृतिक पहचान जल्दी विस्तृत और गहन तरीक़े से पाने के लिए। कहने का सारांश यह है कि जब कोई समूह अपनी भाषा के प्रति सकारात्मक रुख़ अपनाता है तो वह अपनी भाषा को सामूहिक पहचान के प्रतीक के रूप में देखता है और उसे एक प्राथमिक सांस्कृतिक मूल्य भी मानता है, जैसे पारिवारिक परम्पराओं, सामुदायिक उत्सवों को मानता है। दूसरी ओर यदि कोई समूह अपनी भाषा को बाज़ार में बाधक, आर्थिक रोज़गार पैदा करने में अक्षम और राष्ट्रीय एकीकरण में बाधक मानता है, तो अपनी भाषा के प्रति उसका नज़रिया निहायत नकारात्मक होगा। मगर बहुभाषा-भाषी दृष्टि ज़्यादा कारगर होगी क्योंकि प्रबल बनाम स्थानीय/क्षेत्रीय भाषा का रुख़ एकल भाषा तक हमें सीमित रखता है जबकि दो या अधिक भाषाएँ (जिनमें प्रबल और स्थानीय/क्षेत्रीय दोनों भाषाएँ शामिल होंगी) आर्थिक दुनिया में उत्पादनशीलता के साथ-साथ सांस्कृतिक पहचान भी दिलाएँगी। यों भाषा का मसला बहुत सरल नहीं होता। एक ओर भाषा वर्ग, वर्ण, जाति, धर्म, जन्म स्थान, लिंग आदि के भेदभाव को ख़त्म करती है, मगर दूसरी ओर विभिन्न

भाषाओं के बीच स्पर्धा और असमान शक्ति सम्बन्धों के कारण शोषण की स्थिति पैदा होती है। जहाँ कोई समुदाय प्रबल और अधीनस्थ दोनों भाषाएँ बोलता है, वहाँ कालान्तर में लोग सिर्फ़ प्रबल भाषा ही बोलने लगें, यह सम्भव है। दूसरी ओर अधीनस्थ समूह प्रबल भाषा का सक्रिय विरोध कर सकता है और अपनी भाषा को फिर से शक्ति-सम्पन्न और जीवन्त बना सकता है। दूसरी स्थिति में तीन तरह की रणनीतियाँ (यूनेस्को) अपनाई जा सकती हैं—

पहली, भाषा का पुनरुद्धार— जब कोई भाषा सीमित प्रयोग के बजाय वृहत्तर प्रयोग में किसी देशकाल में लायी जाती है; जैसे इज़राइल के बनने के बाद (1948) हेब्रू भाषा का पुनरुद्धार किया गया और आयरलैंड में गेलिक भाषा का।

दूसरी, भाषा की क़िलेबन्दी (फोर्टिफिकेशन)— जब प्रबल भाषा को एक भाषाई धमकी के रूप में देखा जाय तथा तब अप्रबल भाषा की उपस्थिति को बढ़ा दिया जाय जिससे प्रतिसन्तुलन स्थापित किया जा सके।

तीसरी, भाषा का रख-रखाव— जहाँ बहुत सारी भाषाएँ हों और एक प्रबल भाषा हो, वहाँ किसी अप्रबल भाषा का बोलने और लिखने में स्थायी रूप से समर्थन; जैसे, न्यूजीलैंड में माओरी भाषा का रखरखाव।

मगर यह भी उल्लेखनीय है कि किसी अप्रबल भाषा के पुनरुद्धार, क़िलेबन्दी और रख-रखाव के लिए लोकसमाज का दायित्व उतना ही ज़्यादा है जितना शासन व्यवस्था का। इसके लिए दीर्घकालिक और अल्पकालिक योजनाएँ बननी चाहिए। अप्रबल भाषा-भाषियों में हीनग्रन्थि नहीं पैदा होनी चाहिए, बल्कि अपनी भाषाई और सांस्कृतिक विरासत के प्रति लगाव एवं उदारता होनी चाहिए जिससे नया युवा वर्ग उस कार्य को और आगे बढ़ाये। भाषाई विविधता एवं लोकतन्त्रीकरण के लिए अप्रबल भाषाओं के संरक्षण एवं संवर्द्धन के लिए विशेषज्ञों, भाषा शिक्षकों, स्थानीय भाषा-भाषी, ग़ैर-सरकारी संगठन, सरकार तथा संस्थाओं का सक्रिय सहयोग एवं परस्पर सम्मान अत्यन्त ज़रूरी है। भाषा-शिक्षकों में कम-से-कम तीन प्रकार के हुनर विकसित किये जाने चाहिए—शिक्षा शास्त्रीय हुनर (पाठ्यक्रम एवं सामग्री विकास, भाषा शिक्षण तकनीक एवं पद्धतियाँ); सामाजिक भाषाशास्त्रीय हुनर (वर्तमान भाषा सम्पर्क प्रक्रियाओं का विश्लेषण, अतीत एवं वर्तमान के प्राचीन भाषा कार्यों का विश्लेषण) एवं भाषाशास्त्रीय हुनर (आँकड़ा संग्रह, विश्लेषण एवं वर्णन)। प्रत्येक और सभी लोगों पर यह साझा दायित्व है कि विश्व की कोई भाषा न मरने पाये और जो भाषाएँ मर गयी हैं, उन्हें हम जिलाने का प्रयास करें क्योंकि एक नवाजो आदिवासी वृद्ध ने ठीक ही कहा है—

यदि आप साँस नहीं लेते/तो हवा नहीं है
यदि आप नहीं चलते/तो धरती नहीं है
यदि आप नहीं बोलते/तो दुनिया नहीं है।

आज के भूमंडलीकृत युग में पूँजी का प्रभाव संस्कृति और भाषा को भी डाँवाडोल कर रहा है। अंग्रेज़ी भाषा ने अपना प्रभाव और प्रवाह भारत में सुदूर ग्रामों में भी बढ़ाया है जिसके कारण अंग्रेज़ी माध्यम के विद्यालय कुकुरमुत्ते की तरह बढ़ रहे हैं जिनमें गुणवत्ता नहीं है, सिर्फ़ दिखावापन है; जो छिछले गन्दे तालाब हैं जो बदबू ही कर रहे हैं। भारत की सैकड़ों बोलियाँ/क्षेत्रीय भाषाएँ अंग्रेज़ी भाषा के प्रभुत्व के आगे दम तोड़ रही हैं। टी.वी. पर रैपिडेक्स इंगलिश स्पीकिंग कोर्स, इंगलिश गुरु आदि के धुआँधार प्रचार रोज़ाना आते हैं जिसमें बताया जाता है कि अंग्रेज़ों की तरह बोलना सीखें जो आपके जीवन को बदल देगा। यह भी बताया जाता है एक तथाकथित बौद्धिक द्वारा कि अंग्रेज़ों की तरह बोलने के साथ-साथ, अंग्रेज़ी सलीक़े भी सीखें उठना-बैठना, कपड़े पहनना, खाना खाना आदि। अर्थात् अंग्रेज़ी भाषा के ज्ञान का प्रचार हमारी भारतीय संस्कृति को भी हीन सिद्ध कर रहा है। इस पाश्चात्य साजिश को भी समझने की ज़रूरत है क्योंकि मौलिक चिन्तन हमेशा अपनी मातृभाषा में ही सम्भव है और उत्कृष्ट-सृजनात्मक लेखन भी मातृभाषा में ही पुष्पित और पल्लवित होता है, किन्तु अन्य भाषाओं से आदान-प्रदान का सिलसिला बना रहना चाहिए। अंग्रेज़ी भाषा को एक अतिरिक्त भाषा के रूप में सीखना चाहिए अर्थात् हमारी भाषा-संस्कृति के घर का मुख्य दरवाज़ा हिन्दी (तथा अन्य भारतीय भाषाएँ) हों तथा विदेशी भाषाएँ (अंग्रेज़ी आदि) मात्र खिड़कियाँ हों तभी 'विविधतात्रयी' (जैसे विविधता, भाषाई विविधता एवं सांस्कृतिक विविधता) का महास्वप्न पूरा होगा।

उत्तर-औपनिवेशिक साहित्य और संस्कृति

बीसवीं सदी के मध्य में ब्रिटेन सहित तमाम यूरोपीय देशों का कई उपनिवेशों के ऊपर से राजनैतिक-साम्राज्यवादी शासन खत्म हो गया जिसके फलस्वरूप अपनी-अपनी ऐतिहासिक-भौगोलिक-राजनैतिक-आर्थिक ज़रूरतों के मुताबिक़ नव-स्वतन्त्र देशों ने अपनी शासन पद्धति अपनायी। इसके साथ-साथ वहाँ नये क़िस्म का साहित्यिक लेखन शुरू हुआ जो मूलत: उपनिवेश-विरोधी था और राष्ट्रीय नव-निर्माण के सपनों से भरा था। मगर इस उत्तर-औपनिवेशिक साहित्य को एक सार्वभौमिक श्रेणी या अवधारणा के रूप में नहीं देखा जा सकता क्योंकि विभिन्न देशों की विशिष्ट परम्पराओं और परिस्थितियों के आलोक में उनमें साहित्यिक-सांस्कृतिक भिन्नता भी अन्तर्निहित थी। जैसा कि स्टुअर्ट हाल ने ठीक ही कहा है—"सभी समाज एक ही तरीके से 'उत्तर-उपनिवेशी' नहीं हैं...मगर इसका तात्पर्य यह नहीं है कि वे किसी भी तरीके से 'उत्तर-उपनिवेशी' नहीं है।" सो ज़रूरत है कि उत्तर-उपनिवेशपन को हम एक ऐसी प्रक्रिया के रूप में देखें जिसमें उपनिवेशकारी संस्कृति और उत्तर-औपनिवेशक कर्त्ता की पहचान के बाबत बदलते सम्बन्ध तथा स्थितियाँ शामिल होती हैं। यह कहने की ज़रूरत नहीं कि विभिन्न सम्बन्ध साम्राज्यों में ब्रिटिश साम्राज्य जनसंख्या, क्षेत्र, शक्ति आदि के मामले में सबसे ज़्यादा महत्त्वपूर्ण था और विश्व की पच्चीस प्रतिशत आबादी पर क़ायम ब्रिटिश साम्राज्य से सूरज कभी अस्त नहीं होता था क्योंकि वह साम्राज्य एशिया, अफ्रीका, यूरोप, उत्तरी अमेरिका, कैरिबियाई देश, आस्ट्रेलिया और प्रशान्त तक फैला हुआ था। इन उपनिवेशों में आर्थिक और राजनैतिक उपनिवेशवाद के साथ-साथ सांस्कृतिक उपनिवेशवाद भी व्याप्त था जिसमें देशज ज्ञान एवं स्थानीय भाषाओं को तहत-नहस करके अंग्रेज़ी भाषा एवं अंग्रेज़ी माध्यम का थोपना भी शामिल था। सो एक ओर उत्तर-औपनिवेशिक साहित्य में उपनिवेशी शासन के दौर से प्रचलित अंग्रेज़ी के सांस्कृतिक प्रभुत्व को चुनौती दी गयी और दूसरी ओर शैली और रूप में अंग्रेज़ी को बढ़ाया गया। मगर नयनतारा सहगल जैसे कुछ

भारतीय विद्वान उत्तर-औपनिवेशिक साहित्य की प्रचलित अवधारणा को संकीर्ण मानते हैं क्योंकि यह ब्रिटिश उपनिवेशवाद के बाद के साहित्य पर ही ज़ोर देती है और ब्रिटिश उपनिवेशीकरण के पूर्व की सतत साहित्यिक-सांस्कृतिक परम्पराओं को नज़रअन्दाज़ करती है।

इस सन्दर्भ में केन्या के लेखक न्गूगी वा थियांगो ने दो ज़रूरी सवाल खड़े किये—केन्या और उगांडा के अंग्रेज़ी भाषा/साहित्य विभागों में अफ्रीकी लेखकों द्वारा अंग्रेज़ी में लिखे गये साहित्य को नहीं पढ़ाया जाता। दूसरे, अफ्रीकी लेखकों द्वारा राष्ट्रीय/क्षेत्रीय/स्थानीय भाषाओं में लिखे गये विपुल एवं समृद्ध साहित्य को अँग्रेज़ी साहित्यकारों द्वारा उपेक्षित किया जाता है और उन्हें दोयम दर्जे का माना जाता है। सो उन्होंने अंग्रेज़ी भाषा के बजाय केन्या की गिकुयू भाषा में मूल लेखन करना शुरू किया और बाद में रचनाओं का अंग्रेज़ी में अनुवाद हुआ तथा वे समादृत हुईं। उनके शब्दों में, ''साम्राज्यवाद द्वारा केन्याई संस्कृति को विकृत किये जाने की प्रक्रिया के अध्ययन के दौरान मैंने महसूस किया कि कोई भी जनता विदेशी आर्थिक प्रभुत्व के अन्तर्गत किसी सार्थक राष्ट्रीय संस्कृति का निर्माण कर ही नहीं सकती।'' वह मानते हैं कि साम्राज्यवाद हथियारों से हमला करने के पूर्व सांस्कृतिक हमला करता है जो उपनिवेश की जनता की संस्कृति के ख़िलाफ़ लम्बे अरसे तक चलता है। उनके उपन्यासों यथा 'द रिवर बिटवीन', 'बीप नाट चाइल्ड', 'ए ग्रेन ऑव व्हीट', 'पेटल्स ऑव ब्लड', 'डेविल ऑन द क्रास' आदि में यथार्थ दो परस्पर विरोधी शक्तियों के बीच चल रहे बड़े संघर्ष से बनता है। दरअसल यह संघर्ष साम्राज्यवाद की मानव-विरोधी परम्परा और उसके ख़िलाफ़ जन-प्रतिरोध की परम्परा के बीच होता है। उनका चर्चित उपन्यास 'पेटल्स ऑव ब्लड' महाकाव्यात्मक है और केन्याई जनता के महान संघर्ष का यथार्थपरक इतिहास है। स्थानीय गिकुयू भाषा में लिखित उनका नाटक 'न्गाहिका न्दींदा' (आई विल मैरी व्हेन आई वांट) किसानों और मज़दूरों द्वारा मंचित किया गया था जिससे वहाँ की राष्ट्रीय सरकार घबरा गयी थी और उस पर प्रतिबन्ध लगा दिया था तथा उस रंगमंच को ध्वस्त कर दिया गया था। स्थानीच भाषा में इसका लेखन/मंचन जितना प्रभावशाली था, उतना अंग्रेज़ी में कदापि नहीं होता। न्गूगी ने दो उपन्यास 'डेविल ऑन द क्रास' एवं 'माटीगरी' अपनी मातृभाषा गिकुयू में लिखा और उनमें लोकगाथा तथा लोककथाओं की मौखिक परम्परा का उपयोग किया। उनके अनुसार भाषा का चयन श्रोताओं/दर्शकों/पाठकों के चयन से अच्छा-ख़ासा सम्बन्ध रखता है। लेखक देशज भाषाओं में ही अपने लेखन को जीवन्त एवं विकासशील रख सकता है। केन्याई राष्ट्रीय साहित्य वहाँ की विभिन्न भाषाओं में सृजित होना चाहिए, अन्यथा एक दिन अंग्रेज़ी स्थानीय भाषाओं को निगल जाएगी। वह मानते हैं कि 'भाषा व्यापक जनसमुदाय की सामूहिक स्मृति का कोष' है। भाषा के दो अविभाज्य पक्ष होते हैं—

पहली भूमिका हमें अपने अस्तित्व के लिए किये जाने वाले संघर्ष के दौरान एक-दूसरे के साथ सम्प्रेषण के योग्य बनाती है। दूसरी भूमिका इस इतिहास और संस्कृति की वाहक होती है जो एक लम्बे अरसे तक सम्प्रेषण की प्रक्रिया के दौरान निर्मित होती है। इन दोनों भूमिकाओं में द्वन्द्वात्मक एकता होती है। स्कैंडियाई देश, जापान, रूस, जर्मनी, फ्रांस, इटली आदि के लोग बाहरी दुनिया से पर्यटन, वाणिज्य, कूटनीतिक तथा अन्य सम्बन्ध विकसित करने हेतु ही अंग्रेज़ी सीखते हैं, न कि अपने देश के भीतर राष्ट्रीय संस्कृति के वाहक के रूप में या परस्पर सम्प्रेषण के लिए। उन्होंने ऐसी घटनाओं का ज़िक्र किया है जिनमें अंग्रेज़ी न बोलने वाले अफ्रीकी बच्चों को दंडित किया जाता था और उन्हें एक तख़्ती लेकर घूमना पड़ा था—'मैं मूर्ख हूँ' या 'मैं गधा हूँ।' इस प्रकार अंग्रेज़ी भाषा अपनाने के साथ ही देशज भाषाओं के अलगाव की प्रक्रिया वहाँ शुरू हुई। भारत के शहरी क्षेत्रों में अँग्रेजी माध्यम वाले निजी विद्यालयों में भी ऐसा ही होता है। यह 'सांस्कृतिक विलुप्ति' का सूचक है।

सो पूर्व उपनिवेशों के लेखक अपने लिए बोलने-लिखने लगे जिसमें औपनिवेशक मुठभेड़ और उसके परिणामों की कहानी भी शामिल थी। इस मुठभेड़ का एक अनोखा नतीजा 'दोहरी चेतना' (डब्लू ई वी डुबोइस) का उद्‌भव था। दो संस्कृतियों के भीतर और उनके बीच जीने की क्षमता और उसके साथ-साथ आधुनिकतावाद के एक विशिष्ट उत्तर-औपनिवेशिक रूप का सृजन। ज़ाहिर है, इन उत्तर-औपनिवेशक लेखकों पर यूरोप के थियोडोर अडोर्नो, हेलेन चिक्सो, जॉक देरिया, ज्याँ पॉल सार्त्र, जॉक लाकाँ और मिशेल फूको जैसे विचारकों की भाषा की शक्ति एवं विमर्श की पद्धतियों जैसे विचारों का काफ़ी प्रभाव पड़ा।

फ्रांज फैनन, एडवर्ड सईद, होमी भाभा तथा गायत्री चक्रवर्ती स्पिवाक ने उत्तर-औपनिवेशिक सिद्धान्त को गढ़ने का महत्त्वपूर्ण कार्य किया है। मार्टिनिक नामक पूर्व फ्रांसीसी उपनिवेश में 1925 में जनमे अफ्रीकी मूल के फ्रांज फैनन अपने दो गुरुओं ऐमे चेसायर (मार्टिनिक के कवि एवं मार्क्सवादी राजनीतिज्ञ) तथा जॉक लाकाँ (फ्रांस के मनोविश्लेषक भाषाविद्) से काफ़ी प्रभावित थे। उन्होंने 1952 में 'ब्लैक स्किन, व्हाइट मास्क्स' नामक पुस्तक लिखी जिसमें नस्लवाद के कारणों का मनोवैज्ञानिक विश्लेषण तथा उसके प्रभावों की चर्चा की गयी थी। इसमें उन्होंने 'औपनिवेशिक टकटकी' के प्रभाव का विश्लेषण किया—जैसे अफ्रीकी मूल के अश्वेत व्यक्ति को यूरोपीय व्यक्तियों (जिनकी संस्कृति उच्चतर एवं ज़्यादा शक्तिशाली मानी जाती है) द्वारा घूरा जाता है, परिभाषित किया जाता है और रूढ़िबद्ध किया जाता है। कहने का आशय यह है कि यूरोपीय दिखावट (अपीयरेंस) तथा संस्कृति को प्रतिमान मान लिया जाता है और उसके बरक्स दूसरों को आँका जाता है। दूसरों को 'असामान्य', बाहरी और निम्नतर माना जाता है। फैनन के अनुसार 'जिसे अश्वेत पुरुष की आत्मा

कहा जाता है, वह श्वेत पुरुष का शिल्प-उपकरण (आर्टिफैक्ट) होता है।' फैनन इस तथ्य को बार-बार रेखांकित करते हैं कि अश्वेत लोगों ने कमोबेश समाज को श्वेत लोगों के नस्लवाद को आत्मसात कर लिया है और उन्होंने या तो अपनी निम्नतर स्थिति को सहज ही स्वीकार कर लिया है अथवा श्वेत पुरुष की शर्तों पर अपने को पूर्णतः मानव एवं समान सिद्ध करने की ज़रूरत महसूस की है। सेनेगल के कवि-राजनीतिज्ञ लियोपोल्ड सेंघोर ने इस बात पर बार-बार ज़ोर दिया है कि अफ्रीकी संस्कृति, यूरोपीय संस्कृति से सर्वदा भिन्न मगर उसके बराबर एवं पूरक रही है। इनके अनुसार लय, आवेग तथा परिहास अफ्रीकी लेखन की विशिष्ट पहचान रही है—'आवेग पूर्णतः नीग्रो होता है जैसे विवेक यूनानी होता है।' उनके अनुसार अफ्रीकी लोग दुनिया को वस्तुपरक विश्लेषण के बजाय अन्तःप्रज्ञा (इंट्यूशन) के ज़रिये समझते रहे हैं। उन्होंने माली और मिस्र आदि के शिल्प उपकरणों-स्मारकों आदि की विरासत का उदाहरण देकर उपनिवेश-पूर्व की अफ्रीकी संस्कृतियों और इतिहासों का बखान किया है।

मगर ज्याँ पॉल सार्त्र ने सेंघोर जैसे नीग्रो सौन्दर्य के लेखकों पर 'नस्लविरोधी नस्लवाद' (जो उपनिवेशवादियों की नस्लवादी स्थापना की प्रति-स्थापना है) का आरोप लगाया है। वास्तव में, इसके पहले जर्मन दार्शनिक हीगेल का मानना था कि अफ्रीका का कोई इतिहास ही नहीं है और जब तक इस पर यूरोपीय लोग नज़र नहीं डालेंगे, तब तक उसका इतिहास महत्त्वपूर्ण नहीं बन सकता। हीगेल को अफ्रीका में मानवता के समरस कुछ भी नहीं दिखाई देता, यानी वह जंगली और असाधित राज्य है—"क्योंकि यह विश्व का ऐतिहासिक भाग नहीं है; इसके पास दिखाने को कोई विकास या गतिविधि नहीं है—अफ्रीका से जो ख़ास चीज़ हम समझते हैं, वह अनैतिहासिक, अविकसित प्रेतात्मा है, जो अभी भी महज़ प्रकृति की स्थिति में मौजूद है और जिसे विश्व के इतिहास की दहलीज़ पर यहाँ प्रस्तुत किया जाना है।" हीगेल का उपरोक्त विचार उपनिवेशीकरण को उचित ठहराता है, जिसके अनुसार यूरोप के लोग अफ्रीका, एशिया आदि में प्रगति, सभ्यता और इतिहास ले गये। यह स्थापना 'गोरों का दायित्व' दूसरों को सभ्य बनाने पर टिकी है जो वैज्ञानिक साक्ष्यों एवं सांस्कृतिक तुलना दोनों स्तरों पर झूठी सिद्ध हुई है। हीगेल की आलोचना करते हुए फ्रांज फैनन का मानना है ('द रेचेड ऑव द अर्थ') कि जिस तरीक़े और रूप में यूरोपीय हितों ने उपनिवेशों की ज़मीन, जायदाद और अन्य संसाधनों पर क़ब्ज़ा जमाया है, इसके कारण उनके रुख़ों को बदलना असम्भव है। इसलिए औपनिवेशिक सत्ता को उखाड़ फेंकने के लिए हिंसा एक मात्र रास्ता है—मानसिक उपनिवेशीकरण एवं नस्लीय हीनता का बोध ख़त्म करने के लिए हिंसा ज़रूरी है। इस प्रकार फैनन ने अफ्रीका और कैरिबियाई देशों में मुख्यतः उपनिवेशक और उपनिवेशित के बीच के

सम्बन्धों को रेखांकित किया। फैनन के अनुसार अतीत की पुनः प्राप्ति ही पर्याप्त नहीं है, बल्कि आत्मविश्वास बहाल करने तथा पहचान का बोध सृजित करने के लिए सांस्कृतिक राष्ट्रवाद की भी ज़रूरत है। सो लेखकों को समसामयिक मुद्दों और सरोकारों की जानकारी होनी चाहिए और वे समस्त जनता के साथ खड़े हों। अर्थात् उन्हें लोक संस्कृति के पक्ष में शब्द और कर्म दोनों स्तरों पर खड़ा होना चाहिए। उन्हें मुक्ति के लिए राजनैतिक कार्यक्रम पेश करना चाहिए। फैनन 'द रेचेड ऑफ द अर्थ' में राष्ट्रीय चेतना की बात करते हुए कहते हैं कि उपनिवेशकों के क़ब्ज़े से हमें अपने इतिहास को छुटकारा दिलाना चाहिए। इस बाबत देशज बुद्धिजीवी के दावे विलासिता नहीं, बल्कि ज़रूरत हैं। इसी प्रकार चिनुआ अचेबे ने खुलेआम घोषणा की थी— ''अफ्रीकियों ने सभ्यता पहली बार यूरोपियन लोगों से नहीं सुनी।'' चूँकि अफ्रीका 'अँधेरा महाद्वीप' के रूप में सबसे ज़्यादा अपमानित हुआ, (हीगेल से लेकर एच. ट्रेवर-रोपर तक ने माना कि अफ्रीकी इतिहास ही नहीं है, अफ्रीका में यूरोपीय लोगों का थोड़ा-सा इतिहास है, बाक़ी सब अँधेरा है और अँधेरा इतिहास का विषय नहीं होता) इसलिए सांस्कृतिक वैधता और नये रूप में इतिहास की प्रस्तुति अफ्रीकी उपन्यासकारों यथा चिनुआ अचेबे (नाइजीरिया), आई क्वे अरमाह (घाना), आसिया द्जेबार (अल्जीरिया), न्गूगी वा थियांगो (केन्या) और सोलोमन प्लात्जे (दक्षिण अफ्रीका) का मुख्य सरोकार रहा है। इस तरह इन रचनाओं ने एक तरह से 'वैकल्पिक इतिहासों' की प्रस्तुति की है। फैनन का मानना था कि औपनिवेशिक सत्ता ने उपनिवेशितों को मानवता से दूर रखा, इसलिए यह सवाल बार-बार पूछा जाना चाहिए, 'मैं कौन हूँ?' शायद इसी सवाल की तड़प और खोजने की जिज्ञासा ने उत्तर-औपनिवेशिक साहित्यकारों को आत्मकथाएँ लिखने की प्रेरणा दी। शायद उसका प्रभाव भारत में दलित पर पड़ा जिसके कारण वे प्रायः आत्मकथाएँ लिख रहे हैं। मगर यह भी सही है कि उनमें गहनता और आदृष्टि का अभाव है जिसके कारण थोक में लिखी गयी दलित आत्मकथाएँ दोयम दर्जे की हैं।

मगर दूसरी ओर एडवर्ड सईद ने (जो फलस्तीन में जन्मे थे और पश्चिम को अपनी कर्मस्थली बनाया) भारत, मध्य पूर्व सहित एशिया में ज्ञान की सत्ता पर ज़ोर दिया। 'ओरियंटलिज्म' नामक पुस्तक में उन्होंने तमाम उदाहरण देकर यह सिद्ध किया कि शक्ति के सुदृढ़ीकरण के लिए एक ओर ज्ञान को यूरोपीय लोगों द्वारा शासित और क़ब्ज़ा किया जाता है और दूसरी ओर स्थानीय लोगों के ज्ञान के दावों को ख़ारिज़ कर दिया जाता है। उन्होंने मिशेल फूको की विमर्श-व्यवस्थाओं (जिन्हें सत्ताधारी लोग नियन्त्रित करते हैं और जो उन 'सत्यों' को परिभाषित करते हैं जिनके द्वारा हम जीते हैं और दूसरों को आँकते हैं) की अवधारणा के आधार पर विश्लेषित किया है कि मानव विज्ञान, इतिहास, भाषा-विज्ञान, साहित्यालोचना तथा यूरोपीय साहित्यिक

रचनाएँ 'विमर्शों' के संजाल हैं जो पूरब के लोगों के बारे में एक ख़ास सतही एवं पूर्वाग्रहपूर्ण दृष्टि बनाते हैं कि वे समान एवं स्व-शासन के योग्य होने के बजाय शासित किये जाने योग्य हैं। पूरब के बारे में लिखने वाले पश्चिमी लेखक स्मारकों को स्वीकार करते हैं, मगर सिर्फ़ उन्हीं स्मारकों को जो दूर अतीत के होते हैं—उजड़े हुए स्मारक और पूरब की संस्कृतियों को विकृत माना जाता है। यूरोप के विद्वान आलोचक कभी-कभी भारत या मिस्र की प्राचीन भाषाओं (क्रमशः संस्कृत तथा पुरानी लिपि में मिस्र भाषा) के लेखक को मान्यता देते हैं, मगर समकालीन आधुनिक लेखन को नहीं। इसलिए सईद का यह कहना सही है कि पौर्वात्यवाद किसी स्थान का सूचक न होकर ऐसे विचार का सूचक है जो "पूरब के ऊपर आधिपत्य जमाने, उसकी पुनर्संरचना करने तथा अधिकार रखने की पश्चिमी शैली है।" भूगोल तथा स्थानों का नामकरण उपनिवेश-विरोधी एवं राष्ट्रीय लेखकों के साहित्यों में महत्त्वपूर्ण स्थान रखता है। (जैसा कि सईद ने यीट्स के सन्दर्भ में कहा था)। वास्तव में, ज़मीन को वापस माँगना, उसका फिर से नक़्शा बनाना और उसका संशोधन करना (रिक्लेमिंग, रिमैंपिंग, रिविजनिंग) उपनिवेशों में महत्त्वपूर्ण स्थान रखता है। ज़ाहिर है, ज़मीन विकासशील देशों के लोगों की अस्मिता का सवाल है।

इसी प्रकार गायत्री चक्रवर्ती स्पिवाक ने मार्क्सवाद, नारीवाद, और विखंडनवाद का संश्लेषण करके अमेरिकी, ब्रिटिश, बंगाली और फ्रांसीसी पाठों का विश्लेषण किया है। कोलकाता में जन्मी गायत्री चक्रवर्ती स्पिवाक ने कार्नेल विश्वविद्यालय से पी-एच.डी. डिग्री हासिल की और जॉक देरिदा के महत्त्वपूर्ण फ्रांसीसी लेखन का अनुवाद 'ऑन ग्रामेटोलॉजी' (1976) नामक शीर्षक से किया। दो लेखों तथा 'थ्री वीमेन्स टैक्स्ट्स ऐंड ए क्रिटिक ऑव इम्पीरियलिज्म' तथा 'कैन द सबाल्टर्न स्पीक?' में उन्होंने पाठों में उपनिवेशित महिलाओं की उपेक्षित या विद्रूपित उपस्थिति का विश्लेषण किया है—जैसे, ब्रोन्टी के 'जेन आयर' (1942) तथा 'सती प्रथा' के बारे में भारत में ब्रिटिश अधिकारियों द्वारा संधारित सरकारी अभिलेखों में महिलाओं की प्रस्तुत की गयी छवि। भारत में निम्नवर्गीय (सबाल्टर्न) इतिहासकारों यथा रंजीत गुहा, ज्ञानेन्द्र पांडेय, शाहिद अमीन आदि ने राष्ट्रवादी इतिहास के बरक्स निम्नवर्गीय इतिहास लेखन एवं दृष्टि दी है। अर्थात् वे शासकों के बजाय शासितों की दृष्टि से ऐतिहासिक घटनाओं को देखते हैं और इतिहास का पुनर्लेखन करते हैं, मगर कभी-कभी वे अन्ध-बिन्दु के कारण समग्रता के बजाय अंश को ही देख पाते हैं। इसके फलस्वरूप पूरे यथार्थ का विश्लेषण नहीं होता और तथाकथित निम्नवर्गीय इतिहास एकांगी इतिहास बन जाता है। उदाहरणार्थ, शाहिद अमीन ने चौरी-चौरा कांड का विश्लेषण करते समय पिछड़ी जातियों के अवदान को काफ़ी उभारा है जबकि तथाकथित अगड़ी जातियों के महत्त्वपूर्ण अवदान की अनदेखी की है। इस सन्दर्भ में

महात्मा गाँधी का प्रयास सराहनीय है जिन्होंने स्त्रीपन तथा राजनैतिक क्षमता के बीच सही समीकरण स्थापित किया जिससे पुरुषपन तथा राज्य व सार्वजनिक मामलों के बीच का पाश्चात्य स्थापित किया जिससे पुरुषपन तथा राज्य व सार्वजनिक मामलों के बीच का पाश्चात्य समीकरण नकार दिया गया, जैसा कि आशीष नन्दी ने 'ऐन इंटीमेट एन्मी' में माना है। मगर यह भी कटु सत्य है कि भारत तथा अन्य उत्तर-औपनिवेशिक समाज में पुरुष भूमिका के रूप में परिभाषित सार्वजनिक मामलों तथा महिला भूमिका के रूप में परिभाषित निजी-घरेलू कार्यों के बीच द्विभाजन अब भी मौजूद है।

दूसरी ओर फ्रायड और लाकाँ के मनोविश्लेषण से प्रभावित होकर होमी भाभा ने 'स्वाँग' (मिमिक्री) एवं 'संकरता' (हाइब्रिडिटी) जैसी अवधारणाएँ पेश कीं। जहाँ एक ओर फैनन और सईद ने उपनिवेशवादी एवं उपनिवेश-विरोधी समाजों में निर्मित विरोधों की व्याख्या की है, वहीं दूसरी ओर होमी भाभा स्पष्ट करते हैं कि उनके विमर्शों में 'द्वैधवृत्तियों' (एम्बीवैलेंसेज) तथा 'अस्पष्टताएँ' (एम्बीयूटीज) निहित हैं। उनकी मान्यता है कि उपनिवेशित लोगों द्वारा उपनिवेशकों का 'स्वाँग', 'उच्छेदन' (सबवर्जन) का एक रूप है, क्योंकि यह उस भिन्नता (वे बनाम हम) पर ज़ोर देने की प्रवृत्ति को अस्थिर बना देता है जो उपनिवेशवादी और राष्ट्रवादी विचारधाराओं का आधार बनती है। फिर सईद और गायत्री स्पिवाक की तरह होमी भाभा भी उत्तर-औपनिवेशिक संस्कृतियों की संकरता को प्रमुखता देते हैं जहाँ यूरोपीय और देशज परम्पराओं के सकारात्मक लाभ होते हैं क्योंकि तब उनके लेखक और आलोचक पश्चिमी समाज को भीतरी और बाहरी दोनों तरह से समझने तथा आलोचना करने में सक्षम होते हैं। उनके अनुसार नस्ल एक 'निर्मिति' है और श्वेत-अश्वेत नस्लों के बीच भी लोग हैं जैसे आयरिश लोग जो श्वेत-अश्वेत दोनों से सम्बन्ध रखते हैं। उल्लेखनीय है कि टेरी इगलटन, जान नैश, ग्रेगोरी कैसल जैसे तमाम विद्वान आलोचकों ने आयरिश और अन्य उत्तर-औपनिवेशिक साहित्यों के तुलनात्मक अध्ययन को लाभदायी बताया है। कमाऊ ब्राथवेट ने दो महत्त्वपूर्ण पुस्तकों 'द डेवलमेंट ऑव क्रियोल सोसायटी इन जमैका 1870-1920' (1971) और 'हिस्ट्री ऑव द वायस' (1984) में संगीत, नृत्य और मौखिक कविता के ज़रिये कैरिबियाई देशों में अफ्रीकी सांस्कृतिक अभिव्यक्ति की निरन्तरता को दर्शाया है जिससे संकर (यूरोपीय तथा अफ्रीकी) संस्कृति का सृजन हुआ। मगर ब्राथवेट की संकर संस्कृति की अवधारणा होमी भाभा और एडुअर्ड ग्लिसांट की अवधारणाओं से भिन्न है। ब्राथवेट मूलतः कैरिबियाई रीति-रिवाजों, परम्पराओं और आस्थाओं के 'अफ्रीकीपन' पर ज़ोर देते हैं जबकि होमी भाभा की संकर संस्कृति की अवधारणा में भाषा पर ज़्यादा ज़ोर है और वह संकरता में दो समान वज़न की संस्कृतियों के मिलन

की बात भी करते हैं जिनकी अन्त:क्रिया 'बीच की' या 'तीसरी जगह' (थर्ड स्पेस) का सृजन करती है और जिसमें बोलने वाला अपने को स्थित करता है। एडुअर्ड ग्लिसांट (स्टुअर्ट हाल की तरह) विनिमय एवं परिवर्तन (न कि मूल संस्कृति की खोज) की प्रक्रिया पर ज़ोर देते हैं। होमी भाभा ने स्वाँग को 'लगभग वही, मगर बिल्कुल वही नहीं' माना है। स्वाँग सादृश्य और भिन्नता की दोहरी आदृष्टि पेश करता है और औपनिवेशिक प्राधिकार तथा उसकी प्रतिनिधित्व-व्यवस्था को अस्थिर कर देता है। स्वाँग प्रदर्शन तथा प्रामाणिकता के मुद्दों की ओर भी संकेत करता है।

मगर उत्तर-औपनिवेशिक सिद्धान्तकार एवं आलोचक भी पाश्चात्य, विशेषकर अंग्रेज़ी, साहित्य पर ध्यान केन्द्रित करने के कारण विकासशील देशों के देशज साहित्य को नकार देते हैं या उसे कम अहमियत देते हैं। इसीलिए एजाज़ अहमद ने 'इन थियरी' नामक पुस्तक में एडवर्ड सईद और फ्रेडरिक जेम्सन की आलोचना की है कि वे एक ओर तीसरी दुनिया के सम्पूर्ण साहित्य का एकरूपीकरण करते हैं और दूसरी ओर ये यूरोपीय भाषाओं के पाठों पर ही ध्यान केन्द्रित करते हैं और देशज भाषाओं यथा अरबी, उर्दू, हिन्दी आदि की उपेक्षा करते हैं। मिसाल के तौर पर सलमान रुश्दी ने एक बार कहा था कि भारतीय अंग्रेज़ी लेखकों का लेखन विश्व-स्तर का है, मगर देशज लेखन दोयम दर्जे का है और उसमें उन्हें कुछ भी उल्लेखनीय नहीं मिला। यह एक भारतीय लेखक के पश्चिम में बसे होने के कारण उसका देशज साहित्य से पूरा परिचय न होने तथा संकीर्ण दृष्टि का सूचक है। अचेबे और रुश्दी मानते हैं कि अंग्रेज़ी लेखन से बड़ा पाठक वर्ग मिलता है तथा विभिन्न देशज भाषाओं की सीमाओं के परे जाता है, मगर यह भी सच है कि उसमें जीवन्तता और सूक्ष्मता कम हो जाती है। इसके अलावा वह गायत्री स्पिवाक और होमी भाभा के आलोचनात्मक लेखन एवं सिद्धान्त में आमूर्तन तथा उत्तर-संरचनावाद की भरमार पाते हैं। सो एजाज़ अहमद वह उपनिवेशवादी एवं उपनिवेशित समाजों के संघर्ष की व्याख्या के लिए मार्क्सवादी दृष्टिकोण को ज़्यादा महत्त्व देते हैं। मगर यदि हम पूरे मसले पर संयत रूप से विचार करें, तो पाते हैं कि मार्क्सवादी दृष्टि में महिलाओं, दलितों, अल्पसंख्यकों, उपनिवेशितों और अश्वेतों के सवाल, मुखर नहीं हैं, सो उत्तर-औपनिवेशिक सिद्धान्त इस बाबत पूरक भूमिका निभाने में ज़्यादा सक्षम प्रतीत होता है।

यह भी रेखांकित करने योग्य है कि उपनिवेशों में स्त्री की स्थिति एवं छवि दोहरे शोषण का शिकार होती है जिसे 'दोहरा उपनिवेशीकरण' कहा गया है क्योंकि उन्हें नस्ल एवं लिंग दोनों के आधार पर हाशिये पर रखा जाता है और उनकी रूढ़िबद्ध श्रेणी बना दी जाती है। यहाँ यह भी उल्लेखनीय है कि भारतीय सन्दर्भ में नस्ल की जगह जाति ले लेती है और तीसरा शोषण आर्थिक होता है। इस प्रकार महिलाएँ लैंगिक, नस्लीय/जातिगत और आर्थिक 'तिहरे शोषण' का शिकार होती हैं। अश्वेत

स्त्रियों को अफ़्रीका का प्रतीक मानकर असभ्य, जंगली और भयकारी दिखाया जाता है। उन्हें वाणी नहीं दी जाती है और न कर्त्ता माना जाता है। यह महत्त्वपूर्ण तथ्य है कि कुछ वर्ष पहले आस्ट्रेलिया के सर्वोच्च न्यायालय द्वारा दिये गये फ़ैसले के पहले ब्रिटिश तथा आस्ट्रेलियाई सरकार द्वारा यूरोपीय लोगों के वहाँ पहुँचने तक आस्ट्रेलिया को 'किसी की भूमि नहीं' माना जाता था जबकि वहाँ के आदिवासी माओरी वहाँ कई सदियों से निवास करते रहे हैं। इतना ही नहीं, महानगरों के कई लेखकों ने आस्ट्रेलिया में नये बसने वाले श्वेतों को भी दोयम दर्जे का माना जो 'अपने घर' पर सफल नहीं हो सके और जिनमें संस्कृति तथा परिष्कार की कमी थी—सो आस्ट्रेलिया और सज़ायाफ़्ता क़ैदियों की बसावट माना गया क्योंकि 1788 में ब्रिटिश सरकार ने ब्रिटिश जेलों में भरे पड़े क़ैदियों की संख्या कम करने के लिए उन्हें वहाँ भेजा था। एडवर्ड सईद ने ठीक ही कहा है—''यदि ऐसी कोई चीज़ है जो साम्राज्य-विरोध की कल्पना को आमूल-चूल परिवर्तनकारी ढंग से हिगराती है, तो वह है इसमें भौगोलिक प्रमुखता।''

चिनुआ अचेबे ने अपने प्रसिद्ध उपन्यास 'थिंग्स फाल अपार्ट' (यह शीर्षक डब्लू.बी.पीट्स की कविता 'द सेकंड कमिंग' की एक पंक्ति है) में मुख्यधारा से हटकर दूसरे दृष्टिकोणों, तनावों और द्वन्द्वों को दिखाया है—एक ओर कुछ लोग मर्दानगी, युद्ध आदि के इतिहास को महत्त्व देते हैं, तो दूसरी ओर अन्य लोग संगीत, लोकप्रिय और शान्ति को महत्त्व देते हैं यानी समाज में दृष्टियों की बहुलता है। वहाँ इगबो कहावत को महत्त्वपूर्ण स्थान दिया गया है, 'जहाँ कहीं कोई चीज़ स्थित होती है, वहीं कोई दूसरी चीज़ भी स्थित होती है।' यह इगबो की लोकतान्त्रिक संस्कृति का द्योतक है। इस प्रकार अचेबे पश्चिमी इतिहासकारों की इस मान्यता को ध्वस्त करते हैं कि अफ़्रीकी समाज स्थिर और कथाविहीन समाज है। अचेबे की वृहत्तर दृष्टि अफ़्रीकी के भीतर यूरोपीय दृष्टियों और परम्पराओं को देखती है। इस प्रकार उनका उपन्यास 'थिंग्स फाल अपार्ट' अफ़्रीका की मौखिक संस्कृति का लिखित दस्तावेज़ है जो वहाँ के लोगों के नज़रिये से लिखा गया है तथा सरकारी (डिस्ट्रिक्ट कमिश्नर) और यूरोपीय पाठों का प्रतिपाठ है। वह ऐतिहासिक घटनाओं के बजाय उन घटनाओं के वृत्तान्त पर ज़्यादा ज़ोर देते हैं। वह अभिव्यक्ति को एक नया रूप देते हैं—प्रतिकारात्मक विमर्श का रूप— जो औपनिवेशिक विमर्श में निहित 'आदृष्टि के स्थायित्व' (परमानेंस ऑव विज़न) का विरोध करता है, जैसा कि साइमन गिकंडी ने ठीक ही कहा है। इस प्रकार 'थिंग्स फाल अपार्ट' न केवल अफ़्रीका के प्रति यूरोप की भ्रान्तियों पर सवाल उठाता है, बल्कि इगबो समुदाय में मौजूद कई दृष्टिकोणों को भी प्रस्तुत करता है जो एक-दूसरे पर सवाल भी खड़ा करते हैं। यह उपन्यास जोसेफ कोनरैड के उपन्यास 'हार्ट ऑव डार्कनेस' का माकूल जवाब है जिसमें कोनरैड

ने श्वेत पुरुष को यूरोप से अफ्रीका की यात्रा पर दिखाया है जिससे वह अँधेरी अविवेकशीलता की खोज कर सके। सो अधिकतर उत्तर–औपनिवेशिक साहित्यकार अपनी रचनाओं में सामुदायिक और व्यक्तिगत दोहरी अभिव्यक्ति देने का प्रयास करते हैं जो 'भीतर से' लिखा गया होता है और उस औपनिवेशिक बाहरी लेखन के विरुद्ध होता है जिसमें देशज समुदाय के सांस्कृतिक मूल्यों पर उस समुदाय के भीतर की व्यक्तिगत आत्मनिष्ठता को ख़ारिज कर दिया जाता है। उत्तर–औपनिवेशिक साहित्यकारों की आत्मकथाएँ प्राय: कर्त्ता के स्थान एवं सम्बन्ध–बोध को स्थापित करने में महती भूमिका अदा करती हैं। मगर यह बोध देशज (भूमिपुत्र) साहित्यकारों, बाद में बसे साहित्यकारों और मिश्रित नस्ल या संस्कृति के साहित्यकारों में भिन्न–भिन्न हो सकता है। भारत के साहित्य के सन्दर्भ में यह भी कहा जा सकता है कि दलित और ग़ैर–दलित रचनाकारों का उत्तर–औपनिवेशिक साहित्य काफी भिन्न हो सकता है—खासकर जब कुछ दलित साहित्यकार ब्रिटिश औपनिवेशिक शासन की मुक्तिकामी और आधुनिकता का प्रणेता सिद्ध करते हुए नहीं थकते। दूसरी ओर उत्तर–औपनिवेशिक साहित्यकारों की विचारधारा और आदृष्टि भी उनके लेखन को प्रभावित कर सकती है—राष्ट्रवादी दृष्टि (जो अन्ध राष्ट्रवाद या सांस्कृतिक राष्ट्रवाद की हद तक जा सकती है) मार्क्सवादी दृष्टि (जो पश्चिमी दृष्टि ही है मगर ग़रीबों की पक्षधर है और उपनिवेश की विरोधी है) से काफ़ी भिन्न होती है। ख़ैर, आत्मकथाओं के बारे में कई चीज़ें महत्त्वपूर्ण होती हैं—पहली प्रामाणिकता। आजकल देखा जा रहा है कि अधिकतर साहित्यकार अपनी निजी ज़िन्दगी, पारिवारिक ज़िन्दगी या सामुदायिक ज़िन्दगी के कष्टों और अनुभवों को बढ़ा–चढ़ाकर पेश करते हैं जबकि दूसरे व्यक्ति, परिवार, समुदाय आदि के दृष्टिकोण, अनुभव आदि की उपेक्षा करते हैं अथवा उसे विद्रूपित कर देते हैं। दूसरी, कुछ लोग आत्मकथा को मज़ेदार बनाने के लिए इसमें कल्पना की ऊँची उड़ानें भी भर देते हैं जो यथार्थ से परे होती हैं। तीसरी, जो व्यक्ति जितनी ज़्यादा यात्रा किये रहेगा, जितने ज़्यादा लोगों से सम्पर्क बनाये होगा, जितना ज़्यादा संघर्ष किया होगा, उसकी आत्मकथा उतनी ही अनुभव–समृद्ध और बहुआयामी होगी। जैसा कि लिंडा एंडरसन ने ठीक ही कहा है, 'यूरोपीय आत्मकथाएँ पारम्परिक रूप से जीवन के ज़रिये यात्रा का एक नक़्शा खींचती हैं जो अन्तत: पूर्ण हो जाती हैं, जबकि अधिकतर उत्तर–औपनिवेशिक आत्मकथाएँ पहचान की अवधारणा स्वीकार करती हैं जो 'आकस्मिकता, अनिधर्मिता और संघर्ष' (कंटिजेंसी, इनडिटरमिनेसी और कानफ्लिक्ट) को गले लगाती हैं।

उत्तर–औपनिवेशिक साहित्य–संस्कृति की चर्चा में भाषा और बोली–बानी का महत्त्वपूर्ण स्थान है। जैसा कि फ्रांज फैनन ने कहा है—"प्रत्येक उपनिवेशित जनता अपने को सभ्य बनाने वाले राष्ट्र की भाषा के आमने–सामने पाती है, अर्थात् मातृदेश

की संस्कृति के साथ।'' इसे मिखाइल बाख़्तिन ने 'डिस्कोर्स इन द नॉवेल' में ज़्यादा स्पष्ट रूप से कहा है—''व्यक्तिगत चेतना के लिए भाषा स्वयं और अन्य के बीच की सरहद पर स्थिति होती है। भाषा में शब्द आधा दूसरे किसी का होता है। यह किसी का 'अपना' तभी बन पाता है, जब वक्ता इसे अपने इरादे, अपने बलाघात से बसाता है, जब वह शब्द को अपना बना लेता है, तब वह उसे अपने अर्थगत एवं अभिव्यक्तिपरक इरादे में अपनाता है।'' निःसन्देह, 'साहित्यिक' एवं मानक अंग्रेज़ी भाषा तथा ग्रामीण एवं मौखिक परम्परा वाली 'बोली-बानी' में विरोधाभास होता है। इस सम्बन्ध में ब्राथबेट का सही कहना है कि बोली-बानी और मौखिकता लिखित भाषा से ज़्यादा प्रामाणिक होती है क्योंकि उसमें स्थानीय माटी का सोंधापन एवं उसके सुगन्ध होती है, इसमें दैनिक जीवन में प्रयुक्त मुहावरे और कहावतें अपनेपन का अहसास कराती हैं, उसमें स्वयं ज़िन्दगी विविध रूपों में रेशे-रेशे में रची-बसी और घुली-मिली होती है और दिल की धड़कन क्षण-क्षण पर सुनाई देती है। इस प्रकार, माँ के दूध में सनी मातृभाषा और जीवन के बीच अनुभव और अभिव्यक्ति की निरन्तरता बरक़रार रहती है। बिना किसी लाग-पलेट के कहा जा सकता है कि उत्तर-औपनिवेशिक साहित्य-संस्कृति का प्रस्थान बिन्दु बहुलता है जहाँ मानव समाज की भिन्नता को विरोधी और शत्रु क़रार नहीं दिया जाय, बल्कि एक-दूसरे का पूरक माना जाय। कहने की ज़रूरत नहीं कि यूरोप, विशेषकर ब्रिटेन और संयुक्त राज्य अमेरिका में, अफ्रीका, एशिया, लातीनी अमेरिका जैसे अश्वेत महाद्वीपों से आये प्रवासियों को भी श्वेत व्यक्तियों के साथ अपनापन नहीं महसूस होता भाषा के स्तर पर, खान-पान के स्तर पर, रहन-सहन के स्तर पर और पर्व-त्योहार के स्तर पर। इस विलगाव को सेमुअल सेल्वन के उपन्यास 'द लोनली लन्दनर्स' (1956) में बख़ूबी दिखाया गया है जहाँ वेस्टइंडीज और अफ्रीकी मूल के ब्रिटिश नागरिक श्वेत ब्रिटिश नागरिकों से मित्रता एवं समर्थन चाहते हैं, मगर अमित्रवत् श्वेत लन्दन से उनकी आशाओं पर तुषारापात होता है। यह कैसी विडम्बना है कि एक ओर भूमंडलीकरण की तेज़ बयार चल रही है जिसमें सम्प्रभु राष्ट्र-राज्य की सीमा को धता बताया जाता है, किन्तु दूसरी ओर पश्चिमी दुनिया के महानगरों में प्रवासियों को उनकी अपनी सांस्कृतिक पहचान बरक़रार रखते हुए समाज के सारे सार्वजनिक मामलों में वास्तविक सहभागी नहीं बनाया जाता। अस्तु, उत्तर-औपनिवेशिक साहित्य उनके दुःख-दर्द को जीवन्तता एवं हमदर्दी के साथ बयान करता है। यों बहुल पहचानों के बीच के तनावों को छू मन्तर तरीक़े से दूर करना अत्यन्त कठिन भी है।

उपभोक्तावादी संस्कृति

किसी भी समाज की अर्थव्यवस्था में उत्पादन, उपभोग, विनिमय और वितरण की प्रक्रियाएँ साथ-साथ चलती हैं। यदि एक प्रक्रिया का आधिक्य हो जाता है, तो उसका कुप्रभाव अन्य पर पड़ना स्वाभाविक है। यदि किसी समाज में उत्पादन होता है और उपभोग कम होता है, तो उसकी बचत का निर्यात होता है और ख़ुशहाली रहती है। दूसरी ओर यदि उत्पादन कम होता है, और उपभोग अधिक होता है तो आयात करने की नौबत आ जाती है जिससे तंगहाली रहती है। दुर्भाग्यवश भारत में आर्थिक सुधारों के दौर (1990 के दशक) से कपड़ों की अधिकतर मिलें बन्द हो गयीं (अहमदाबाद, मुम्बई, सूरत, कानपुर, लुधियाना), कलकारख़ाने बन्द हो गये (कोलकाता, कानपुर, लखनऊ, मुम्बई आदि) और उनकी जगह बिल्डरों, कम्प्यूटर कैफे, व्यापारियों और बहुराष्ट्रीय कम्पनियों के भारतीय प्रतिनिधियों ने ले ली जो विदेशों से तैयार माल-पुर्जे आयात करते हैं—चीन से सिल्क के धागे नेपाल के रास्ते आते हैं। फिर खिलौने और दैनिक उपभोग की चीज़ें चीन से थोक के भाव आ रही हैं (एकदन्त गणेश की जगह चीन ने दो-दन्त गणेश की मूर्ति बना दी थी) जिससे यहाँ के घरेलू और लघु उद्योग ध्वस्त हो गये हैं।

बीसवीं सदी के अन्तिम दो दशकों से भूमंडलीकरण की वैश्विक प्रक्रिया शुरू हुई जो तेज़ी से बढ़ती जा रही है। दरअसल भूमंडलीकरण 'भूमंडीकरण' है जहाँ बाज़ार का विश्वव्यापीकरण और विश्व का बाज़ारीकरण हो रहा है। कुछ लोग दो भ्रम पालते हैं—जिनमें सामाजिक न्यायवादी भी शामिल हैं—पहला, बाज़ार प्राचीन काल से ही समाज में मौजूद रहा है; दूसरा, बाज़ार का खुलापन सामाजिक प्रतिबन्धों की जड़ता को तोड़ता है; यानी मुक्त बाज़ार 'सेकुलर' होता है। मगर इन दोनों भ्रमों में पूरी सच्चाई नहीं है। पहली बात तो यह है कि हमें बाज़ार और बाज़ारवाद (बाज़ारीकरण) में फ़र्क करना पड़ेगा। भारत में प्राचीन काल से लेकर बीसवीं सदी के आठवें दशक तक बाज़ार का मतलब साप्ताहिक हाट, मेला, चौक-चौराहों में स्थित दुकानदारी तक सीमित रहा है यानी दिन-प्रतिदिन की ज़रूरतों को पूरा करने के लिए

कुछ अन्तराल पर लोग ख़रीदारी करते थे या चीज़ें बेचते थे। मगर अब बाज़ार का विस्तार घर के आँगन और बेडरूम तक हो गया है जिसमें इलेक्ट्रॉनिक संचार माध्यमों का काफ़ी योगदान है। अब बाज़ार केन्द्र में है और मनुष्य व समाज परिधि पर हैं जबकि पहले मनुष्य और समाज केन्द्र में थे तथा बाज़ार परिधि पर था। दरअसल किसी भी मानव समाज में राज्य, बाज़ार और लोक (नागरिक) समाज का अलग-अलग दायरा होता है। समाजवादी समाज में राज्य का दायरा सबसे बड़ा होता है और बाज़ार अधीनस्थ रहता है; पूँजीवादी समाज में बाज़ार का दायरा सबसे बड़ा होता है और राज्य कमज़ोर होता है; जनतान्त्रिक समाजवादी समाज में लोक समाज का दायरा सबसे बड़ा होता है तथा बाज़ार अधीनस्थ एवं राज्य सुविधादाता की स्थिति में होता है। पहले ज़रूरतमन्दों की सहायता परिवार, गाँव, पड़ोस, रिश्ते के लोग स्वत: बिना किसी प्राप्य की आशा से करते थे जिसे मानवशास्त्री 'नैतिक अर्थव्यवस्था' की संज्ञा देते हैं। दूसरी बात यह है कि बाज़ार निश्चित रूप से कुछ सामाजिक प्रतिबन्धों (यथा जाति, धर्म, सम्प्रदाय, परम्परा आदि द्वारा थोपे गये) को तोड़ता है, मगर इसके अपने प्रतिबन्ध और शर्तें भी होती हैं। बाज़ार कभी पूर्ण नहीं होता क्योंकि ख़रीदार और विक्रेता के बीच स्वस्थ प्रतिस्पर्धा नहीं होती, कभी क्रेता की मजबूरी तो कभी विक्रेता की मजबूरी अथवा कभी क्रेता का आधिपत्य होता है। उदाहरण के तौर पर कभी प्याज की क़ीमत आसमान छूने लगती है और विक्रेता को मजबूरन चालीस रुपये प्रति किलो प्याज ख़रीदनी पड़ती है (बढ़ी लागत के कारण, फसल नष्ट होने के कारण, काफ़ी प्याज निर्यात हो जाने के कारण, व्यापारियों द्वारा प्याज का भंडार छिपा देने के कारण, कालाबाज़ारी के कारण आदि) किन्तु दूसरी तरफ़ कभी-कभी प्याज का अधिक उत्पादन (आपूर्ति) हो जाने या ज़्यादा आयात हो जाने और माँग कम हो जाने के कारण उसका भाव काफ़ी गिर जाता है जिससे विक्रेता को हानि उठानी पड़ती है। फिर प्रत्येक क्रेता हमेशा विवेकशील नहीं होता कि दाम अधिक होने पर कोई चीज़ कम ख़रीदे या नहीं ख़रीदे। उदाहरणार्थ, सोना-चाँदी का भाव अक्सर शादी-ब्याह के मौसम में तेज़ हो जाता है फिर भी लोग उसे ख़रीदते हैं जिससे (माँग अधिक और आपूर्ति कम होने से) और तेज़ी आती है। इसी प्रकार चैत्र माह में रबी फसलों की कटाई होने पर बाज़ार में गेहूँ, चना, मटर, सरसों, अरहर आदि की मात्रा बहुआयात में आती है जिससे इन जिन्सों के दाम घट जाते हैं फिर भी गरीब और छोटे किसान इन दरों पर अपने जिन्स बेचने को बाध्य होते हैं क्योंकि उन्हें गृहस्थी चलाने के लिए ज़रूरी चीज़ें (वस्त्र, मकान की मरम्मत, दवा, शिक्षा, यातायात का भाड़ा, त्योहार शादी-ब्याह आदि के लिए) ख़रीदनी होती हैं बाद में माघ-पूस में ये छोटे किसान एवं मजदूर पुन: वही जिन्स बाज़ार में महँगी दरों पर ख़रीदते हैं। फिर बाज़ार का तक़ाज़ा निजी लाभ या आनन्द किसी भी स्रोत एवं तरीक़े से कमाना है—उसमें नैतिकता और सामाजिकता

को तिलांजलि दे दी जाती है। उदाहरण के तौर पर अपने बच्चों को बेचना, रिश्तेदारों द्वारा अपहरण, अपनी पत्नी से वेश्यावृत्ति कराना या अपनी बेटी-बहन आदि के साथ यौन-सम्बन्ध स्थापित कर लिया जाता है। इस प्रकार सही मायने में बाज़ार प्रायः मुक्त नहीं होता।

सो आज का भारतीय समाज उत्पादक कम और उपभोक्ता ज़्यादा हो गया है। विश्व व्यापार संगठन के निर्णयों के अनुसार किसानों को अनुदान नहीं दिया जाय क्योंकि बाज़ार विद्रूप होता है यानी स्वस्थ प्रतिस्पर्धा नहीं होती। किन्तु औद्योगिक घरानों (जैसे—टाटा और सलीम समूह) की सुविधा एवं मुनाफ़े के लिए प. बंगाल में फूलों की 'सेज' (स्पेशल इकोनॉमिक जोन) सजायी जाती है जिसके लिए छोटे-छोटे किसानों की पुश्तैनी ज़मीन औने-पौने दाम पर उनकी सहमति के बिना 'लोक-उद्देश्य' के नाम पर भू-अर्जन अधिनियम (1894) के तहत ख़रीद नहीं हड़प ली जाती है। जब सिंगूर और नन्दीग्राम के भोले-भोले किसान इसका विरोध करते हैं तो उन्हें बन्दूक की गोलियाँ और लाठियाँ खानी पड़ती हैं। (चौदह लोग नन्दीग्राम में मारे गये) इसी प्रकार दादरी (उ.प्र.) के किसानों से रिलायंस समूह के लिए राज्य सरकार द्वारा जबर्दस्ती ज़मीन छीन ली जाती है। अन्य क्षेत्रों में भी यही हाल है—उद्योगपतियों के लाभ के लिए किसानों की बलि। इसी प्रकार राष्ट्रीय राजधानी क्षेत्र (विशेषकर दिल्ली, नोएडा, ग्रेटर नोएडा, गुड़गाँव, फ़रीदाबाद, गाज़ियाबाद आदि) के अन्तर्गत किसानों की ज़मीनें सस्ती दरों पर ली जाती हैं जिसे स्थानीय विकास प्राधिकरण थोड़ा विकसित करके कई गुना दामों पर नागरिकों को बेचते हैं जहाँ बाज़ार की नीलामी मकानों/भूखंडों का दाम तय करती है।

अस्तु, अधिकतर विकसित देशों की राह पर चलते हुए और मिश्रित अर्थव्यवस्था को तिलांजिल देते हुए भारत भी 'उपभोक्ता समाज' बन गया है। उपभोक्ता समाज की ख़ासियत यह है कि यह उत्पादन की जगह उपभोग को ज़्यादा महत्त्व देता है। कृषि में निवेश की दर (क्षेत्रफल एवं जनसंख्या के दृष्टिकोण से) पहली पंचवर्षीय योजना से घट गयी है। विभिन्न शोधों में पाया गया है कि जब कृषि में सार्वजनिक निवेश बढ़ता है तभी निजी निवेश भी बढ़ता है अर्थात् सरकारी निवेश घटने से निजी निवेश भी घट गया है। सच्चाई यह है कि भारत की क़रीब 60 फीसद जनसंख्या अभी भी कृषि पर निर्भर है, किन्तु समुचित निवेश न होने से सकल राष्ट्रीय आय में खेती का योगदान सिर्फ़ 20 फीसद रह गया है। इतना ही नहीं, खेती की लागत काफ़ी बढ़ गयी है और सरकारी अनुदान पर्याप्त नहीं है। वास्तव में, राष्ट्रीय नमूना सर्वेक्षण (2005) जैसे सरकारी संगठन ने अपने शोध में पाया है कि 27 प्रतिशत किसानों के लिए खेती घाटे का सौदा बन गयी है और 8 प्रतिशत लोगों के लिए बड़ा जोखिम बन गयी है, यानी यह उन्हें मौत के कगार पर पहुँचा चुकी है। महाराष्ट्र, गुजरात, आन्ध्र

प्रदेश, कर्नाटक, तमिलनाडु, पंजाब हरियाणा और उत्तर प्रदेश के हज़ारों किसान खेती के चौपट होने के कारण आत्महत्याएँ कर लिये हैं (जो सिर्फ़ एक आँकड़ा है, ख़बर नहीं) जिससे कई परिवार पूरी तरह बर्बाद हो चुके हैं। सरकारी और निजी बैंकों के अलावा साहूकारों ने भी किसानों को ऊँची दरों पर क़र्ज़ दिया है जिसकी वसूली के लिए वे क्रूरतम उपाय अपनाते हैं जबकि वर्षा न होने, सिंचाई की सुविधा न होने या बाज़ार में उचित मूल्य नहीं मिलने के कारण, अधिक लागत के कारण तथा ऊपरी/बाहरी दबाव के कारण किसान आत्महत्याएँ करने को मजबूर हो जाते हैं। भारत सरकार द्वारा जून 2008 में दी गयी 72000 करोड़ रुपये की क़र्जमाफ़ी नाकाफ़ी है, जैसा कि पी.साईनाथ ने कहा है, क्योंकि महाजनों-सूदख़ोरों से लिये गये क़र्ज़ की माफ़ी इसमें शामिल नहीं है एवं पात्र किसानों में मझोले किसान शामिल नहीं हैं। दूसरी ओर जी.एम. बीजों की ऊँची क़ीमतों एवं कीट लगने की अधिकता से भी किसान परेशान होते हैं। जहाँ पहले हर प्रदेश में सरकारी बीज निगम सस्ती दरों पर अच्छी गुणवत्ता के बीज आसानी से ब्लॉक/पंचायत स्तर पर उपलब्ध करा देते थे, आजकल उनकी जगह बहुराष्ट्रीय कम्पनियों (यथा मोनसेंटो, कारगिल, सिंजेंटा) ने ले ली है जो अन्धाधुन्ध मुनाफ़ा कमा रही हैं उदाहरण के तौर पर, 2007 में सिंजेंटा ने 1.1 बिलियन डॉलर का शुद्ध मुनाफ़ा कमाया। इसी प्रकार रासायनिक उर्वरकों की बहुराष्ट्रीय कम्पनी 'पोटाश कोर्प' और 'यारा' ने 2007 में एक-एक बिलियन डॉलर का शुद्ध मुनाफ़ा कमाया तथा मोजैक, एग्रियम तथा टी.सी.एल. ने आधा-आधा बिलियन डॉलर का शुद्ध मुनाफ़ा (2007) कमाया। दूसरी और अफ्रीका, एशिया और लातीनी अमेरिका के कई देश खाद्य असुरक्षा के शिकार हो रहे हैं।

पिछले दो दशकों में भारत जैसे विकासशील देशों में भी टी.वी., सिनेमा, अख़बार, पैम्फलेट, वीडियो आदि के द्वारा प्रचारित-प्रसारित किये गये विज्ञापनों से ख़रीदारी की प्रवृत्ति बढ़ी है। लोग जो कुछ देखते-सुनते या पढ़ते हैं, उसे ख़रीदने का मन धीरे-धीरे बना लेते हैं। इसका एक कारण निजी आय में वृद्धि है—भारत में मध्यम वर्ग का दायरा काफ़ी बढ़ा है, 35 करोड़ तक। दूसरा कारण अधिक से अधिक चीज़ें खाने या रखने की प्रवृत्ति भी बढ़ी है और लोग विलासिता की सुविधाओं के आदी हो गये हैं। तीसरा कारण विभिन्न बैंकों तथा अन्य वित्तीय संस्थानों द्वारा ज़्यादा उदारता से ऋण उपलब्ध कराना भी है। सो यदि ज़्यादा आय न भी हो तो अपनी या घर के अन्य सदस्यों की इच्छा की पूर्ति के लिए लोग ऋण लेने में नहीं चूकते। पहले सिर्फ़ चार्वाक दर्शन में ही 'ऋणं कृत्वा घृतं पिबेत्' की बात थी, अन्य दर्शनों में अपरिग्रह और अध्यात्म अधिक था, तथा भौतिकवादी-उपभोक्तावादी दृष्टिकोण नगण्य था। मगर अब बैंक ऋण को वैसा क़र्ज़ नहीं माना जाता जिसे लेने के लिए बाप-दादा, माँ-दादी, रिश्तेदार आदि मना करने की सीख देते थे और ज़ोर देते थे कि 'रूखा-सूखा

खायके ठंडा पानी पीव, देख पराई चूपड़ी मत ललचावे जीव।' हमारे संस्कार में वे यह बात भर देते थे कि क़र्ज़ लेना बुरी चीज़ है, उसे न चुकाना पाप है और उसकी भरपाई दंड के साथ मृत्यु के बाद यमलोक में भी करनी पड़ेगी। विज्ञापनों ने क़र्ज़ लेकर ख़रीदने को पाप से मुक्त कर दिया है, इसे हैसियत और प्रतिष्ठा का प्रतीक बना दिया है तथा लोगों को बेहतर भविष्य का सुनहरा सपना दिखा दिया है (जो प्रायः दिवास्वप्न ही बनकर रह जाते हैं)। इस प्रकार का दायरा बढ़ते-बढ़ते उपभोक्तावादी संस्कृति में बदल गया है। पहले देकार्त जैसे विवेकवादी दार्शनिक कहते थे—'मैं सोचता हूँ, इसलिए मैं हूँ'—अर्थात् चीज़ों को स्वविवेक से सोच-विचार कर समझने पर ज़ोर दिया जाता था—यही विशेषता मनुष्य को जानवरों से हिगराती है। मगर अब ऐसा नहीं होता। अब उपभोक्तावादी दर्शन कहता है—'मैं ख़रीदता हूँ, इसलिए मैं हूँ।' जिसमें जितना ज़्यादा क्रय शक्ति है, वह उतना बड़ा आदमी है; जो नहीं ख़रीद सकता, वह मनुष्य नहीं माना जा सकता। सो उसमें हीन-ग्रन्थि पैदा हो रही है। ज़्यादा ख़रीदने का तात्पर्य अपव्यय तक विस्तृत है। जिसके पास एक कार या एक मकान है, वह दूसरी कार या मकान ख़रीदने के लिए लालायित है। कार, फ्रिज, टी.वी., वी.सी.पी., ए.सी., संगीत यन्त्र आदि के नये मॉडल जैसे ही बाज़ार में आते हैं वैसे ही उनका धुआँधार प्रचार होता है और उच्च तथा मध्यम वर्ग उन्हें ख़रीदने का निर्णय तुरत-फुरत ले लेता है। सैमसंग सिल्वर नैनो वाशिंग मशीन का प्रचार कहता है—नये कपड़ों की ताज़गी का अहसास, प्यार किया हुआ, मुलायम एवं स्वच्छ! इससे कपड़ा गन्दगी रहित, रोगाणु रहित, चिंगुरन रहित और दुर्गन्ध रहित हो जाता है अर्थात् मशीन में मानवीय गुणों का समावेश है। अब हमारे देश का मध्यम वर्ग क़रीब 35 करोड़ तक पहुँच चुका है जो काफ़ी कुछ ख़रीदने की स्थिति में है और उससे ज़्यादा ख़रीद रहा है। भारत में पहले बचत करने के लिए संस्कार एवं सरकारी प्रचार दोनों सक्रिय थे, अब वे दोनों ख़र्च करने के लिए प्रेरित करते हैं।

इतना ही नहीं, ख़र्च करने की प्रवृत्ति कालाधन के बढ़ने से भी बढ़ी है। 1995-96 में एक गणना के अनुसार कालाधान भारत के सकल घेरलू उत्पाद का 40% है! फिर फ़ैशन और सौन्दर्य प्रतियोगिताएँ धड़ल्ले से क़स्बों, शहरों, महानगरों में हो रही हैं जिनमें भाग लेने के लिए काफ़ी ताम-झाम होते हैं और उनपर ख़र्च करना पड़ता है। नाना प्रकार की क्रीम शरीर के विभिन्न अंगों के लिए इस्तेमाल की जानी होती हैं। औरतों की नाप के कपड़े बदलते रहते हैं—दरअसल कम से कम कपड़े पहनना ही आज का फ़ैशन है। 'ज़ीरो साइज़' की होड़ लगी है। फिर नाभि-दर्शना जीन्स (जितना नीचे जा सकती है, उससे उतना दिखाने की छूट है) नीचे ज़मीन को बुहारती चलती है जिससे वह जल्दी फट जाती है। जीन जितनी फटी-पुरानी, गन्दी और चुस्त हो, उतना ही लोकप्रिय होती है। आजकल समाचार वाले टी.वी. चैनलों ने समाचार,

विज्ञापन और मनोरंजन को गड्डमड्ड कर दिया है। नोएडा में आरुषि की हत्या में मीडिया की अतिसक्रियता और गाज़ियाबाद पुलिस की अदूरदर्शिता व ढिठाई के कारण उसके पिता डॉ. राजेश तलवार को अकारण जेल में रहना पड़ता है। दिल्ली की एक निर्दोष शिक्षिका उमा खुराना पर मीडिया द्वारा दोषारोपण किया जाता है जिससे उसकी सरेआम भीड़ द्वारा पिटाई की जाती है और पुलिस उसे गिरफ़्तार कर लेती है (कि वह स्कूल और बाहर की लड़कियों को वेश्यावृत्ति में धकेलती है)। फिर आजकल हँसी और नाच के नाम पर कई कार्यक्रम आ रहे हैं जो फूहड़ और असभ्य क़िस्म के हैं जिनमें बनावटी हँसी के लिए प्रायः औरतों की खिल्ली उड़ाई जाती है और वहाँ प्रायः सभ्यता की सीमा लाँघी जाती है। इन हँसी कार्यक्रमों, (जिनमें अमेरिका के कई वीडियो भी शामिल हैं) के कारण लोगों की संवेदना को ठेस पहुँचती है और वे हँसी की चाहत के लिए बने घटनात्मक कार्यक्रमों के प्रति असंवेदनशील हो जाते हैं—उदाहरण के लिए तैराक पहले ही गिर जाता है, कोई सायकिल या मोटर से गिर जाता है, कोई गन्दे नाले या शौचालय में गिर जाता है, किसी के अन्दरूनी वस्त्र खुल जाते हैं, मगर इन पर भी ठहाके लगते रहते हैं। फिल्मों या टी.वी. सीरियलों में काम करने वाली कई नायिकाएँ अपने अंगों की सर्जरी कराकर उन्हें बार-बार घटाती-बढ़ाती रहती हैं। छरहरे बदन की अधिक माँग होने के कारण प्लास्टिक सर्जनों की सेवाएँ प्रायः नायिकाएँ लेती हैं।

फ़ैशन का प्रचार-प्रसार, प्रतिष्ठा और रुतबा इतना ज़्यादा है कि अजमेर की मेहतरानियों की मुक्ति के लिए उसे न्यूयार्क में अन्य मॉडलों के साथ रैम्प पर 'कैट वाक' कराया जाता है अर्थात् आख़िरी पायदान पर खड़ी औरतें मटक-मटक कर चलकर ही आज़ाद हो सकती हैं। यह कैसी विडम्बना है ? यह विदेशी संस्कृति या पश्चिमीकरण का अन्धानुकरण नहीं तो और क्या है ? विदेशी महिलाएँ मर्दों के साथ बराबरी करने के लिए खुलेआम सिगरेट, चुरुट और शराब पीती हैं तथा 'पबों' और क्लबों में कम कपड़ों में अंग प्रदर्शन करती हुई अश्लील हरकतें करती हैं तथा यौन-सम्बन्ध बनाने के लिए खुलकर पहल करती हैं—ज़्यादा एडवांस दिखने के लिए। वहाँ पत्नियों का विनिमय आम बात है। दुर्भाग्यवश भारत की शहरी उच्च एवं मध्यम वर्ग की कई लड़कियाँ वैसा ही करती हैं। ख़ूबसूरती और छरहरे बदन के लिए कई महिलाएँ बहुत कम खाती-पीती हैं जिससे उनकी भूख मर जाती है और कभी-कभी कुपोषण से वे 'एनोरेक्सिया' जैसी बीमारी का शिकार भी हो जाती हैं।

उपभोक्तावादी संस्कृति का एक आयाम तेज़ी से खुल रहे अंग्रेज़ी स्कूल भी हैं जहाँ हिन्दी या अन्य भारतीय भाषाओं में बोलना मना है (बोलने पर अर्थ दंड या निष्कासन तक हो सकता है) और ताम-झाम के दिखावे के कारण उनमें प्रवेश तथा शिक्षण शुल्क (चार-पाँच हज़ार रुपये मासिक) काफ़ी अधिक हैं तथा कुछ अभिजात

निजी स्कूलों में बाक़ायदा डोनेशन लिये जाते हैं जबकि शिक्षा का स्तर निम्न है तथा अधिकतर शिक्षकों की सोच भौतिकवादी एवं अध्यापन स्तर सतही है—अंग्रेज़ी में ख़ास शैली में बोलने पर ज़्यादा ज़ोर रहता है, अन्तर्वस्तु पर ज़्यादा ध्यान नहीं। निजी इन्जीनियरिंग कॉलेजों में प्रवेश के लिए प्रबन्धन सीट की क़ीमत 5-6 लाख रुपये है और मेडिकल कॉलेजों में 30 से 40 लाख रुपये है। फिर इन संस्थाओं में अनुशासन नहीं के बराबर है—रैगिंग के नाम पर अमानवीय व्यवहार, मारपीट, गाली-गलौज और हत्या (आत्महत्या भी) की घटनाएँ घटी हैं, विद्यार्थियों के बीच गोलियाँ चली हैं, छात्राओं के साथ छेड़-छाड़ और बलात्कार की घटनाएँ भी घटी हैं। इन सबके पीछे भारतीय संस्कृति की सहनशीलता, सादगी और अभौतिकता को छोड़कर पाश्चात्य संस्कृति की अधकचरी नक़ल भी है।

इस प्रकार उपभोक्तावादी संस्कृति से अधिक मात्रा में संग्रहण, भव्यता (शान-शौकत) दुर्लभता (दुर्लभ वस्तुओं को प्राप्त करने की आकाँक्षा), वृहदाकार का सौन्दर्य, दिखावापन, प्रतिद्वन्द्विता, झूठी हैसियत और प्रतिष्ठा जैसी विशेषताएँ खोखली हैं। यहाँ 'ख़ुशनुमा अहसास' (बिना बेहतर हुए बेहतरी का अहसास फील गुड) की प्रबलता होती है जो दुचित्तेपन और द्विखंडित व्यक्तित्व का प्रतीक है जो नये ज़माने की प्रतिस्पर्धा, मुक्त बाज़ारवाद, लालच की मानसिकता से पैदा होती है जिससे पर्यावरणीय ख़तरे पैदा हो रहे हैं। इसलिए उपभोक्तावादी संस्कृति में न्यूनतम आवश्यकता के ऊपर असीमित इच्छाएँ हावी होने से किसी को कभी सन्तोष नहीं होता—गोधन, गजधन, बाजिधन और रतन धन को प्राथमिकता दी जाती है, सन्तोषधन को नहीं। इस सन्दर्भ में महात्मा गाँधी की यह उक्ति काफ़ी प्रासंगिक है—"धरती के पास प्रत्येक व्यक्ति की ज़रूरत पूरा करने वाली हर चीज़ मौजूद है, मगर किसी के लालच को वह पूरा नहीं कर सकती।" यह लालच हमें अन्धे कुएँ की ओर ले जा रहा है। हमें अब सचेत होने की ज़रूरत है। भारत में विषमता के कारण ही क़रीब 26% लोग गरीबी रेखा के नीचे रहते हैं जिनकी आधारभूत आवश्यकताएँ (रोटी, कपड़ा, मकान, दवा, शिक्षा) पूरी नहीं हो पाती। भारत के 47% बच्चे कुपोषण के शिकार हैं और 19% लोगों के पास स्वच्छ पेयजल की सुविधा नहीं है। बाँधों आदि से विस्थापितों की दशा चिन्तनीय है। हमें प्रकृति, परिवार और पड़ोस की चिन्ता एक साथ करने की ज़रूरत है। किन्तु दुर्भाग्यवश, जैसा कि पी.साईनाथ ने कहा है, भूमंडलीकरण का अर्थ 'क़ीमतों का भूमंडलीकरण और आय का भारतीयकरण' है।

राष्ट्रीय नमूना सर्वेक्षण (59वीं रिपोर्ट) के अनुसार औसत भारतीय किसान के पूरे महीने के घर का ख़र्च मात्र 503 रुपये हैं—झारखंड, बिहार, छत्तीसगढ़ और उड़ीसा में यह 400 रुपये से भी कम है।

भारत में खाद्य उपलब्धता 1990-91 में 510 ग्राम प्रति व्यक्ति प्रतिदिन थी

जो 2005–2006 में घटकर 444 ग्राम हो गयी। 'देर आये, दुरुस्त आये', दुनिया के 43 देशों ने उपभोक्तवादी संस्कृति और तज्जनित पर्यावरणीय ख़तरों को महसूस किया है और निर्णय लिया है कि वे जी.एम. बीजों और उत्पादों का उपयोग नहीं करेंगे। क्योंकि वैश्वीकरण के तीनों मूल सिद्धान्त (जेम्स गालब्रेथ के शब्दों में) धराशायी हो चुके हैं—सभी सफलताएँ वैश्विक होती हैं; सभी असफलताएँ राष्ट्रीय होती हैं; बाज़ार को तो दोष नहीं दिया जा सकता। निजीकरण वैश्वीकरण की सह-प्रक्रिया है जिसमें प्राकृतिक संसाधनों पर निजी स्वामित्व, सिंचाई संसाधनों पर निजी स्वामित्व, आधारभूत संसाधनों पर निजी स्वामित्व, उद्योगों का निजी स्वामित्व आदि शामिल हैं। इससे सामूहिक सहभागिता (जन सामान्य की) और सार्वजनिक दायित्व (सरकार का) का लोप हो जाता है। ज़रूरत है जन भागीदारी वाली जनतान्त्रिक प्रक्रिया, सामाजिक समानता, पर्यावरणीय टिकाऊपन और सामाजिक विकास की, न कि उपभोक्तावाद की।

उपभोक्तावाद के आयाम

उपभोक्तावाद का अर्थ है उपभोग का केन्द्र में होना अर्थात् किसी अर्थव्यवस्था में उत्पादन और वितरण के बरक्स उपभोग को असीमित प्राथमिकता देना। इससे यह स्पष्ट होता है कि उपभोग सिर्फ़ आवश्यक आवश्यकताओं (रोटी, कपड़ा, मकान, दवा, शिक्षा) को पूरा करने तक ही सीमित नहीं रहना बल्कि वह आरामदायक विलासिता की वस्तुओं को भी अपनी प्राथमिकता में ले लेता है। लालच भी ज़रूरत की तरह लगता है—ज़्यादा चीज़ें, कई तरह की चीज़ें, रिश्तेदार-पड़ोसी से बेहतर चीज़ें, जन माध्यमों द्वारा विज्ञापनों में दिखाई गयी नयी चीज़ें, प्रदर्शनी या मेले-बाज़ार में देखी गयी नयी चीज़े। विज्ञापनों ने कई चीज़ों का अर्थ बदल दिया है—ठंडा मतलब 'कोका-कोला' 'यह प्यास है बड़ी'। एक विज्ञापन में युवा माँ-बाप एक छोटे-से बच्चे को पापा, मामा बोलने को कहते हैं, तो वह धीरे-धीरे बोलता है। इस पर वे दोनों ख़ुश होते हैं। फिर बाप कहता है—'बेटा, बोलो चेकोस्लोवाकिया'। ज़ाहिर है, छोटा बच्चा नहीं कह पाता। तभी बच्चों के आगे के जीवन में सहायक होने के लिए अंग्रेज़ी में प्रचार आता है—'मैक्स न्यूयार्क लाइफ इंश्योरेंस' उसमें रोमन लिपि में हिन्दी में लिखा है—'करो ज़्यादा का इरादा' कितना ज़्यादा, कब तक और कहाँ तक? प्रचार में यह भी कहा जाता है—'बड़े सपनों को छोटा न होने दें।' क्या बीमा कराना ही बड़ा सपना है अथवा जीवन का सही रास्ते पर ले जाना जिससे स्वहित के साथ-साथ मानव-कल्याण भी हो। अर्थात् बीमा कराने से बच्चा बढ़ेगा और कठिन चीज़ों को जल्दी और ज़्यादा सुलझाएगा। दूसरा प्रचार आता है—'बढ़िया है सुनील बाबू' जिसमें शुरू में गाड़ी, पत्नी और घर नये रूप में दिखाये जाते हैं मगर एक अरसे के बाद पत्नी मोटी और बेडौल हो जाती है, गाड़ी पिचक जाती है मगर घर वैसा ही चमकता रहता है क्योंकि उस पर बर्जर पेंट से रंगाई की गयी होती है अर्थात बर्जर पेंट ही घर की आत्मा है और पत्नी से भी ज़्यादा भरोसेमन्द। इस प्रकार हम उपभोग करने के लिए कई चीज़ों के प्रति इतने दिवाने हो जाते हैं कि अपने घर में एक छोटा-मोटा बाज़ार तैयार कर लेते हैं—दैनिक उपभोग के लिए ही नहीं, भावी उपभोग के

लिए भी। बाज़ार हमें निर्देश देता है कि नये क़िस्म के कपड़े, मनोरंजन के साधन, कैमरा, खान-पान की चीज़ें, यातायात के साधन (स्कूटर, मोटरसायकिल, कार) मकान या ज़मीन आदि जल्दी से ख़रीद लें भले इसके लिए हमें अपना ईमान बेचना पड़े। सो उपभोक्तावाद का पहला प्रभाव होता है लोगों को भ्रष्ट बनाना क्योंकि सीमित आय से असीमित चीज़ें नहीं ख़रीदी जा सकतीं। इसलिए भारत में कालाधन बढ़ता जा रहा है।

ज़ाहिर है कि 'अतुल्य' भारत जैसे देश में जहाँ आर्थिक वृद्धि दर नौ फीसद रही है, वहाँ योजना आयोग के अनुसार (2004-2005) 30.10 करोड़ लोग ग़रीबी रेखा के नीचे रहते हैं, किन्तु प्रमुख अर्थशास्त्री प्रो. उत्सा पटनायक के अनुसार यह आँकड़ा काफ़ी कम है क्योंकि यदि हम प्रति व्यक्ति प्रतिदिन न्यूनतम 2400 कैलोरी ऊर्जा को मापदंड मानें, तो ग्रामीण भारत में 80% से ज़्यादा लोग ग़रीब हैं और यदि यह मापदंड 2200 कैलोरी मानें, तो ग्रामीण भारत में 70% से ज़्यादा लोग ग़रीबी रेखा से नीचे रहते हैं। दूसरी ओर (2007 में) भारत में 1.23 लाख मिलियनेयर (दस लाख रुपये वाले) हैं और भारत में ऐसे अमीरों की सम्पत्ति 440 बिलियन डॉलर है जिसमें उनके मुख्य आवास और फुटकर उपभोग की चीज़ें शामिल नहीं हैं। मगर ग़रीबों के लिए ग्रामीण क्षेत्रों में उचित मूल्य की राशन दुकानें उपलब्ध नहीं हैं और जो दुकानें हैं भी, वे भ्रष्टाचार की बलिवेदी पर तिरोहित हो गयी हैं। वर्ष 2003-04 में केन्द्र सरकार ने सोलह राज्यों को एक सौ चालीस लाख टन खाद्यान्न आवंटित किया जिसमें से सिर्फ़ उनसठ लाख टन खाद्यान्न गरीबों को दुकानों से मिला अर्थात् आधे से ज़्यादा बीच में ही ग़ायब हो गया। बिहार और पंजाब में आवंटित खाद्यान्न का तीन-चौथाई हिस्सा दुकानदारों, आपूर्ति अधिकारियों और दलालों ने खा-पी लिया। इस प्रकार निगरानी व्यवस्था धरी की धरी रह गयी। इतना ही नहीं, वर्ष 2000-2004 के दौरान भारतीय खाद्य निगम को ढुलाई के दौरान पाँच सौ छप्पन करोड़ रुपये का नुक़सान हुआ तथा भंडारण नुक़सान आठ सौ बयालीस करोड़ रुपये का हुआ। ज़ाहिर है एक ओर अमीर उपभोक्तावाद के तहत मालामाल हो रहे हैं, वहीं दूसरी ओर ग़रीबों की तादाद में इज़ाफ़ा हो रहा है—यह है भूमंडलीकरण का विरोधाभासी विकास। मगर यह राम कहानी यहीं ख़त्म नहीं होती, ग़रीबों का हक़ मारने के लिए बहुतेरे फ़र्ज़ी राशन कार्ड लगभग सभी राज्यों में हैं और भारत सरकार ने (अप्रैल 2008) लोकसभा में स्वीकार किया कि ग़रीबी रेखा के नीचे रहने वालों के नाम पर फर्जी लाल कार्ड पूरे देश में 3.7 करोड़ (अर्थात् 35%) पाये गये। योजना आयोग ने कुल 6.52 करोड़ परिवारों को गरीबी रेखा के नीचे माना है जबकि 10.28 करोड़ लाल कार्ड बाँटे गये। मगर यह भी सचाई है कि लाखों ग़रीबों को लाल कार्ड नहीं मिले जबकि बहुतेरे खाते-पाते लोगों को लाल कार्ड मिल गये। ऐसी स्थिति में कुछ अर्थशास्त्रियों, नेताओं

और अधिकारियों की राय है कि अनुदानित वितरण बन्द करके ग़रीबों को नगर राशि दे दी जाये। मगर यह उचित नहीं होगा क्योंकि उसका दुरुपयोग होगा और ग़रीब भोजन के अभाव में कुपोषण के ज़्यादा शिकार होंगे।

इसी प्रकार ग्रामीण इलाक़ों में कई विकास योजनाएँ (रोज़गार, स्वरोज़गार, सामाजिक सुरक्षा) चल रही हैं किन्तु उनमें कटौती होने के कारण अपेक्षित परिणाम नहीं निकल रहा है। विकास की योजनाओं में रिश्वतख़ोरी के कारण अन्ततः ग़रीबों का हक़ मारा जाता है—या तो बनने वाली योजनाओं की गुणवत्ता ख़राब हो जाती है या उन्हें कम मज़दूरी मिलती है या कम दिनों तक रोज़गार मिलता है या अनुदान का लाभ नहीं मिलता आदि। यही वजह है कि भारत में पारदर्शिता/सत्यनिष्ठा का सूचकांक नीचे खिसक रहा है भारत 2007 में सत्यनिष्ठा क्रम में 72 वें स्थान पर था जो 2008 में खिसककर 85वें स्थान पर पहुँच गया है। दक्षिण एशिया में भूटान की स्थिति सबसे बेहतर है किन्तु अन्य देशों की स्थिति भारत से बहुत बदतर है। पूरे विश्व में सत्यनिष्ठा और पारदर्शिता में डेनमार्क, स्वीडन और न्यूजीलैंड का पहला स्थान है जबकि सोमालिया का स्थान सबसे नीचे (सर्वाधिक भ्रष्ट-180वाँ स्थान) है। ट्रांसपैरेन्सी इंटरनेशनल भारत के अध्यक्ष एडमिरल आर.एच. ताहिलियानी के अनुसार भारत में सर्वाधिक भ्रष्ट पुलिस, राजनैतिक प्रतिष्ठान एवं निचली अदालतें हैं। भारत में लोकपाल विधेयक लम्बे अरसे से विचाराधीन है जो शीर्षस्थ भ्रष्टाचार को घटाने में कारगर भूमिका अदा कर सकता है क्योंकि संसद में प्रश्न पूछने और पक्ष में मतदान करने या अनुपस्थित रहने के लिए माननीय जनप्रतिनिधियों को रिश्वत दी जाती है। इसके अलावा चुनाव में एक से दस करोड़ रुपये प्रति निर्वाचित क्षेत्र (लोक सभा) ख़र्च किया जाता है जिसका स्रोत काला धन और रिश्वतख़ोरी ज़्यादा होता है। राजनैतिक जोड़-तोड़ का सीधा आधार अब पैसा हो गया है जबकि पहले विचारधारा, सिद्धान्त, नीति और नीयत राजनैतिक दलों के मुख्य आधार स्तम्भ हुआ करते थे। निचली अदालतों का भ्रष्टाचार धीरे-धीरे ऊपर उठ रहा है—ग़ाज़ियाबाद में भविष्य निधि (पी.एफ.) घोटाले में क़रीब तीन दर्जन जजों के नाम आ गये हैं, कोलकाता हाईकोर्ट के एक जज के ख़िलाफ़ महाभियोग की अनुशंसा सर्वोच्च न्यायालय ने की है और चंडीगढ़ में एक जज के घर पर 15 लाख रुपये भेजे गये थे।

उपभोक्तावाद का ही परिणाम है कि चीज़ों के नाम और अर्थ बदल गये हैं वनस्पति घी कम लोग कहते हैं, बल्कि डालडा, बावर्ची, रथ, खजूर (ब्रांड) कहकर काम निकाल लेते हैं। हुंडई, मारुति, होंडा सिटी, क्वालिस, सफारी, स्पेसियो, इंडिका, इंडिगो, टोयटा, लैंड रोबर, स्कॉर्पियो, मर्सिडीज, प्रीमियर आदि ब्रांड नाम ज़्यादा प्रचलित हैं। इसलिए लोग कहते हैं कि मेरे पास स्पेसियो है न कि सिर्फ़ गाड़ी। क्योंकि इसमें एक तरह का अभिमान छिपा है। अभी हाल में शिलाँग में एक कार्यक्रम

में मैं शामिल हुआ जहाँ मन्त्री जी के विलम्ब से आने के कारण उस समय को 'क्विज़' से भरा गया। टी.वी. स्क्रीन पर अंग्रेजी में सवाल पूछे जाते थे कि अमुक 'लोगो' (चिह्न) किस विदेशी कार का है और जो पहले बताता था उसे इनाम मिलता था। ज़ाहिर है मैं कोई नाम नहीं बता सका क्योंकि मेरी रुचि ऐसे आभिजात्य उपभोक्तावाद में कभी नहीं रहती। शुरू में प्रश्नकर्ता ने पूछा था कि क्या ऐसा कोई व्यक्ति है जो विदेशी कारों को पसन्द नहीं करता। उसके जवाब में सिर्फ़ मैंने हाथ उठाया था। ज़ाहिर है, वहाँ उपस्थित भद्रजनों और महिलाओं को विदेशी कार पसन्द है और उन्हें पाने के लिए वे उत्सुक भी हैं। फिर 'नैनो' कार के शीघ्र बाज़ार में आने को लेकर मध्यवर्ग का अधिकतर भाग उत्सुक और बेचैन है क्योंकि वह उसे ख़रीदना चाहता है, एक लखटकिया कार का मालिक होने का सपना लाखों लोगों ने पाला है जिससे उन्हें स्कूटर, मोटर सायकिल की सवारी में धूप-वर्षा का सामना न करना पड़े। सो नैनो के कारखाने से बाज़ार और वहाँ से घर लाने की बेसब्री से इन्तज़ार करता मध्यवर्ग सिंगूर के किसानों के भूमिहीन बनने की मर्मान्तक पीड़ा से बेख़बर है—'आप सुखी संसार सुखी, आप दुःखी संसार दुःखी।' 'इंडियन आइडल', 'कौन बनेगा करोड़पति' तथा नाच-गान के अन्य कार्यक्रमों में एस.एम.एस. और फ़ोन की दर बढ़ाई जाती है और वोट निर्णय का आधार होता है जो पैसे पर निर्भर ज़्यादा करता है, मत पर कम। हँसाने के कई कार्यक्रम वोडाफ़ोन, रिलायंस मोबाइल आदि द्वारा प्रयोजित होते हैं और उनके दर्शक/श्रोता मध्य वर्ग के होते हैं जो मोबाइल फ़ोन के दीवाने हैं जबकि इसकी तरंगों से दिल की बीमारी, प्रजनन शक्ति में ह्रास, दिमाग़ पर कुप्रभाव और उनके टावर से निकलने वाली तरंगों से पक्षियों की मौत आदि जैसे प्रभाव पड़ते हैं।

उपभोक्तावाद का दूसरा रूप है मानव गरिमा का ह्रास। यह दो रूपों में हो रहा है। पहला हम मनुष्य नहीं रह गये हैं, बल्कि 'विभाजित व्यक्तित्व' हो गये हैं। हम कभी 'उपभोक्ता' के रूप में बाज़ार द्वारा देखे जाते हैं (जो ख़रीदता है), तो कभी राष्ट्र-राज्य 'नागरिक' के रूप में देखे जाते हैं (जो मतदान करता है सरकार बनाने के लिए) या 'सरकारी सेवक' के रूप में या असरकारी संगठन के सदस्य के रूप में देखे जाते हैं फिर कभी हम न्यायपालिका, अभियोजन, पुलिस और कारा प्रशासन द्वारा अभियुक्त, मुजरिम या विचाराधीन बन्दी के रूप में देखे जाते हैं—और हमारे वकील हमें मुवक्किल (ग्राहक) के रूप में देखते हैं। प्रशासन वाले अपने को प्रशासक या मालिक के रूप में मानते हुए जनता को 'शासित' या प्रजा के रूप में देखते हैं। जनप्रतिनिधि चुनाव के समय जनता को 'जनार्दन' (मालिक, ईश्वर) मानते हैं और चुनाव के बाद सिर्फ़ परनिर्भर, पिछलग्गू या गुलाम। इसके कारण मनुष्य स्वयं मनुष्य नहीं रह जाता और दूसरों को भी मनुष्य नहीं समझता। वह दूसरों की और स्वयं की औक़ात पैसा, पद, प्रतिष्ठा या पहुँच से आँकता है।

मानव–गरिमा के ह्रास का दूसरा रूप ज़्यादा वीभत्स है। आज स्त्रीवाद या नारी आन्दोलन मुख्यत: नारी विमर्श में बदल गया है जो अन्तत: 'देह–विमर्श' में रूपान्तरित हो गया है। कई जनप्रतिनिधि, बुद्धिजीवी और उनके अनुयायी नारी को मात्र देह मानते हैं अर्थात स्त्री को अपनी देह पर पूरा अधिकार है; वह उसे चाहे ढँके या नहीं, चाहे जैसे उपयोग करे और चाहे जिसके साथ साझा करे। जहाँ पहले भारत जैसे पारम्परिक समाज में नारी का 'पालतूकरण' (पर्दा–प्रथा, विधवा–विवाह निषेध, बाल–विवाह, अशिक्षा आदि के ज़रिये) होता था, वहीं अब पश्चिमीकरण के कारण 'फ़ालूतकरण' (अंग प्रदर्शन, सार्वजनिक रूप से अश्लील हरकतें, कालगर्ल, वेश्यावृत्ति, समलैंगिक सम्बन्ध आदि के ज़रिये) हो रहा है। नाच–गान के सैकड़ों कार्यक्रम टी.वी. चैनलों पर धड़ल्ले से हो रहे हैं, (जिसमें शिल्पा शेट्टी का देर तक चुम्बन पाश्चात्य अभिनेता गेरे करता है या राखी सावंत का मीका करता है या 'बिग–बॉस' में हॉफ पैंट पहनी हुई एक कन्या एक युवक से पैरों में तेल मालिश करवाती है)। जहाँ मानवीय रिश्तों का व्यापारीकरण हो रहा है। वास्तव में स्त्री–पुरुष एक–दूसरे के पूरक हैं और दोनों में बराबरी हो और सामाजिकता का भी ख़याल रखा जाय।

आजकल बहुत सारे हिन्दी समाचार वाले निजी टी.वी. चैनलों पर हँसने–हँसाने के कार्यक्रम रात–दिन चल रहे हैं जहाँ पुरुष–स्त्री सम्बन्धों की सीमाएँ ध्वस्त हो रही हैं। एक कार्यक्रम में एक प्रतियोगी ने अपने नाटेपन पर यूँ प्रतिक्रिया व्यक्त की: 'साइज डज नॉट मैटर, चाहे अर्चना जी से पूछ लो।' अर्चना जी वहाँ निर्णायक मंडल में थीं, सो उन्होंने आपत्ति की ऐसे द्विअर्थी संवाद पर। एक दूसरे कार्यक्रम में एक हँसोड़ ने दूसरे हँसोड़ की ओर इशारा करते हुए कहा—'इसके पतलून से तीन चीज़ें बाहर की ओर निकली हुई हैं।' सो उसने जवाब दिया—'जब भगवान ने ही दिया है, तो छिपाना क्या?' तीसरे कार्यक्रम में 'सुहागरात' मनायी जा रही थी जिसमें महिला उड़नपरी (एयर होस्टेस) थी, सो उसने चिर–परिचित अन्दाज़ में कहा—"यह उड़ान मुम्बई से दिल्ली की दूरी एक घंटा पचपन मिनट में पूरी करेगी।" इस पर पति का जवाब था—'इस काम के लिए मुझे पर्याप्त समय दे रही हो।' फिर महिला ने कहा—'अपनी–अपनी पेटी बाँध लें', तो पति ने कहा—'यदि पेटी बाँध लूँगा, तो काम कैसे करूँगा?' इस प्रकार ये द्विअर्थी और अश्लील वार्तालाप निजता या गोपन का सार्वजनीकरण करके नारी–गरिमा का छलात्कार कर रहे हैं और उन्हें परिवार के साथ टी.वी. पर देखना बाप–बेटी, माँ–बेटे के पवित्र रिश्तों की शिष्ट दीवार को तोड़ देता है जिसके सामाजिक परिणाम भयंकर होंगे। यह अकारण नहीं है कि दिल्ली में एक किशोर ने अपनी वृद्धा दादी के साथ बलात्कार किया क्योंकि वह उसे ग़लत आदतों पर टोकती थी। 'आज तक' चैनल पर 'सीधी बात' कार्यक्रम में एक आइटम गर्ल ने बार–बार कहा—'मेरे को देखो', उसने हाल में सर्जरी या अन्य उपाय से अपने

स्तन बढ़वा लिये थे। इतना ही नहीं, नाना प्रकार के कार्यक्रमों में समलैंगिक सम्बन्धों की बात की जा रही है। एक नाच के कार्यक्रम में जब संचालक से विवाह करने के बारे में सवाल किया गया तो, उसने कहा—'मैंने अभी इस पर सोचा नहीं है।' इस पर एक अधेड़ महिला (जो अपनी बहू के साथ मंच पर नाचने आयी थी) ने तपाक ने से कहा—"मैंने समझा कि तुम किसी लड़के से काम चला लोगे।" इस प्रकार नाच-गान-हँसी जैसे सामान्य एवं साफ-सुथरा प्रतीत होने वाले कार्यक्रमों में ऐसे संवाद पारिवारिक श्रोताओं/दर्शकों के संवेदनशील दिमाग पर कुप्रभाव डालते हैं। वास्तव में, ये कार्यक्रम हमारी व्यक्तिगत निजता तथा सामूहिक भावना एवं संवेदना को कुंठित कर रहे हैं। संवेदना कुन्द करने की बात 'अमेरिका'ज फनियएस्ट वीडियोज' से ज़्यादा प्रमाणित होती है जिसमें किसी के मोटर से गिरने, तालाब या कुंड में गिरने, गुप्तांगों में चोट लगने, दौड़ में भीड़ का एक दूसरे पर गिरने, कोई सामान (मेज़ या कुर्सी) टूटने आदि पर ठहाका लगाया जाता है। यदि हम अपनी नयी पीढ़ी को ऐसी घटनाओं पर हँसने का उदाहरण दे रहे हैं, तो निश्चित तौर पर वे संवेदनहीन बन जाएँगे।

उपभोक्तावाद का एक और आयाम है—शादी के अवसर पर बैंड बाजा, डी.जे. आर्केस्ट्रा आदि। पहले शुभ अवसरों पर स्थानीय तौर पर गाजे-बाजे, शहनाई, गायन, नृत्य आदि का कार्यक्रम होता था, किन्तु अब बैंड-बाजा होना ज़रूरी हो गया है जिसके आगे-पीछे दर्जनों लड़के-लड़कियों, पुरुषों-स्त्रियों के नाच होते हैं और इसमें दो-तीन घंटे लग जाते हैं। इससे ध्वनि प्रदूषण काफी होता है, समय नष्ट होता है और अशिष्टता बढ़ती है। बैंड बाजे के साथ माँ-बहनों का नाचना आम बात है। शादी के अवसर पर धूमधाम आदि में जितना ज़्यादा ख़र्च होता है, उतनी ही वाहवाही होती है। मंच पर तामझाम के साथ जयमाला भी डालने का रिवाज़ गाँवों में पहुँच गया है। इसी उपभोक्तावाद का यह कुपरिणाम है—दहेज़ दानव का बढ़ना। दहेज़-वृद्धि के कारण बहुतेरी लड़कियों की शादी विलम्ब से हो रही है या बेमेल (उम्रदराज़, विधुर, विकलांग या नशेड़ी) से हो रही है जो सामाजिक एवं व्यक्तिगत दोनों तरह से सही नहीं कही जा सकती। फिर महँगा प्रीतिभोज, वीडियोग्राफ़ी आदि ज़रूरी बन गया है। अफ़सोस है कि पढ़े-लिखे परिवारों में दहेज़ की माँग ज़्यादा हो रही है जो हमारी शिक्षा की मूल्यहीनता का सूचक है।

उपभोक्तावाद ने हमारी लोक परम्पराओं को भी विद्रूप किया है। रामलीला, कृष्ण रास लीला, गरबा रास जैसी लोक वार्ताएँ भारत के विभिन्न कोनों में होती रही हैं और हफ़्ते-दस दिनों तक पूरी शिष्टता, श्रद्धा एवं सहजता से ऐसे कार्यक्रम आयोजित होते रहे हैं। किन्तु पिछले कुछ वर्षों से ऐसे कार्यक्रमों में बारगर्ल या आइटम-गर्ल आने लगी हैं जो 'लघुत्तम सीमावर्ती' और 'महत्तम पारदर्शी' कपड़ों

में मटकती, झटकती और लटकती मुद्राओं में नाच-गान करती हैं। 'बिग बॉस' कार्यक्रम में लिंगेरी में पुरुष की गोद में महिला का नहाना दिखाया गया है। इस साल हरिद्वार और फर्रुख़ाबाद में हुई रामलीलाओं में ऐसी नाभि-वक्ष-दर्शना लड़कियों ने 'कजरारे, कजरारे, तेरे कारे-कारे नैना...' जैसे गीत-नृत्य प्रस्तुत किये और दुर्भाग्यवश वहाँ वर्दीधारी सिपाही आदि मौजूद थे। यह बताया गया कि वे राम की बारात का स्वागत कर रही हैं! आख़िर राम के नाम पर क्या-क्य होगा? ज़ाहिर है, ऐसे सांस्कृतिक कार्यक्रमों में बच्चे-बूढ़े, स्त्री-पुरुष बड़ी संख्या में शामिल होते हैं जिनका स्वाद हम बिगाड़ रहे हैं और युवा मस्तिष्क को ग़लत दिशा में मोड़ रहे हैं जिससे अपनी ऐतिहासिक-सांस्कृतिक विरासत से युवा वर्ग की विरक्ति होगी जो पहले से ही पाश्चात्य प्रभावों के कारण भ्रमित हो रहे हैं। किशोर मन को सही समय पर सही गति, सही दिशा में ले जाने के लिए सर्जनात्मक सामाजीकरण करना चुनौतीपूर्ण काम है।

उपभोक्तावाद का एक और आयाम है—उछाल। जैसे आर्थिक वृद्धि का पैमाना सेंसेक्स में उछाल माना गया है, वैसे ही सेक्स में भी उच्छृंखलता के साथ उछाल हो रहा है। काल गर्ल, वेश्या, 'जिगोलो', समलैंगिकता आदि में वृद्धि हो रही है। इस बावत अमेरिका के सान डीगो की एक बाईस वर्षीय लड़की 'नताली डायलान' (छद्म नाम) का उदाहरण चिन्ताज़नक है जो स्नातकोत्तर की पढ़ाई (विवाह एवं परिवार थेरेपी) का ख़र्चा जुटाने के लिए अपने कुँवारेपन की नीलामी कर रही है। उसकी बहन एक कोठे पर पहले से ही कार्य करती है और जो अधिकतम बोली लगाएगा उसके साथ वह हमबिस्तर होगी। उसको इस पर कोई अफ़सोस नहीं—"हम एक पूँजीवादी समाज में रहते हैं। मैं अपने कुँवारेपन से पूँजी क्यों नहीं जुटाऊँ? मुझे पता है कि कुछ लोग इसकी निन्दा करेंगे, मगर मैं समझती हूँ कि इससे मैं सशक्त होऊँगी। मैं वही (उपयोग) कर रही हूँ जो मुझे अपने को बेहतर बनाने के लिए करना है।" वह बोली लगाने वाले की शंका पर हर जाँच कराने को तैयार है। वह 'महिला अध्ययन' में स्नातक डिग्रीधारी है। किंगस्टन विश्वविद्यालय (यू.के.) के एक शोध में यह पाया गया है कि क़रीब दस फीसद महिला विद्यार्थी यौन-उद्योग में किसी न किसी रूप में, शिक्षा शुल्क जुटाने के लिए जा रही हैं। यह आकस्मिक नहीं है कि अमेरिक की कई वित्तीय संस्थाएँ यथा लेहमान, बी. एंड बी., ए.आई.जी., वाल स्ट्रीट आदि दिवालिया हो गयी हैं जिन्हें उबारने के लिए अमेरिका सरकार ने सात सौ बिलियन डॉलर का पैकेज दिया है जो पूँजीवाद की पोल खोल देता है। अमेरिका में बाल-वेश्यावृत्ति भी तेज़ी से बढ़ रही है। वहाँ (जून 2008 में) दस राज्यों के 16 शहरों तथा कोलम्बिया जिले में एक अभियान में 389 वयस्क पकड़े गये जो 433 बच्चों को बाल-वेश्यावृत्ति में ले गये थे। अब तक ऐसे 308 अभियुक्तों को सज़ा दी गयी।

वे इंटरनेट के ज़रिये विज्ञापन करते थे और ट्रक स्टॉपों पर दलालों के ज़रिये बच्चों को वेश्यावृत्ति में ले जाते थे। भारत में हर साल सात लाख बच्चों का यौन-शोषण होता है। रॉयटर के सर्वेक्षण के अनुसार भारत बच्चों के लिए विश्व का छठवाँ सबसे ख़तरनाक देश है। यह भी उपभोक्तवाद (नया प्रयोग, नयी चीज़), उद्योगवाद (हर चीज़ का व्यापारिक लाभ) और पूँजीवाद (मानव का परायापन) का ही कुपरिणाम है। विभिन्न विज्ञापनों के ज़रिये तम्बाकू, सिगरेट, पान मसाला का धड़ल्ले से प्रचार किया जाता है जिसके फलस्वरूप क़रीब दस लाख लोग हर वर्ष भारत में मरते हैं। आज के ज़माने में किसी उत्पाद की क़ीमत दस फीसद होती है और बाक़ी नब्बे फीसद बाज़ार अध्ययन और प्रचार आदि में ख़र्च होते हैं।

उपभोक्तावाद, उद्योगवाद और पूँजीवाद से उत्पन्न समस्याओं का छोटा और सरल समाधान नहीं है। हमें आर्थिक व्यवस्था, सांस्कृतिक व्यवस्था और राजनैतिक व्यवस्था में बदलाव लाने की ज़रूरत है। हमें युवा वर्ग को अपनी जड़ों में जोड़ने की ज़रूरत है न कि 'सांस्कृतिक पुलिस' (जैसे शिवसेना द्वारा वेलेंटाइन डे पर प्रेमी युगलों से मारपीट या बनारस में 'वाटर' के फिल्मांकन को रोकना या मेरठ के कम्पनी बाग़ में प्रेमी युगलों को पीटना या आर्चीज दुकान में तोड़-फोड़ करना) के ज़रिये तोड़-फोड़ का शार्टकट रास्ता। दरअसल अन्धानुकरण और सांस्कृतिक पुलिस की सहनशीलता दोनों में अति ठीक नहीं हैं। हमें नैतिक शिक्षा, मूल्यपरक शिक्षा पर ज़ोर देने की भी ज़रूरत है तथा टी.वी कार्यक्रमों को शालीन बनाने की भी। हमें अपनी शास्त्रीय और लोककलाओं, साहित्य और संस्कृति को पुनर्जीवित करने, समृद्ध करने, समसमायिक बनाने और संवर्द्धित करने की ज़रूरत है—हर नयी चीज़ अच्छी नहीं होती और हर पुरानी चीज़ ख़राब नहीं होती, विवेकशील व्यक्ति अपने विवेक से दोनों में से सही और उपयोगी चीज़ चुनता है, ऐसा संस्कृत के महाकवि कालिदास कह गये हैं। उपभोक्तावाद के सन्दर्भ में हमें इस सूत्र से सीखने की महती आवश्यकता है। हमें नयी पीढ़ियों को सहजता से प्रेरित करना होगा कि भारत जैसे नये राष्ट्र की राष्ट्रीय अस्मिता को अक्षुण्ण बनाये रखने के लिए अपनी देसी भाषाओं, भोजनों, भेषों और भवनों को 'विविधता में एकता' और बहुल संस्कृति के सिद्धान्त पर बरक़रार रखना है। उपभोक्तावाद से उच्च वर्ग पर ख़ास असर नहीं पड़ता और मध्यवर्ग (जो क़रीब तीस करोड़ है) आगे बढ़ने के लिए नयी-नयी ज़रूरतों को पूरा करने में लगा रहता है जबकि आम आदमी (छोटे किसान, मज़दूर) इसकी मृग मरीचिका में पिसते रहते हैं। अस्तु, ज़रूरत है गाँधी के आवश्यकता-विहीनता सिद्धान्त को अपनाने की, कम ज़रूरतें और कम लालच, अपने परिश्रम से ज़्यादा सन्तुष्टि।

सौन्दर्य, फ़ैशन और बाज़ार

आजकल चारों ओर भूमंडलीकरण की आँधी बह रही है। भूमंडलीकरण, वास्तव में, 'भूमंडीकरण' है जहाँ समूचे विश्व को घर से बाहर तक एक बाज़ार में तब्दील कर दिया जाता है अर्थात् हर चीज़ हर जगह किसी क़ीमत पर ख़रीदी-बेची जा सकती है। अस्तु, बाज़ार ने यौन-सम्बन्धों को भी अपनी गिरफ़्त में ले लिया है। भारत में क़रीब तीस लाख महिलाएँ/लड़कियाँ अपनी इच्छा के विरुद्ध देह व्यापार में संलग्न हैं और हर साल क़रीब दो लाख औरतें इस धन्धे में ढकेली जाती हैं। इक्कीसवीं सदी के प्रथम दशक में प्रेम हाट में बिक रहा है और खेती-बाड़ी में उपज रहा है। प्रेम, सौन्दर्य और यौन-सम्बन्धों का बाज़ारीकरण उम्र के गणित को तेज़ी से बदल रहा है। बचपन, किशोरावस्था, प्रौढ़ावस्था और वृद्धावस्था की सामाजिक-मनोवैज्ञानिक अवधारणाएँ तथा सम्बद्ध अपेक्षित व्यवहार श्रेणियाँ तेज़ी से ध्वस्त हो रही हैं। पहले अठारह वर्ष तक की उम्र बचपन में मानी जाती थी, अब ऐसा बिल्कुल नहीं है। अब अधिकतर विकसित देशों और भारत में उच्च एवं मध्यम वर्ग के बच्चों में बचपन दस-ग्यारह साल में ही ख़त्म हो जाता है और युवावास्था या गृहस्थाश्रम शुरू हो जाता है। वैसे परिपक्वता नहीं आ रही है! सम्भवतः खान-पान (फास्ट फूड, फास्ट लाइफ़) के कारण और अनावरण एवं पहुँच के विस्तार के कारण (टी.वी., सिनेमा, विद्यालय, बाज़ार) उनमें युवावस्था के शारीरिक लक्षण जल्दी दिखाई दे रहे हैं। अब लड़कियों में मासिक धर्म 9-10 वर्ष की उम्र में ही शुरू हो जा रहा है।

उल्लेखनीय है कि लन्दन में रैंडम हाउस नामक प्रकाशन द्वारा (फरवरी 2008) में कराये गये एक सर्वेक्षण, जिसमें 1170 माँ-बाप शामिल हुए—में कई चौंकाने वाली बातें उजागर हुई हैं—पहली, अभिभावकों में भी 'पीढ़ी-अन्तराल' (जनरेशन गैप) तेज़ी से पैदा हुआ है अर्थात पहले की पीढ़ी के अभिभावकों को अपेक्षा आज के माँ-बाप अपने रुख़ में ज़्यादा उदार और लचीले हो गये हैं। पचपन फीसद से अधिक माँ-बाप मानते हैं कि किसी बच्चे का बचपन ग्यारह साल में पूरा हो जाता है। कहने का आशय यह है कि प्राथमिक कक्षा (कक्षा 5) लाँघते ही उसका बचपन

ख़त्म हो जाता है। दूसरी, तीन-चौथाई माँ-बाप अठारह वर्ष के पूर्व ही अपने बच्चों को घर में 'रसरंजन' (शराब पीने) की अनुमति दे देते हैं। तीसरी, क़रीब आधे (45%) माँ-बाप अपने 16 वर्ष के बेटे या बेटी को उसके लड़का-मित्र या लड़की-मित्र के घर पर रात बिताने की अनुमति दे देते हैं। चौथी, सोलह वर्ष या उससे कम उम्र के आधे से अधिक बच्चे रात के ग्यारह बजे के बाद भी घर से बाहर रहने की अनुमति माँ-बाप से पा जाते हैं। पाँचवीं, 14 वर्ष की उम्र के आधे बच्चों को अपने बालों को इच्छित रंग से रंगने और नाना प्रकार के शृंगार करने की अनुमति माँ-बाप से मिल जाती है। इस प्रकार स्पष्ट है कि अल्पायु के बच्चे गुड़िया-गुड्डे से खेलने के बजाय अपनी तथा दूसरे की देह से खेलना शुरू कर देते हैं—जिनमें कान छेदाना, अंग प्रदर्शन करना, विपरीत लिंगों से उन्मुक्त घुलना-मिलना, गोदना गोदवाना तथा नये-नये प्रयोग करना आदि शामिल हैं। ये प्रयोगधारी बच्चे परिवार के किसी प्रकार के प्रतिबन्ध को सहज स्वीकार नहीं करते तथा व्यक्तिगत या सामूहिक रूप में अपने माँ-बाप (अपने मित्रों के माँ-बाप पर भी) पर 'परिवेशीय दबाव' डालकर अपनी ज़िद मनवा लेते हैं अन्यथा वे खुलकर परिवार के विरुद्ध विद्रोह कर देते हैं। उल्लेखनीय यह है कि व्यक्तित्व में तेज़ी से हो रहा ऐसा सामाजिक-मनोवैज्ञानिक परिवर्तन सिर्फ़ पश्चिमी विकसित देशों तक ही सीमित नहीं है। यह चीन और भारत जैसे परम्परा-निर्वाहक देशों में भी बख़ूबी हो रहा है। चीन में यौन-सम्बन्ध को एक तरह का 'बुर्जुआ स्खलन' माना जाता रहा है। मगर जैसे-जैसे वहाँ भी भूमंडलीकरण की आँधी चल रही है, सारे पारिवारिक बन्धन ध्वस्त हो रहे हैं। वहाँ एक तरह से यौन क्रान्ति हो रही है—सांस्कृतिक क्रान्ति के पचास-साठ वर्षों के बाद, जो दो कारकों के कारण से है—बढ़ती आर्थिक समृद्धि एवं निजी जीवन पर सरकारी नियन्त्रण में ढील। 1980 के पहले सत्ता वहाँ के लोगों के निजी जीवन में उतना ही दख़ल देती थी जितना सार्वजनिक (आर्थिक-राजनैतिक) जीवन में। मगर अब स्थितियाँ बदल रही हैं। अब मित्रों के बीच 'शिंग' (सेक्स) के बारे में बातें सहजता से की जाती हैं। सो विपरीत लिंगों के बीच होने वाले उन्मुक्त यौन-सम्बन्धों के कारण माध्यमिक कक्षाओं में पढ़ने वाली लड़कियाँ तेज़ी से गर्भपात करा रही हैं। मसलन, शंघाई गर्भपात चिकित्सा केन्द्रों में एक सप्ताह की छुट्टी के दौरान गर्भपात कराने वालों में उनकी तादाद अस्सी फीसद होती है—पश्चिमी देशों में अविवाहित माताओं को वह दंश नहीं झेलता पड़ता जो चीन या भारत जैसे पारम्परिक देशों में शायद अब भी झेलना पड़ेगा। सो गर्भपात ही ज़्यादा माकूल उपाय सूझता है अविवाहित यौन-सम्बन्ध के कारण गर्भधारण करने वाली लड़कियों को। पश्चिमी देशों में तो विवाह-पूर्व स्वच्छन्द यौन-सम्बन्ध आम बात है। भारत में सामान्यत: विवाह के साथ यौन-सम्बन्ध शुरू

होता है, मगर लुक-छिपकर गाँवों में यौन-सम्बन्ध स्थापित हो रहा है और शहरी मध्य एवं उच्च वर्गों में गर्ल-फ्रेंड या ब्यॉय-फ्रेंड का प्रचलन तेज़ी से बढ़ रहा है। अमेरिका, कनाडा, ब्रिटेन, फ्रांस, जर्मनी आदि देशों में स्कूल में पढ़ने वाली बच्चियाँ और बच्चे अपने बस्तों में कंडोम बराबर रखे रहते हैं और स्कूल से समय निकालकर अपने मित्रों के साथ यौन-सम्बन्ध स्थापित करते हैं। ब्रिटेन की डेढ़ दर्जन लड़कियों ने हाल में एक साथ गर्भवती होने का फैसला लिया। भारत के शहरों में भी कमोबेश ऐसी ही स्थिति है। बंगाल में ब्वॉय-फ्रेंड को 'बन्धु' कहा जाता है।

फिर समूची दुनिया में फ़ैशन का तूफ़ान बारामासी हो गया है जिसे इलेक्ट्रॉनिक मीडिया ने काफ़ी तरजीह दी है। फ़ैशन उत्सवों के कई आर्थिक पहलू हैं—नये-नये क़िस्म के सौन्दर्यवर्द्धक (शक्तिवर्द्धक नहीं) साजो-सामान (आँख, कान, नाक, मुँह, गाल, ओंठ, बाल, नाखून, नाभि, गला आदि के लिए) प्रचारित-प्रसारित किये जाते हैं जिनमें बहुराष्ट्रीय कम्पनियों के प्रायः महँगे उत्पाद शामिल होते हैं। दूसरे, कपड़ों की नयी डिज़ाइनें पेश की जाती हैं जिनके द्वारा शरीर को ढँकने की कम और खोलने की ज़्यादा कोशिश की जाती है। कभी-कभी मॉडल यह प्रयास करती हैं कि 'उसकी नाप के कपड़े' छोटे पड़ गये हैं, सो वह उन्हें नीचे की ओर मुख्य अंगों को ढँकने के लिए रबर की तरह खींचकर फैलाना चाहती है (वैसे वे जानती है कि कपड़े नहीं बढ़ेंगे!)। तीसरे, फ़ैशन में भाग लेने वाली महिलाएँ छरहरी होती हैं जिनकी देह की माप प्रायः 32-22-32 होती हैं। जो लड़कियाँ कुछ वर्षों से इस कार्य में रहते-रहते थोड़ा स्वस्थ हो गयी हैं, वे पुनः उपरोक्त माप के लिए शारीरिक अभ्यास/योगाभ्यास किसी व्यावसायिक संस्था या प्रशिक्षक की देख-रेख में करती हैं। वे अपने आहार को सन्तुलित करने के बजाय अत्यल्प कर देती हैं जिससे नाना प्रकार की बीमारियाँ पैदा हो जाती हैं। उदाहरण के तौर पर, फ्रांस की मॉडल इसाबेला कैरो की लम्बाई पाँच फीट चार इंच के बावजूद वज़न सिर्फ़ 70 पाउंड (क़रीब तीस किलो) है। इस प्रकार कम ख़ुराक से वज़न घटाने के प्रवृत्ति के कारण एनोरेक्सिया और बुलिमिया जैसी बीमारियाँ हो रही हैं। सो फ्रांस की संसद ने (15 अप्रैल 2008 को) इसे रोकने के लिए नया क़ानून बना दिया है जिसके मुताबिक़ किसी प्रकार के जन-संचार माध्यम के ज़रिये खान-पान में अव्यवस्था पैदा करने वाले विज्ञापनों पर रोक है जिसका उल्लंघन करने पर तीन साल की क़ैद और सत्तर हज़ार डॉलर जुर्माना किया जा सकेगा। इस क़ानून से क़रीब चार सौ ऐसी वेबसाइटों को झटका लगा है जो 'अक' या 'मिया' सम्बोधनों से एनोरेक्सिया या बुलिमिया को बढ़ावा देती हैं। उल्लेखनीय है कि 2006 में ब्राजील की मॉडल अना केरोलिना रेस्टोन की मृत्यु ऐनोरेक्सिया से हो गयी थी। भारत में भावना शर्मा, तमारा मॉश जैसी मॉडल और करीना कपूर जैसी सिने-तारिकाएँ

कम वज़न की हिमायती रही हैं। अस्तु, करीना कपूर ने अपना वज़न साठ किलो से घटाकर पैंतालीस किलो कर लिया। छरहरे बदन और कम वज़न की माँग के कारण फैशन की दुनिया में मॉडलों की औसत उम्र बीस-बाईस वर्ष से घटकर 15-16 वर्ष हो रही है। इतना ही नहीं, अब पुरुष भी एनोरेक्सिया के शिकार हो रहे हैं। 2003-2008 के दौरान ब्रिटेन में एनोरेक्सिया से पीड़ित पुरुषों की संख्या में 67% वृद्धि हुई। पिछले साल वहाँ 700 लोग इससे पीड़ित थे। अब तो 8 वर्ष के बच्चे भी देह-सौन्दर्य के लिए अपना खान-पान अव्यवस्थित कर रहे हैं। जैसा कि 'पॉप' नामक फ़ैशन पत्रिका की प्रधान सम्पादक केटी ग्रांड ने ठीक ही कहा है—"फ़ैशन में जो कुछ पहले घट चुका है, आप उसका विलोम दिखाना-करना चाहते हैं।" अब फ़िल्म समारोहों की तर्ज़ पर विज्ञापन उत्सव कान आदि प्रसिद्ध शहरों में पूरे ताम-झाम के साथ मनाये जा रहे हैं। भारत की ग़ैर-सरकारी संस्था सुलभ इंटरनेशनल ने जुलाई 2008 में अलवर की मेहतरानियों को न्यूयार्क में संयुक्त राष्ट्र के एक आयोजन में 'अलवर की राजकुमारियाँ' के रूप में फ़ैशन मॉडलों के साथ रैम्प पर पेश किया। शायद उसकी दृष्टि में विकास का नया मॉडल और संस्कृति यही है, जिससे मीडिया का ध्यान उस ओर गया। मगर वे लोग साढ़े तीन लाख मेहतरों/मेहतरानियों को भूल गये जो हाथ से मैला साफ़ करते हैं और सिर पर मैला ढोते हैं। यह अकारण नहीं है कि अमेरिका में 'सेक्स एंड द सिटी' नामक फिल्म की लोकप्रियता को भुनाने के लिए न्यूयार्क की एक पर्यटन कम्पनी ने चौबीस हज़ार डॉलर में विश्व में कहीं से भी न्यूयार्क आने के लिए में चार दिनों के पर्यटन का पैकेज विज्ञापित किया है जिसमें सैलानी सम्बन्धित सितारों द्वारा पहने गये परिधानों को देख-छू सकेंगे, उन्हें प्रसिद्ध रेस्तरां में खाना खिलाया जाएगा और उनका नाइट क्लबों में मनोरंजन भी किया जाएगा। वे कलादीर्घाओं को भी देख सकेंगे और अन्ततः 'सेक्स शॉप' भी जा सकेंगे। मज़ेदार बात यह है कि कि 29 मई 2008 से शुरू हुए इस पर्यटन की प्रथम ग्राहक सिंगापुर की एक महिला है जहाँ उस फिल्म के प्रदर्शन पर रोक है। इन सब यौन केन्द्रित विज्ञापनों और उपभोक्ता संस्कृति का ही परिणाम है कि अमेरिका में हाल में रोमन कैथोलिक चर्च (जो शुरू से परम्परावादी रही है) के बड़े-बड़े पादरियों ने बाल-यौन-शोषण की एक बड़ी घटना को अन्जाम दिया। पोप बेनेडिक्ट सोलहवें ने स्वीकार किया है कि अमेरिका में 2002 से पाँच हज़ार व्यक्ति चर्चों में यौन-शोषणा के शिकार हुए जिससे चर्च को दो बिलियन डॉलर का नुक़सान हुआ। वास्तव में, नैतिक नुकसान का कोई लेखा-जोखा ही नहीं है। ब्रह्मचर्य का चोंगा पहने इन पादरियों द्वारा बड़े पैमाने पर किया गया बाल-यौन शोषण भूमंडलीकरण के बाज़ारवाद एवं उपभोक्तावादी संस्कृति का प्रतिफल है। क्योंकि वे गाँधीजी की तरह 'सत्य के प्रयोग' नहीं कर रहे हैं बल्कि वासना के वशीभूत हैं।

इस प्रकार स्पष्ट है कि सौन्दर्य बढ़ाने के लिए स्वास्थ्य की बलि देना उतना ही अनैतिक है जितना कि अधिक से अधिक धन और स्वाद पाने के लिए मुक्त यौन-सम्बन्ध। यदि प्रेम, सौन्दर्य और यौन-सम्बन्ध की अपनी शक्ति होती है, तो उनकी सीमा भी होती है। प्रेम बाहरी दिखावा और वासना नहीं है। मगर दुर्भाग्यवश आज प्रेम और सौन्दर्य का अच्छा-ख़ासा अर्थशास्त्र काम कर रहा है जहाँ नैतिकता, मानवीयता और सांस्कृतिक अस्मिता को दरकिनार कर दिया जाता है यानी प्रेम हाट में बिक रहा है—जिसके पास ज़्यादा पैसा, ऊँचा पद या बड़ी प्रतिष्ठा है, वे 'प्रेम' को ख़रीद रहे हैं या हड़प रहे हैं। नारी-विमर्श को देह-विमर्श में बदलने वाले स्वयंभू साहित्यकार-पत्रकार अपनी पीठ थपथपा रहे हैं और शिष्याओं को दक्ष कर रहे हैं। यानी देह की आज़ादी ही सब कुछ है। कई समुद्र तटों पर विदेशी महिलाएँ और पुरुष पूर्णतः नग्नावस्था में दिखाई पड़ते हैं। गोवा इसका भारतीय उदाहरण है। किन्तु ऐसे नंग-धड़ंग प्रदर्शन से सांस्कृतिक संघर्ष भी होता है। उदाहरण के तौर पर 'उसदोम' तट जर्मनी और पोलैंड की सीमा पर है। युवा जर्मन वहाँ पूर्णतः नग्न स्थिति में रहते हैं जबकि पोलिश लोग निजता का ख़याल करते हुए गुप्तांगों को ढँके रहते हैं। इसलिए दोनों में प्रायः तक़रार होती रहती है।

जानवरों के स्वभाव के विपरीत मनुष्य सोचने-समझने वाला सामाजिक प्राणी होता है। अस्तु, सामाजिक नियमों के आलोक में उसे नैतिकता का भी ख़याल करना ज़रूरी है क्योंकि इलेक्ट्रॉनिक मीडिया द्वारा अपसंस्कृति के प्रचार-प्रसार से अपराध भी तेज़ी से बढ़ रहे हैं और अपने परिवार, पड़ोस, समुदाय और समाज के प्रति हम असहिष्णु एवं अनुदार भी हो रहे हैं जो काफ़ी घातक है। पहले अविकसित समाज में एक तरह की 'नैतिक अर्थव्यवस्था' काम कर रही थी जिसके तहत रक्त या विवाह सम्बन्धों के आधार पर लोग एक-दूसरे की मदद खेती के लिए बीज, खाद, श्रम आदि, रोज़गार के लिए पूँजी और प्रबन्धन, सेवा के लिए श्रम का विनिमय (जिसे उत्तर प्रदेश में हूँड़ (हुंडा) कहा जाता है) आदि कई रूपों में करते थे। यदि कोई महिला विधवा हो जाती थी, तो उसके देवर, जेठ, ससुर और मायके वाले ज़िन्दगी भर उसकी मदद करते थे। मगर अब रिश्तों का बाज़ारीकरण हो गया है क्योंकि संयुक्त परिवार टूट गये हैं। उपभोक्तावाद अपने चरम पर है जहाँ राखी बाँधने वाली बहनों से भाई उसकी सायकिल की मरम्मत करने पर पैसे माँगता है, और कई मामलों में यौन-शोषण तक करता है। गाँव के कुछ मनचले लड़के गाँव की बहन-बेटियों का ख़ुद तो शोषण करते ही हैं, दूसरों से भी पैसे लेकर शोषण कराते हैं। धार्मिक और जातीय दंगों में दूसरों की माँ-बहनों की इज़्ज़त लूटना असली प्रतिशोध माना जाता है जिससे वे सिर उठाकर न चल सकें।

हमारा इलेक्ट्रॉनिक मीडिया बाज़ार के दबाव में ऐसे-ऐसे विज्ञापन प्रसारित करता है जो न सिर्फ़ अश्लील और कुरुचिपूर्ण होते हैं बल्कि वे हमारी संवेदना को जड़ से नष्ट करने का भरसक प्रयास करते हैं। यूँ ही इलेक्ट्रॉनिक मास मीडिया प्रायः एकतरफ़ा होता है जिसमें संवाद या तो बिल्कुल नहीं होता अथवा यदि थोड़ा-बहुत औपचारिक तरीक़े से होता भी है तो थोपा गया और एकांगी होता है अर्थात् यथार्थ की विद्रूपता अपने चरम पर होती है। ऐसे सन्दर्भ में ज़ाहिरी तौर पर माध्यम ही सन्देश बन जाता है जैसा कि प्रसिद्ध समाजशास्त्री मैकलुहान ने कहा था। सो मीडिया विज्ञापनों को लोगों के दिलो-दिमाग़ में ऐसे ठूँस-ठूँस कर भर देता है कि वे उन उत्पादों (मालों) को ख़रीदने के लिए सोचने लगते हैं और फिर परिवार के कई सदस्यों की समान सोच अन्ततः ख़रीदारी का निर्णय लेने को बाध्य कर देती है। अब लोग इसलिए भी ख़रीदने लगे हैं कि ख़रीदने से हैसियत बढ़ती है, कि ख़रीदने से निजी आत्म-विश्वास की ऊपरी कोर लबालब हो जाती है। पश्चिम की तरह भारत का नया उपभोक्तवादी सिद्धान्त है—'मैं ख़रीदता हूँ, इसलिए मैं हूँ।' जो बराबर ख़रीदता है, वही बार-बार दिखता है और जो दिखता है, उसी का अस्तित्व समाज बख़ूबी स्वीकार करता है। बाज़ारवाद का तक़ाज़ा है कि बाज़ार आजकल हमारे घरों में घुस गया है अर्थात् उसने घर को अपने क़ब्ज़े में कर लिया है जबकि पहले बाज़ार का दायरा और स्वरूप सीमित था जिससे वह एक मायने में घर-परिवार के अधीन था। अब उत्पाद से ज़्यादा उसका ख़ूबसूरत पैकेज महत्त्वपूर्ण हो गया है। रैम्प पर थिरकने वाली फ़ैशन मॉडल के रूप में सुन्दरियों की तरह उत्पादों का आकर्षक रंग-रोगन, लिबास और डिज़ाइन ज़्यादा तवज्जो पाता है, आज के उपभोक्तावादी ज़माने में। बाज़ार का गणित सिखाता है—कल नहीं आज, फिर आज दिन भर के लिए इन्तज़ार करने की फ़ुर्सत नहीं, सो 'अभी और यहीं' (जैसा कि परिघटनावादी) कहते हैं—क्योंकि 'कल हो, न हो'। कबीर के इस दोहे का विद्रूपण हो रहा है—'काल्हि करै सो आज कर, आज करै सो अब, पल में परलय होयगी, बहुरि करोगे कब।' सम्भवतः यह सब उत्तर आधुनिकतावाद के 'अन्तवाद' की देन है जहाँ 'विचाराधारा का अन्त', 'इतिहास का अन्त', 'कविता का अन्त', 'महावृत्तान्त का अन्त', 'किताब का अन्त' आदि घोषित कर दिया गया है।

अब तो विभिन्न सौन्दर्य प्रसाधनों का प्रचार-प्रसार गाँवों तक हो चुका है और गाँव स्तर पर सौन्दर्य प्रतियोगिताएँ आयोजित की जा रही हैं। इन आयोजनों के पूर्व महिलाओं के समूह बनाकर उन्हें कई सौन्दर्य-प्रसाधन मुफ़्त में या रियायती दरों पर दिये जा रहे हैं और परिणाम की घोषणा के साथ यह भी बताया जाता है कि अमुक बाला सबसे ज़्यादा सुन्दर है और उसकी सुन्दरता का राज़ अमुक क्रीम है। अब तो

कोई क़स्बा, नगर, महानगर, महाविद्यालय या विश्वविद्यालय नहीं बचा जिसमें सौन्दर्य प्रतियोगिता आयोजित न होती हो और किसी को सुन्दरी का ख़िताब न दिया जाता हो।

सौन्दर्य और फ़ैशन प्रतियोगिता का इतना कुप्रभाव युवा वर्ग पर पड़ रहा है कि 14-15 वर्ष की बच्चियों का अपहरण यौन-सम्बन्ध के लिए किया जा रहा है। कुछ स्वच्छन्द लोगों में यह (ग़लत) धारणा घर कर गयी है कि कुँआरी लड़कियों के साथ यौन-सम्बन्ध बनाने से एड्स जैसी बीमारी ठीक हो जाएगी। अवयस्क लड़कियों को जबरन वेश्यावृत्ति में धकेला जा रहा है और उनकी माँग युवाओं में तेज़ी से बढ़ रही है। इसके लिए माँग और पूर्ति पक्ष समान रूप से ज़िम्मेदार हैं। जहाँ धन-पशुओं में 'काल गर्ल' आदि की माँग बढ़ रही है वहीं दूसरी ओर ग़रीबी, दहेज न दे पाने की असमर्थता आदि के कारण वेश्यावृत्ति के लिए अविवाहित और विवाहित महिलाएँ अपने को समर्पित कर रही हैं। जो समर्पित नहीं करतीं, उनके बलात्कार किये जा रहे हैं। गाँवों की नातेदारी-रिश्तेदारी क़रीब-क़रीब ख़त्म हो गयी है। पहले दूसरों की लड़कियों को गाँव के सारे पुरुष बहन या बेटी समझते थे और उनकी आबरू का ख़याल करते थे। मगर अब प्राय: उनका शील-भंग विवाह के पूर्व ही हो जाता है। भारतीय संस्कृति में पहले धारणा थी कि यौन-सम्बन्ध विवाहोपरान्त ही स्थापित हों, मगर अब ऐसे 'प्रयोग' विवाह के पूर्व धड़ल्ले से हो रहे हैं। कई गाँवों/शहरों में पीड़ित लड़कियों का गर्भपात विवाह के पूर्व कराने की घटनाएँ घटी हैं। जिन युवाओं के पास पैसा है, वे ग़रीब लड़कियों को फँसाने में जल्दी कामयाब हो जाते हैं जबकि शहर की अमीर लड़कियों में विवाह-पूर्व यौन-सम्बन्ध निषिद्ध नहीं रह गया है। पश्चिमी संस्कृति का अनुकरण हमें किस मड़ार में ढकेलेगा, इसका अन्दाज़ा लगाना मुश्किल है। यह सब बाज़ारवाद, उपभोक्तावाद और वैश्वीकरण का प्रतिफल है।

मगर एक ख़बर से थोड़ी राहत की साँस ली जा सकती है कि केन्द्रीय लन्दन में कलाकारों, लेखकों और बुद्धिजीवियों ने एक नया विश्वविद्यालय खोला है जिसका नाम है—'जीवन का विद्यालय'। इसमें रोज़मर्रा की ज़िन्दगी से थके-हारे लोगों को जीवन, प्रेम, कलाओं, किताबों, राजनीति, परिवार और यात्राओं के बारे में पढ़ाया जाएगा अर्थात हर बीमारी का सांस्कृतिक इलाज खोजा जाएगा। उदाहरणार्थ, प्रेम का पाठ्यक्रम इस बात की खोज करेगा कि आख़िर मानव-सम्बन्ध इतने जटिल क्यों होते हैं और आकर्षण घटना-बढ़ता क्यो हैं ? मगर जहाँ पूरे विश्व की आबादी का बहुत बड़ा हिस्सा बाज़ार के दबाव में फ़ैशन और सौन्दर्य स्पर्धाओं का दीवाना होकर अपसंस्कृति फैला रहा हो, वहाँ ऐसा छोटा प्रयास ज़्यादा कारगर नहीं हो सकेगा। ज़रूरत है बड़े पैमाने पर बाज़ारवाद, उपभोक्तावाद और वैश्वीकरण का प्रतिरोध करने

की। मगर इसके लिए हमें अपनी ज़रूरतें कम करनी होंगी, लालच पर लगाम लगाना होगा और अपने आचरण को नियन्त्रित करना होगा जिससे 'सन्तोष धन' के आगे अन्य सभी प्रकार का धन-दौलत धूल के समान हो। यूँ भी रुपये का अवमूल्यन इतनी तेज़ी से हो रहा है कि 1990-91 में एक रुपये में जो चीज़ मिलती थी, वह अब तीन रुपये में मिलती है यानी मई 2008 में एक रुपये का वास्तविक मूल्य (1990-91 के मुक़ाबले) मात्र बत्तीस पैसे रह गया। भारत में तेज़ी से बढ़ रहे मध्य वर्ग (जो क़रीब 20-25 करोड़ है) की क्रय शक्ति बढ़ी है, मगर निम्न मध्यम वर्ग और निम्न वर्ग की क्रय शक्ति तेज़ी से घटती जा रही है जिसके कारण वे बाज़ार में स्वस्थ एवं स्वतन्त्र प्रतियोगिता नहीं कर पाते।

यौन–उपभोक्तावाद की संस्कृति

आज के ज़माने में यौन, यौनिकता, यौन प्रतीक, यौन–पर्यटन, यौन–व्यापार, यौन–सुख, यौन–सम्बन्धों की अति उत्कटता आदि जुमले धड़ल्ले से प्रयुक्त होते हैं जो किसी न किसी रूप में यौन–उपभोक्तावाद के आयाम हैं। आजकल इंटरनेट पर चैटिंग काफ़ी लोकप्रिय है। वहाँ अश्लील बातें और चित्र प्रायः होते हैं। समाजशास्त्रीय विश्लेषण से ज्ञात होता है कि यौन–उद्योग दुनिया के उन पाँच प्रमुख उद्योगों में शामिल हैं जो अत्याधुनिक कम्प्यूटर ख़रीदते हैं। ज़ाहिर है कि कम्प्यूटर के ज़रिये नये ग्राहक तलाशे जा रहे हैं, नयी यौन–तकनीकें खोजी जा रही हैं, नये स्थान खोजे जा रहे हैं, नयी पीढ़ियों को लुभाया और भरमाया जा रहा है, नयी समय–सारिणी बनायी जा रही है वग़ैरह–वग़ैरह। यह भी उल्लेखनीय है कि यौन–उद्योग में सबसे पहले टी–3 फ़ोन लाइनों और बाद में आइपॉड जैसे अत्याधुनिक मोबाइल फोनों का उपयोग किया गया जिनमें फ़ोटो खींचने और संचित करने की सुविधाएँ होती हैं। फिर 'डाइजेक्स' नामक वृहत् इंटरनेट कम्पनी, जिसका सबसे बड़ा ग्राहक माइक्रोसॉफ्ट निगम है, के पास यौन–उद्योग का निर्धारित स्थल है जो काफ़ी लोकप्रिय माना जाता है। इतना ही नहीं, जो लोग इंटरनेट के यौन–उद्योग में विभिन्न आयामों, और छवियों की डिज़ाइन करते हैं, वे उन्हें अपने 'सपनों का रोज़गार' (ड्रीम जॉब) मानते हैं अर्थात् उनकी निगाह में आर्थिक, सामाजिक, सांस्कृतिक एवं राजनैतिक दृष्टिकोणों से वह काम सबसे प्रिय और सन्तोषप्रद है। यह चौंकाने वाली बात है कि इंटरनेट पर विश्व में अश्लील कथ्यों और छवियों के लिए हर साल एक बिलियन डॉलर ख़र्च किया जाता है जो इंटरनेट पर बिकने वाली सारी चीज़ों एवं छवियों का लगभग सत्तर प्रतिशत है। कहने का आशय यह है कि ऑन लाइन के ज़रिये पैसे ख़र्च कर 'आभासी यौन–सुख' प्राप्त करने वालों की तादाद बहुत ज़्यादा है और दिन–प्रतिदिन उनकी संख्या बढ़ती जा रही है। यह भी रेखांकित करने लायक़ है कि किशोर–किशोरियों के बीच आभासी यौन–सुख लूटने की होड़ मची है। आजकल 'पेनफ्रेंड' धड़ल्ले से बन रहे हैं जिसके लिए पत्र–पत्रिकाओं, फ़ोनों, इंटरनेट आदि विभिन्न माध्यमों का उपयोग

किया जाता है। इंटरनेट पर अश्लीलता वाली सैकड़ों वेबसाइटें उपलब्ध हैं। जैसे—'सविता भाभी' नामक वेबसाइट मार्च, 2008 में शुरू की गयी थी—यह यौन से हताश एक महिला का कार्टून-चरित्र है। यह अंग्रेज़ी और कई भारतीय भाषाओं में उपलब्ध थी, किन्तु शिक़ायतों के बाद सरकार ने इस पर प्रतिबन्ध लगा दिया। अश्लील वेबसाइटों को देखने वालों की संख्या बढ़ती जा रही है। बंगलौर के ग्यारह वर्ष के एक छात्र ने 'सविता भाभी' नामक वेबसाइट देखकर अपनी शिक्षिका को एस.एम.एस. भेज दिया। इस प्रकार एस.एम.एस. सुविधा का दुरुपयोग हो रहा है।

मगर आजकल प्रचलित नाना प्रकार की अश्लीलता पर स्वयं नारीवादियों के मत भिन्न-भिन्न हैं। कुछ लोग 'देह विमर्श' को ही स्त्री-विमर्श की संज्ञा देते हैं और खुले रूप में कहते हैं कि स्त्री को अपनी देह पर पूरा अधिकार है, वह जैसा चाहे, उसका सदुपयोग या दुरुपयोग करे और ऐसा करने में उस पर राज्य, परिवार, व्यक्ति (पुरुष), समुदाय, जन-संचार माध्यम, विधायिका, न्यायपालिका आदि किसी के द्वारा किसी प्रकार का प्रत्यक्ष या अप्रत्यक्ष नियन्त्रण नहीं लगाया जा सकता। दूसरी ओर अन्य नारीवादी एक सन्तुलित दृष्टिकोण अपनाते हुए कहते हैं कि स्त्री-विमर्श का तात्पर्य उसकी देह का स्वच्छन्द दुरुपयोग नहीं होता जबकि समाज में स्त्री-पुरुष के बीच व्याप्त नाना प्रकार के भेदभावों को मिटाकर समता, स्वतन्त्रता, परस्पर समझ और सहभागिता का भाव पैदा करना होता है क्योंकि देह का खुला, भोंडा प्रदर्शन और अश्लील उपयोग महिलाओं का शोषण एवं अन्ततः अबलाकरण है। वास्तव में, भूमंडलीकरण के कारण देह-व्यापार में काफ़ी वृद्धि हो रही है। अकेले संयुक्त राज्य अमेरिका में प्रतिवर्ष पचास हजार महिलाएँ अन्य देशों से देह-व्यापार के लिए जाती हैं। फिर वहाँ नियोजित नौकरानियों का भी यौन-शोषण होता है और आर्थिक स्वावलम्बन की खोज में बाहर गयी ये महिलाएँ किसी प्रकार का प्रतिकार करने में असमर्थ होती हैं और ग़ुलाम की-सी ज़िन्दगी बिताने को विवश होती हैं। दिल्ली, कोलकाता और मुम्बई में हज़ारों स्त्रियाँ देह-व्यापार में लगी हुई हैं और उनमें नेपाल, बांग्लादेश, म्यांमार आदि की महिलाएँ भी शामिल हैं। भूमंडलीकरण के दौर में देह का बाज़ारीकरण तेज़ी से हुआ है और कई उद्योगों के बन्द होने से कालगर्ल और वेश्याओं का धन्धा तेज़ी से बढ़ा है।

यह दैनिक जीवन में बिल्कुल साफ़ दिखाई देता है कि भूमंडलीकरण के दौर में बहुतेरी महिलाओं को 'सेक्सी' दिखने-दिखाने का शौक़ चर्राता है और पुरुष वर्ग भी महिलाओं में अतिदृष्टिगोचर यौन-लक्षणों को ढूँढ़ता है अर्थात् समाज महिलाओं को सहज एक यौन-सामग्री तक न्यूनीकृत करता है और कई लड़कियाँ-स्त्रियाँ चेतना के अभाव में अथवा छद्म चेतना के कारण यौन-प्रतीक बनना चाहती हैं। कहने का आशय यह है कि यौनिकता दो रूप लेती है—पहले प्रकार में स्त्री स्वयं पहल करती

है और पूरे खुलेपन, निर्लज्जता तथा भोंडेपन से कहती है, 'मैं वह हूँ जो मैं हूँ' या 'मैं वह हूँ जो मैं होना चाहती हूँ'। दूसरे प्रकार में कोई महिला कहती है—'मैं वह हूँ जो समाज ने मुझे बनाया है', या 'मैं वह हूँ जैसा अन्य लोग चाहते हैं।' पहले प्रकार की श्रेणी में महिला नग्न प्रदर्शन करती है अपने उपभोक्तावादी स्वार्थ की पूर्ति के लिए। दूसरे प्रकार की श्रेणी में कोई महिला पत्नी के रूप में, बहू के रूप में, कामकाजी औरत के रूप में या माँ के रूप में एक ख़ास व्यवहार, शैली, उद्यम आदि के लिए मजबूर कर दी जाती है और कभी-कभी उसे नियोजन से भी हाथ धोना पड़ता है। कुछ रोज़गार प्रतिष्ठानों में यह रिवाज है कि बच्चों वाली महिलाओं को काम पर नहीं रखा जाता अथवा बाद में बच्चा जनने पर उसे (अन्य कर्मियों से) कम वेतन-भत्ते मिलते हैं अथवा उसे नौकरी से निकाल दिया जाता है। कुछ वर्ष पहले ब्रिटिश एअरवेज में कार्यरत एक भारतीय महिला (अमृत लालर्जा) को इसलिए नौकरी से निकाल दिया गया था कि उसने अपनी नाक छिदवाकर उसमें नकबुल्ली या फोंफी पहनी थी। ज़ाहिर है कि भारत में विवाहित महिलाएँ हिन्दू रीति-रिवाज के कारण नाक छिदवाकर नकबुल्ली या फोंफी पहनती हैं, सो उन्हें काम पर न रखना या निकाल देना एक ओर भेदभाव का सूचक है, तो दूसरी ओर यह भूमंडलीकरण की सार्वभौमिक भावना का माखौल उड़ाता है।

इतना ही नहीं, यौन-उपभोक्तावाद का युद्ध और पर्यटन से चोली-दामन का रिश्ता है जब हम आधुनिक इतिहास को खंगालते हैं, तो पाते हैं कि जब वियतनाम पर अमेरिका ने युद्ध थोपा था, तो हज़ारों अमेरिकी सैनिकों की यौन-भूख मिटाने के लिए महिलाओं में वेश्यावृत्ति की प्रवृत्ति तेज़ी से फैल गयी। 1967 में थाईलैंड ने संयुक्त राज्य अमेरिका की सरकार के साथ एक समझौता किया था कि वह वियतनाम युद्ध के दौरान अमेरिकी सैनिकों को 'आराम और मनोरंजन' की सेवाएँ सहर्ष उपलब्ध कराएगा और उसमें यौन-सम्बन्ध स्थापित करना ज़ाहिरा तौर पर शामिल था। इसके अलावा उस दौरान कोरिया और फिलीपीन्स की महिलाओं के साथ अमेरिकी सैनिकों द्वारा बलात्कार किया गया और जबरन वेश्यावृत्ति में ढकेला गया। क्यूबा में भी यौन-पर्यटन प्रचलित है। थाईलैंड सरकार विज्ञापनों के ज़रिये 'धूप, समुद्र और यौन' (सन, सी ऐंड सेक्स) का धड़ल्ले से प्रचार करती है और प्रचार में कमसिन लड़कियों के चित्र भी छपवाती है, मालिश करने के नाम पर। कुछ लोगों का कहना है कि स्थिति इतनी बदतर है कि वहाँ पैसे देकर यौन-सुख के लिए लड़कियाँ प्राप्त करना सिगरेट का पैकेट ख़रीदने की तरह आसान है। थाईलैंड में हर साल पचास लाख यौन-पर्यटक जाते हैं और क़रीब पाँच लाख घरेलू यौन-पर्यटक होते हैं। अमेरिकी सैनिक वियतनाम के अलावा थाईलैंड और फिलीपींस में भी ठहरे थे। वियतनाम युद्ध की समाप्ति के समय सैगोन शहर में पाँच लाख वेश्याएँ थीं—ज्ञातव्य है कि वियतनाम युद्ध शुरू होने

के समय सैगोन में कुल महिलाओं की संख्या पाँच लाख ही थी। एक अनुमान के मुताबिक़ 1985 तक फिलीपींस में सैनिक छावनियों में यौन-उद्योग से पाँच सौ मिलियन डॉलर से अधिक की आय होती थी। इस प्रकार सेना के लिए यौन-सुख एक प्रचलित नारा बन गया था। क्या यही भूमंडलीकरण का उद्देश्य था? क्या युद्ध आर्थिक विनाश, सामाजिक विघटन और राजनैतिक संघर्ष के साथ-साथ देह का बाज़ारीकरण नहीं करता? क्या कुछ भी नैतिकता बची है, भूमंडलीकरण में जो विकसित देशों के लिए वरदान है और अविकसित देशों के लिए अभिशाप क्योंकि दोनों के बीच विषम विनिमय होता है? क्या यह सही नहीं है कि विकसित देशों में समलैंगिकता बढ़ रही है? विकसित देशों के पर्यटक छोटे-छोटे बच्चों का यौन-शोषण करके दु:खवादी सुख प्राप्त करते हैं।

फिर आज के दौर में फ़ैशन प्रतियोगिताएँ तथा नाना प्रकार के विज्ञापन जारी होते हैं जिनमें स्त्रियों की पारम्परिक छवि (आदर्श गृहिणी) के रूप में पेश की जाती है। कपड़े धुलने या खाना बनाने में स्त्री को आनन्दित दिखाया जाता है और इस कोण से पेश किया जाता है कि दर्शक उन भूमिकाओं को स्वीकार कर लें और वैसा सामाजीकरण मान्य हो जाय। दूसरी ओर कई अर्धनग्न तरीक़े हैं—वे नृत्य-संगीत का कार्यक्रम पेश करती हैं, कोई सामान पाकर ख़ुशियाँ अश्लील तरीक़े से ज़ाहिर करती हैं, मोटापा दूर करने के तरीक़े बताती हैं। वे साफ़-साफ़ कहती हैं कि कैसे फलाँ सामान रखने के कारण उन्हें ससुराल वालों ने पसन्द कर लिया। धारावाहिकों में विवाह-पूर्व एवं विवाहेतर यौन-सम्बन्धों को प्रचारित-प्रसारित किया जाता है मानो यह आदर्श रीति हो। एक महिला एक ही धारावाहिक में कितनी बार शादी करती है, तोड़ती है और फिर शादी करती है। पश्चिमी देशों की नक़ल करके तलाक-अलगाव बारम्बार होता है। टी.वी. से लेकर सिनेमा तक में अर्द्धनग्न स्त्रियों की छवियाँ बार-बार पेश की जाती हैं। 'बिग बॉस' जैसे कार्यक्रम में ब्रा-पैंटी वाली लड़कियाँ स्विमिंग पूल में अर्द्धनग्न पुरुषों के साथ नहाती हैं, उनकी गोद में चिपकी होती हैं और पति-पत्नी-सा चुम्बन-आलिंगन पर्दे पर बार-बार दिखाया जाता है। इससे परिवार-समाज पर नकारात्मक प्रभाव पड़ना स्वाभाविक है। फ़िल्मों में ही नहीं, यथार्थ में भी बलात्कार के दृश्य इतनी बार और इतनी फूहड़ता से दिखाये जाते हैं कि दर्शक पीड़ित स्त्री के साथ संवेदना और परानुभूति स्थापित नहीं कर पाता। दूसरी ओर युवा पीढ़ी असली ज़िन्दगी में वैसा कृत्य करने के लिए आमादा हो जाती है। सो महिलाओं के विरुद्ध (नवयुवकों द्वारा) हिंसा, बलात्कार, छेड़छाड़ जैसे अपराधों में तीव्र वृद्धि हो रही है। सुन्दर स्त्रियों की घरेलू गृहिणी और यौन-वस्तु दोनों भूमिकाओं में ऐसे पेश किया जाता है कि वे 'भौतिक आकृतियों' में न्यूनीकृत हो जाती हैं। इस प्रकार ऐसे विज्ञापन या चरित्र-चित्रण अन्तर्वस्तु तथा प्रस्तुति दोनों मायनों में पुरुषों को आकर्षित

करने के लिए प्रसारित होते हैं। जो लोग यह तर्क देते हैं कि जिन्हें पसन्द न हो, वे टी.वी./सिनेमा नहीं देखें, वे भूल जाते हैं कि नयी तकनीकी (वीडियो-ऑडियो कैसेट आदि) के कारण फ़िल्में और टी.वी. कार्यक्रम दैनिक जीवन का हिस्सा बन गये हैं।

आजकल सौन्दर्य प्रतियोगिताएँ पैंटी-ब्रा, स्विमिंग सूट आदि में ज़्यादा आयोजित होती हैं। फिर टी.वी. पर 'सच का सामना' नामक कार्यक्रम चल रहा है जिसमें प्रतिभागियों से विवाह-पूर्व यौन-सम्बन्ध, विवाहेतर यौन-सम्बन्ध, यौन-सम्बन्धों की नयी तकनीक, समलैंगिक यौन-सम्बन्ध आदि के बारे में 'खुलापन' के नाम पर ऊटपटाँग और अश्लील सवाल पूछे जाते हैं। इतना ही नहीं, यदि मेजबान उनके जवाबों से सन्तुष्ट नहीं होता, तो कहता है कि मशीन ने आपकी झूठ पकड़ ली है और आपको इनाम की मोटी राशि से वंचित होना पड़ेगा। इतने से भी मेजबान का पेट नहीं भरता। वह प्रतिभागियों के माँ-बाप, पति या पत्नी, भाई-बहन, दोस्त आदि को सामने दर्शक दीर्घा में बैठाता है जिससे प्रतिभागी अनैतिक कुकृत्यों को उनके सामने क़बूले। उन्हें नहीं पता कि कमाई और कुतूहल बढ़ाने के नाम पर ऐसे कार्यक्रम सामाजिक मर्यादाओं और नैतिक मूल्यों की धज्जियाँ उड़ा रहे हैं जो सामाजिक क्षरण एवं पतन में योगदान दे रहा है। संयुक्त राज्य अमेरिका के न्यूयार्क शहर में 'हाई लाइन' व 'स्टैंडर्ड' नामक एक नया होटल खुला है जिसमें आने वाले आगन्तुक खिड़कियाँ खोलकर हस्तमैथुन से लेकर यौन-सम्बन्ध की नाना क्रियाएँ सम्पन्न करते हैं और इन कुकृत्यों की पोर्न फिल्में साथ-साथ बनायी जाती हैं। एक प्रत्यक्षदर्शी पड़ोसी के अनुसार शनिवार के दिन ऐसी अश्लील हरकतें ज़्यादा होती हैं। क्योंकि समूचे पश्चिमी समाज में वीक ऐंड (सप्ताहान्त) मनाने का बड़ा क्रेज होता है। होटल की फेसबुक में लिखा है कि आप अपनी आन्तरिक बातों का प्रदर्शन करें तथा अपने 'अन्तरंग एवं प्रत्यक्ष फोटो' को साझा करें। इसकी वेबसाइट कहती हैं—"आप जो कुछ करें, वह शॉट हाट हो और आप उन्हें किसी भी तरीक़े से हमें दे दें। यह हरदम यौन के बारे में है और आप हमारे स्टार हैं।" सिटी काउंसिल ने इसे समुदाय के ख़िलाफ़ माना है। मैंने एक बार लन्दन के अख़बारों में छपा समाचार तथा विज्ञापन पढ़ा था कि जो व्यक्ति अमुक महिला चित्रकार की पेंटिंग ख़रीदेगा, वह उस ख़रीदार के साथ मुफ़्त में हमबिस्तर होगी। पैसा दो, देह-सुख लो। वेश्यावृत्ति को कला का जामा पहनाया जा रहा है। अमानवीयता की पराकाष्ठा इस यौन-उपभोक्तावाद में स्पष्ट दिखती है जहाँ पैसा ही सब कुछ है, वह अब महज़ साधन ही नहीं, साध्य भी हो गया है। क्या यह नारी स्वतन्त्रता का दुरुपयोग नहीं है? जो देह को मुक्ति का साधन मानती हैं, वैसी महिलाएँ सामाजिकता एवं नैतिकता को तिलांजलि दे रही हैं, जो नारी

जाति के लिए ही नहीं, समग्र मानवता के नाम पर कलंक है। अभी हाल में (अगस्त 2009 के अन्तिम सप्ताह में) इज़रायल के तेल अबीब शहर में कुछ मनचली लड़कियों/महिलाओं ने एक रैली निकाली जिसमें कहा गया कि इज़रायली पुरुषों में रोमांस की कमी होती है। उन्होंने, दफ़्ती पर इश्तहार लिखा था—'फोरप्ले ऑर फॉरगेट इट!' अर्थात् यौन-सम्बन्ध स्थापित करने के पूर्व चुम्बन, आलिंगन और अंग-मर्दन जैसी पूर्वक्रीड़ाएँ की जानी चाहिए। आजकल जर्मनी में 'गेट नेकेड' (नंगे हो जाओ) नामक कपड़े की एक कम्पनी ने एक ऐसी काली बिकनी बनायी है जो पानी में घुसने पर महज़ तीन मिनटों में घुल जाती है। इसको ख़रीदने के लिए युवकों में क्रेज व्याप्त है जो इसे ख़रीदकर अपनी लड़की-मित्रों को भेंट कर रहे हैं। अब पुरुषों के अधोवस्त्र भी ऐसे ही तैयार हो रहे हैं। निःसन्देह यह समग्र मानव जाति की खुली बेइज़्ज़ती का सूचक है। क्या प्रेम महज़ वासना है ? क्या रति-सुख दिखावा की चीज़ है ?

इधर सिनेमा और टी.वी. द्वारा प्रसारित विभिन्न फ़िल्मों और धारवाहिकों में स्त्री के शरीर को शक्ति के स्पर्धात्मक दावों और विविध प्रकार की हिंसा का खुला अखाड़ा माना जाता है जहाँ मर्दवादी सोच और नीयत के लिए 'खुला खेल फर्रुख़ाबादी' की नीति अपनायी जाती है। प्रायः फिल्मों में प्रेम और छेड़खानी के बीच बहुत बारीक़ रेखा होती है। सो युवा दर्शक उसको असली जीवन में करने लगते हैं। इस प्रकार महिलाओं के साथ छेड़खानी, बलात्कार, अपहरण, हत्या, तेज़ाब या खौलता तेल फेंकने, बदशक्ल बनाने, यौनपरक टिप्पणियाँ करने, अश्लील हरकतें करने या चाकू मारने आदि की घटनाएँ घटती हैं क्योंकि व्यवहार में महिलाएँ इतनी सस्ती नहीं होतीं जैसे फिल्मों/धारवाहिकों में दिखाया जाता है कि भीतर से चाहते हुए भी कोई लड़की किसी लड़के से प्रेम के लिए तुरन्त 'हाँ' नहीं कहती और नायक बार-बार उसका पीछा करता है और अन्ततः दोनों में प्रेम परवान चढ़ता है। भारत में यह भी ग़लत रूप में प्रचलित है कि कोई महिला प्रेम-सम्बन्ध के लिए जल्दी हाँ नहीं कहती और यदि कहती है तो वह महिला नहीं है। महिलाओं के विरुद्ध होने वाली घटनाओं में आन्ध्र प्रदेश का स्थान (विशेषकर गुंतूर) पूरे देश में सबसे आगे है। मगर दुर्भाग्य है कि जनसंचार माध्यम इन घटनाओं को संवेदनशीलता के साथ नहीं दिखाते या प्रकाशित करते हैं तो वे इनमें मसाला लगाकर और चटखारे लेकर इन्हें सनसनीखेज ख़बरों में तब्दील कर देते हैं। उदाहरण के लिए, पीड़ित महिला के दर्द पर विषय केन्द्रित करने के बजाय प्रेम को त्रिकोण, बेवफ़ाई आदि को ज़रूरत से ज़्यादा तूल दिया जाता है। यों क़ानून में बलात्कार की पीड़ित महिला का नाम नहीं छापने या प्रसारित करने का प्रावधान है, मगर जनसंचार माध्यमों को इसकी परवाह प्रायः नहीं होती।

इसलिए महिलाओं के विरुद्ध घटने वाली कई आपराधिक घटनाएँ पुलिस थानों में दर्ज नहीं कराई जातीं क्योंकि इससे बदनामी का भय होता है, पुलिस थाने और न्यायालय के चक्कर लगाने पड़ते हैं और सबके सामने ऐसे सवाल पूछे जाते हैं जिनके लिए महिलाएँ सार्वजनिक रूप से बोलने के लिए तैयार नहीं होतीं। इसके अलावा न्याय की घड़ी में सुई चींटी की गति से चलती है जिसके कारण लम्बे अरसे तक पीड़ित महिला अपना दर्द भूल नहीं पाती और समाज उसे भूलने नहीं देता। इसलिए यौन-उपभोक्तावाद जैसी सामाजिक बुराई को दूर करने के लिए एक ओर क़ानूनी प्रक्रिया को चुस्त-दुरुस्त करने की ज़रूरत है, तो दूसरी ओर सामाजिक-सांस्कृतिक जागरण की भी आवश्यकता है। मगर इस स्थिति से उबरने में नैतिक पुलिस की आक्रामक भूमिका उचित नहीं कही जा सकती।

उपभोग की संस्कृति के आगे

संस्कृति को अंग्रेज़ी में 'कल्चर' कहा जाता है और दोनों का वृहत् अर्थ 'जीने का सलीक़ा' या परिष्कृत जीवन-शैली होता है। हम सभी अपना-अपना जीवन-यापन विविध तरीक़े से करते हैं। इसी विविधता को लक्ष्य करके प्राचीन यूनानी दार्शनिक सुकरात ने एक महत्त्वपूर्ण सवाल उठाया था—हमें कैसे जीना चाहिए? यानी जीने का कौन-सा तौर-तरीक़ा बेहतर है। आधुनिक काल में मानवशास्त्रियों और समाजशास्त्रियों ने इसे दूसरे ढंग से पेश किया है—हम साथ-साथ कैसे रहते हैं? क़रीब ढाई हज़ार साल पहले अरस्तू ने कहा था—'मनुष्य एक सामाजिक प्राणी है।' अर्थात वह स्वभाव से एक समूह में, एक समुदाय में या एक समाज में रहना चाहता है क्योंकि वह अकेले नहीं रह सकता। यदि कोई बच्चा जानवरों के समूह में पले-बढ़े, तो वह उनकी बोली-बानी सीखेगा, उनकी तरह चलना-फिरना सीखेगा और वैसा ही खाना-पीना सीखेगा। यह सच्चाई का एक पक्ष (समाजीकरण) है। दूसरा पक्ष यह है कि वह समाज को बदलना भी चाहता है क्योंकि मनुष्य के भीतर (निजी और सामूहिक तौर पर) इच्छाशक्ति होती है कि वह अपने परिवेश में बेहतरी के लिए बदलाव लाये। ऐसा इसलिए सम्भव होता है कि वह बराबर सोचता है और अपने हाथ-पैरों से कुछ करता रहता है जिससे बदलाव सम्भव हो सकता है। शायद इसी तथ्य को मॉरिस गोडेलियर ने इस तरह कहा है—"अन्य सामाजिक प्राणियों के बरक्स, मानव प्राणी समाज में सिर्फ़ जीते ही नहीं है, बल्कि वे जीने के लिए समाज का उत्पादन करते हैं।" ('ह्यूमन बीइंग्स, इन कंट्रास्ट टू अदर सोशल एनिमल्स, डू नॉट जस्ट लिव इन सोसायटी, दे प्रोड्यूस सोसायटी इन ऑर्डर टू लिव')। मनुष्य विभिन्न तरीक़ों से जीने के लिए, बोलने के लिए, घरेलू जीवन चलाने के लिए, एक-दूसरे को प्रभावित और नियन्त्रित करने के लिए और अनदेखी सच्चाइयों का सामना करने के लिए 'महान मेहराब' (रुथ बेनिडिक्ट के शब्द) रचता है। इसी तथ्य को अपनी पुस्तक 'व्हाई ह्यूमन्स हैव कल्चर्स?' (1992) में माइकेल कैरिथर्स यों व्यक्त करते हैं—"परिवर्तन, सृजन और पुनर्सृजन, व्याख्या और पुनर्व्याख्या सभी दैनिक अनुभव के

ढाँचे के अंग हैं। ये ऐसी प्रक्रियाएँ नहीं हैं जो कभी-कभी और अपवादस्वरूप घटती हैं, बल्कि मानव सामाजिक जीवन के उपादान ही हैं। जब कभी हम कोई ऐसा काम करते हैं जो पारम्परिक प्रतीत होता है, तो उसे हम नयी परिस्थितियों में करते हैं और इसलिए, वास्तव में, परम्परा का पुनर्सृजन करते हैं, न कि सिर्फ़ उनका अनुकरण।'' वाइगोत्स्की, बाख़्तिन, मीड, गर्फिकल और माइकेल कैरिथर्स जैसे—पारस्परिकतावादी चिन्तक मानते हैं कि लोग एक-दूसरे से इस प्रकार गहन रूप से जुड़े होते हैं कि हम उन्हें तभी सही ढंग से समझ सकते हैं जब हम उनके निजी विचारों और रुख़ों को अन्तर-वैयक्तिक के रूप में समझते हैं। परिवार भी एक जटिल सामाजिक इकाई है जिसमें नाज़ुकता, संवेदनशीलता और अनिश्चित्ता निहित होती है। जॉन झिमान के अनुसार वैज्ञानिक ज्ञान में तीन चीज़ें होती हैं—जानकारों का समुदाय, जो प्रत्यक्ष रूप से उनके द्वारा साथ-साथ समझने योग्य (पैटर्न) हो; और जिस पर वे सर्वसम्मत हों। रेमंड फर्थ को फील्डवर्क करने के दौरान (पोलिनेशिया में टिकोपिया के बारे में) एक शब्द 'टेके' मिला जिसके तीन सन्दर्भों में तीन अर्थ होते थे—कोई कार्य करने का अनिच्छुक, क्रुद्ध या आपत्ति करने वाला। इस प्रकार ख़ास शब्दों या वृत्तान्तों को संस्कृति के सन्दर्भ में ही समझा जा सकता है क्योंकि यह एक 'पैटर्न रिकगनीशन' (क्रमिक मान्यता) से निर्देशित होता है।

सांस्कृतिक बाज़ार-स्थल' के रूप में नगरों का विशेष महत्त्व है। जैसा कि ए. अमीन और एन. थ्रिफ्ट जैसे विचारकों का मानना है—नगर को 'अन्वेषण तथा सृजनात्मकता का उद्‌गम-स्थल एवं इसलिए भविष्य के लिए हमारी आशा' माना जा सकता है। आशय यह है कि कि नगर विविधता और भिन्नता को एक साथ समाहित करता है, वहाँ तरह-तरह के अजनबी मिलते हैं तथा वहाँ की हवा में आज़ादी होती है जो गाँव के सामन्ती या दकियानूसी माहौल में नहीं होती। प्रसिद्ध समाजशास्त्री मैक्स वेबर ने सिद्ध किया है कि विवेकीकरण की प्रक्रिया में नगर महत्त्वपूर्ण भूमिका निभाता है। इसी प्रकार जॉर्ज सिमेल भी मानते हैं कि आधुनिक महानगर की समझ आधुनिक समाज की समझ का आधार देती है—एक ओर प्रोत्साहन और चुनौती, तो दूसरी ओर एकान्त तथा निजता की पुनर्प्राप्ति के लिए संघर्ष। इस प्रकार मनुष्य के समक्ष वस्तूकृत संस्कृति गहन द्वैधवृत्ति पैदा करती है। जैसा कि बाद्रिला कहते हैं, आज के ज़माने में अनियन्त्रित और स्वच्छन्द उपभोग अवश्यक्ता पर आधारित नहीं रह गया है। ख़रीदारी का प्रचलन एक प्रकार का अवकाश और मनोरंजन बन गया है। आजकल अक्सर जब दो मित्र मिलते हैं या नये अतिथि आते हैं तो मेज़बान या मेहमान की आरे से सबसे पहला प्रस्ताव आता है—'चलो, शॉपिंग के लिए चलते हैं।' अर्थात् दुकान, बाज़ार, मॉल जाएँगे और तब तय करेंगे कि क्या ख़रीदना है—कम को बढ़ाने के लिए, नया होने और दिखने के लिए तथा अतिरिक्त चीज़ों का अम्बार होने से भव्यता और

शान का अहसास होने के लिए। नये पूजा घरों के रूप में अब बड़े-बड़े शॉपिंग मॉल, बड़े-बड़े भंडार, खाने के होटल (फूड कोर्ट) तथा विशिष्ट चीज़ों के पार्क नये-नये ब्रांड बन गये हैं और अन्ततः कारागार बन गये हैं क्योंकि सार्वजनिक गतिविधियों की जोड़-तोड़, अनुश्रवण तथा नियन्त्रण निजी तौर पर होते हैं—लगभग यही स्थिति पर्यटन, जनसंचार माध्यम, स्वास्थ्य, शिक्षा आदि क्षेत्रों की भी है। आजकल बड़े शॉपिंग मॉल 'वास्तविक' और 'काल्पनिक' उपभोग के बीच की जगह हैं अथवा, जैसा कि डिल्यूज और गुआतरी मानते हैं, अन्तिम सन्तुष्टि व ख़ुशी तथा 'इच्छुक मशीन' द्वारा सदैव बढ़ने वाले उपभोग की अतृप्य भूख के इनकार के बीच की जगह हैं। जॉर्ज सिमेल के अनुसार धन की अन्तिम परिणति मानव व्यक्तित्व तथा संस्कृति का वस्तूकरण है। ए. अप्पादुरई के अनुसार 'वस्तुओं की पूजा' (जैसा कि मार्क्स ने भी कहा है) के पूरक के रूप में आज के ज़माने में 'उपभोक्ता की पूजा' की प्रक्रिया पैदा हुई है जिसके द्वारा उपभोक्ता अभिकर्ता के छद्म बोध से प्रलोभित होता है—इससे भूमंडलीय सांस्कृतिक अर्थव्यवस्था में अभिकर्त्ता की वास्तविक जगह ढँक जाती है। दरअसल, भूमंडलीकरण भूमंडीकरण है जहाँ बाज़ार नियामक भूमिका निभाता है और समता, स्वतन्त्रता, बन्धुत्व और साझेपन को ग्रहण लग जाता है।

मॉर्क्स ने माना है कि मानव आवश्यकताओं और क्षमताओं का वस्तूकरण तथा मुद्रा द्वारा उसकी मध्यस्थता का परिणाम परायापन और मानव श्रम का बेगानापन है। मुद्रा 'परायी मध्यस्थ' बन गयी है जिसने मानव कार्यों को गुलामी में बदल दिया। इस प्रकार मुद्रा ने असीमित शक्ति हासिल कर ली। इसके कारण, मार्क्स के शब्दों में, "मैं जो कुछ हूँ और जो कुछ कर सकता हूँ, वह मेरी निजता से बिल्कुल निर्धारित नहीं होती। मैं कुरूप हूँ मगर मैं सबसे सुन्दर औरत ख़रीद सकता हूँ। अर्थात् मैं कुरूप नहीं हूँ क्योंकि मेरी कुरुपता का प्रभाव, इसकी विकर्षक शक्ति, मुद्रा द्वारा नष्ट कर दिया जाता है...मैं एक दुष्ट, बेईमान, अनैतिक और मूर्ख व्यक्ति हूँ, किन्तु मुद्रा और इसकी शक्ति को सम्मान मिलता है...मुद्रा से मैं कोई भी चीज़ पा सकता हूँ जो मेरा दिल चाहे।" इस प्रकार मुद्रा यथार्थ को छिन्न-भिन्न कर देती है। मार्क्स के अनुसार, "मुद्रा कल्पना को यथार्थ तथा यथार्थ को कल्पना में बदल देती है...वास्तविक, स्वाभाविक शक्तियों को शुद्ध अमूर्त प्रतिनिधित्वों तथा यातनादायक छायाभासों में बदल देती है जिस प्रकार यह यथार्थपरक अपूर्णताओं और छायाभासों को यथार्थपरक आवश्यक शक्तियों तथा क्षमताओं में बदल देती है। इस प्रकार विशेषीकृत मुद्रा व्यक्तिगतताओं का सार्वभौमिक प्रतिलोम है।" इसी प्रकार वाल्टर बेंजामिन ने पेरिस और बर्लिन के स्टोरों के सर्वेक्षण में पाया कि पेरिस में आयोजित (1889) 'विश्व प्रदर्शनी' से 'उत्पाद का सिंहासनीकरण' हुआ। विभिन्न उत्पादों को 'इच्छा की चीज़ों' के रूप में दिखाकर उनके मूल उपयोगों और उत्पत्तियों को भुला दिया गया

जिससे 'स्वप्न-संसार' और मायाजाल पैदा किया जा सके सो आम लोग इस छद्म दुनिया के शिकार बने। इतना ही नहीं, मनोरंजन उद्योग ने मनुष्य को वस्तु के रूप में परिवर्तित करके ऐसा करना आसान बना दिया। इस प्रक्रिया में लोग अपने आप से तथा दूसरों से बेगाने हो चुके थे। सो बेंजामिन का स्पष्ट मनना है कि विनिमय मूल्यों की दुनिया जैविक दुनिया के ख़िलाफ़ खड़ी हो गयी और जीवन्त देह को अजैविक दुनिया के हाथों में लूटने के लिए सौंप दिया।

इ. इल्लाउज जैसे कुछ विद्वानों का मानना है कि उत्तर-आधुनिकता के दौर में 'सांस्कृतिक मोड़' ने उत्पादन और काम की विवेकशील दुनिया को हाशिये पर ला दिया है—इसने अर्थव्यवस्था को संस्कृति में तथा संस्कृति को मालों की अस्थायी तथा प्रयोज्य दुनिया में बदल दिया है। कहने का आशय यह है कि जैसे आधुनिकता उत्तर-आधुनिकता में बदली जाती है, 'बर्फ़ीली सर्द' विवेकशीलता का स्थान संवेग, रहस्यवाद, जादू, मिथक, धार्मिकता और प्रतिबिम्ब का गरम आलिंगन ले लेता है। जैसा कि बाद्रिला कहते हैं, उत्पादों के 'विवेकशील विनिमय' का स्थान 'प्रतीकात्मक विनिमय' ले लेता है—ऐसा विनिमय जो सम्भवत: अनुत्पादक और असीम दोनों है। प्रलोभन और विभ्रम की केन्द्रीयता अविवेकशीलता के अपुनर्प्रतिष्ठापन तथा संदिग्धता व संवेग के लिए सम्मान को फिर से सीखने का आधार प्रदान करती है। शायद यही वजह है कि कुछ विद्वानों ने उत्तर-आधुनिकता को 'नव मध्यकालवाद' के रूप में परिभाषित किया है तथा उत्तर-आधुनिक उपभोग को पूर्व-आधुनिक समाज के रूपों को समाहित करने वाला बताया है। बीसवीं सदी के उत्तरार्द्ध और इक्कीसवीं सदी के शुरू में कला और वाणिज्य का घाल-मेल हो गया तथा डिज़ाइन, बाज़ारीकरण और विज्ञापन उद्योगों ने शहरी भूचित्र का सौन्दर्यीकरण किया, जिसे फेदरस्टोन 'दैनिक जीवन का सौन्दर्यीकरण' कहते हैं। इसमें तात्कालिकता, गहनता, ऐन्द्रिक अतिभार तथा विमुखीकरण, चिह्नों की आसक्ति प्रतीकात्मक कूटों का मिश्रण, उत्तर-आधुनिक संस्कृति के अबाधित या प्रवाहमान संकेतकों तथा यथार्थ के सौन्दर्यमूलक विभ्रम पर ज़ोर रहता है। फेदरस्टोन उत्तर-आधुनिक संस्कृति की सकारात्मक और आशावादी छवि पेश करते हुए कहते हैं कि उत्तर-आधुनिक संस्कृति व्यक्तिवाद से परे जाने का प्रतिनिधित्व करती है, भावात्मकता और परानुभूति पर ज़ोर देती है और एक नया सौन्दर्यमूलक प्रतिमान देती है जिसमें लोग अस्थिर उत्तर-आधुनिक जनजातियों के रूप में एक साथ रहते हैं। इसके लिए संवेगों के 'नियन्त्रित अनियन्त्रण' (कंट्रोल्ड डिकंट्रोल) और अतितृप्त दृष्टिकोण की ज़रूरत होती है। फेदरस्टोन के अनुसार 'दैनिक जीवन का सौन्दर्यीकरण' 'उच्च' और 'निम्न' संस्कृतियों का भेद मिटा देता है, सुसंगत शैलियाँ तोड़ दी जाती हैं तथा कई शैलियों के क्षेत्र को विस्तारित करने पर ज़ोर रहता है। उत्तर-आधुनिकतावाद में पहले की शैलियों, लेखन, चित्र और

संगीत की मिश्रित शैलियों, प्रतीकात्मक सोपानक्रमों के ढहने तथा संस्कृतियों के पार्श्व-गायन (प्लेबैक) समाहित होते हैं। उनके अनुसार जैसे-जैसे चिह्न-व्यवस्था का आधिपत्य बढ़ता है, उन चिह्नों को समझने की हमारी साक्षरता भी बढ़ती जाती है। इसलिए उपभोग चिह्नों के जंगल में चुनने की राह की तरह होता है—हम वही चुनते हैं जो हमारे लिए अर्थपूर्ण होता है और इससे हम अपनी पहचान सक्रिय रूप से गढ़ते हैं। मगर गहराई में विश्लेषण करने से ज्ञात होता है कि यह तथाकथित चयन या विकल्प (च्वॉयस) दिखावटी, श्रेणीबद्ध, वर्ग आधारित और आभासी होता है, अर्थात् वास्तविक आवश्यकता पर आधारित नहीं होता तथा बाज़ार द्वारा उपलब्ध कराया गया तथाकथित सौन्दर्य सृजनात्मक, गहन, पारस्परिक और विस्तृत नहीं होता।

मगर जेड बाउमैन ने अपनी पुस्तकों 'लिक्विड माडर्निटी', 'लिक्विड लव' 'इनडिविजुअलाइज्ड सोसायटी', 'वेस्टेड लाइव्स' आदि में कहा है कि तरल पूँजी के निहित जोखिम ने अन्ततः व्यक्तिगत नाज़ुकता को ज़्यादा गहन बनाया है, न कि नागरिकता के संरक्षण पर अधारित सामूहिक राजनैतिक परियोजनाओं को। इसके परिणामस्वरूप नये सांस्कृतिक रूप पैदा हुए हैं जो 'अनियमित उपभोक्तावाद' के नैतिक नियम के अंग के रूप में 'क्षणभंगुरता' और 'नयापन' का जश्न मनाते हैं। इस प्रकार निरन्तर क्षणभंगुरता की स्वतन्त्रता को 'उपभोक्ता के चयन की पूर्णता' में बदल दिया जाता है। बाउमैन के अनुसार 'तरल आधुनिकता' ('ठोस आधुनिकता' के बरक्स) में उपभोग बेची गयी कठिनाइयों से मुक्त हो जाता है और आनन्द के नये स्तरों में लिप्त हो जाता है। 'ठोस आधुनिकता' ने अस्थिर 'आन्तरिक आत्म' की इच्छा को प्रवाहमान और विस्तार वाले उपभोक्तावाद में लगा दिया। 'तरल आधुनिकता' में, 'वास्तविक सिद्धान्त' की कठिनाइयों के अन्तिम अवशेषों से छुटकारा पाते हुए, 'चाह' 'आनन्द सिद्धान्त' की मुक्ति पूरा करती है। चाह 'दैनिक जीवन के सौन्दर्यीकरण' में घुल-मिल जाती है और उपभोग करने की मजबूरी 'कभी न शिथिल होने वाली उत्तेजना' के अन्तिम सिरे तक चली जाती है। 'तरल आधुनिकता' में उपभोग बढ़ते-बढ़ते अविवेकशीलता का रूप ले लेता है क्योंकि उपभोक्ता उपभोग की चीज़ों से इस तरह बँध जाता है कि वे अपनी दर्दनाक परिस्थितियों को भूल जाते हैं और इस प्रकार उपभोक्ता का उत्थान नागरिक की मृत्यु के बराबर होता है। इसीलिए 'तरल आधुनिकता' में सघन एकाकीपन होता है। बाउमैन के अनुसार उपभोग एक एकाकी गतिविधि होती है, भले वह दूसरों की संगति में समान हो। इस प्रकार नव-आधुनिक अन्धकार उपभोग के क्षेत्र में छाया रहता है। इस प्रकार स्पष्ट है कि आजकल जब अज्ञात सामाजिक सम्बन्धों से आनन्द की प्राप्ति होती है, प्रतिबद्धता नाम की कोई चीज़ सम्भव ही नहीं हो सकती और इसी अज्ञातता बोध से व्यक्तियों में बेगानापन

होता है तथा सम्प्रेषण की उच्च तकनीक ऐसे ख़ालीपन को छिपा देती है। ज़ाहिर है कि ऐसी स्थिति में परायापन को सौन्दर्यीकृत किया जाता है और 'अच्छे' के रूप में उसका पुनर्सृजन किया जाता है।

उल्लेखनीय है कि वैयक्तीकरण के बढ़ने के कारण ग़रीब लोग ख़तरनाक तरीक़े से आभ्यन्तरीकृत 'अन्य' का प्रतिनिधित्व कर रहे हैं। नव-उदारवाद की राजनैतिक परियोजना में कणन या 'सूक्ष्मीकरण' (एटमाइजेशन) को महत्त्व दिया जाता है जिसमें सांस्थानिक संसाधनों यथा कल्याणकारी व्यवस्था, जन-शिक्षा और मानवाधिकारों को ध्वस्त करके जोखिम को बढ़ा दिया जाता है। इसके फलस्वरूप राष्ट्रीय राजनीति का ग़ैर-राजनीतिकरण हो रहा है—सामूहिक कर्त्ताओं में विश्वास की कमी से प्रतिनिधित्वमूलक जनतन्त्र में संकट गहरा रहा है। सो इसके परिणामस्वरूप कट्टरतावाद और अन्धराष्ट्रवाद फल-फूल रहा है। इस प्रकार उत्तर आधुनिक राजनीति अत्यधिक विभिन्नीकरण का उत्पाद है। एम. कालेदार ने ठीक ही कहा है कि भूमंडलीय राजनीति के दो मुख्य सिद्धान्त हैं—पहला, नव-उदारवाद और दूसरा, पुनर्वितरणवाद। नव-उदारवाद का संकीर्ण रूप 'नया दक्षिणपन्थी' धार्मिक पहचान व पारम्परिक मूल्य को मानता है तथा चाहता है कि भूमंडलीकरण का विरोध राष्ट्रवाद और कट्टरवाद के ज़रिये हो। इसका वैश्विक रूप बहुराष्ट्रीय कम्पनियों वाला 'अन्तरराष्ट्रीय उदारवाद' निगमित तन्त्र, केन्द्रवादी राजनीतिज्ञों और आर्थिक विशेषज्ञों का समर्थन पाता है। यह मानता है कि भूमंडलीकरण एक सकारात्मक विकास है तथा इससे विकासशील देशों को लाभ मिलता है। दूसरी ओर पुनर्वितरणवाद का संकीर्ण रूप पुराने वामपन्थी को मानता है—यह सुदृढ़ राष्ट्र-राज्य, कल्याण, पूर्ण नियोजन में विश्वास करता है तथा भूमंडलीकरण को ख़त्म करना चाहता है। पुनर्वितरणवाद का वैश्विक रूप 'भूमंडलीय नागरिक तन्त्रों' में विश्वास करता है जिसमें ग़ैर-सरकारी संगठन, सहायता एजेंसियाँ आदि प्रमुख हैं। यह वैश्विक नागरिकीकरण की प्रक्रिया में विश्वास करता है और मानता है कि भूमंडलीकरण स्वभावतः विषम है तथा सिर्फ़ अमीर देशों के हितों का पक्षधर है। आजकल वैश्विक नागरिक तन्त्र और श्रमिक संघों का आन्दोलन एक साझा मंच तैयार कर रहा है जो भूमंडलीकरण के विरुद्ध नयी राजनैतिक जगह बना रहा है।

प्रसिद्ध समाजशास्त्री एन्थनी गिडेन्स ने 'प्राकृतिक की ओर वापसी' ('रिटर्न टू द नेचुरल') का नारा दिया है जिसे खाद्य सामग्री, कृषि, दवा और खेलकूद के क्षेत्र में प्रकृति और शरीर के बीच अर्थात् 'बाहरी ग्रह' ओर 'भीतरी ग्रह' (ए. मेलुक्की) के बीच ऐच्छिक सम्बन्ध स्थापित करके सुनिश्चित किया जा सकता है। आधुनिक उद्योगवाद और तकनीकी ने न सिर्फ़ प्रकृति को तहस-नहस किया है बल्कि प्रजनन तकनीक के ज़रिये मानव-शरीर को भी विक्षत किया है। जी.एम. (जीन संशोधित)

खाद्य तकनीकी ने भीतरी ग्रह और बाहरी ग्रह दोनों को कुप्रभावित किया है। इसलिए अखंडता के स्थल के रूप में ज़रूरत है 'सच्ची प्रकृति' की तलाश और शरीर की पुनः खोज की। जैविक खाद्य संजाल 'स्व-सृजनशील समाज' की नर्सरी हो सकता है, जैसाकि जेड हेगेडस ने ठीक ही कहा है, जिसमें सशक्तीकृत नागरिक बाज़ार से परे वैकल्पिक समस्या-समाधानक क्षमताओं का विकास करते हैं। इस प्रकार स्पष्ट है कि भूमंडलीकरण धन और और आय के असमान वितरण को उपभोक्तावादी संस्कृति के ज़रिये सब जगह बढ़ा रहा है जिसकी सबसे ज़्यादा मार ग़रीब देशों के ग़रीबों पर पड़ रही है। अस्तु, समय रहते इसका विरोध होना ज़रूरी है तथा इसका विकल्प तलाशना भी ज़रूरी है। ज़ाहिर है, इसके लिए तीसरी दुनिया के आम लोगों, आन्दोलनों और नागरिक समाजों को साझा संघर्ष करना होगा जिसका एक रूप 'विश्व सामाजिक मंच' (वर्ल्ड सोशल फोरम) में देखने को मिला है और उससे आम नागरिकों की उम्मीदों को पंख लग रहे हैं।

❑ ❑ ❑

णाणं
पयासयं
वीर नि.सं. 2470
ई. सन् 1944
भारतीय ज्ञानपीठ